ANONIMOWI ALKOHOLICY

ANONIMOWI ALKOHOLICY

Historia o tym,
jak tysiące mężczyzn i kobiet
zostało uzdrowionych z alkoholizmu

Publikacja zaaprobowana przez Konferencję Służb Ogólnych AA

Tytuł oryginału: Alcoholics Anonymous

Adres: Alcoholics Anonymous World Services, Inc.
P.O. Box 459
Grand Central Station
New York, NY 10163, USA

Wydawca
Fundacja Biuro Służby Krajowej
Anonimowych Alkoholików w Polsce
00-950 Warszawa 1
skrytka pocztowa 243

Wydanie drugie Warszawa 2000
ISBN 83-87043-23-0

Druk: **APOSTOLICUM**, ul. Wilcza 8, 05-091 Ząbki
tel. (0-22) 781-73-89; fax 781-73-89

SPIS TREŚCI

Dodatek

PRZEDMOWA DO WYDANIA POLSKIEGO

KSIĄŻKA, którą trzymacie w ręku, została po raz pierwszy opublikowana w 1939 r.; funkcjonowało wówczas około 100 grup AA. Została ona przetłumaczona na wiele języków.

W 1996 roku liczbę członków Wspólnoty AA na całym świecie określano na ponad 2 300 000 w 95 000 grup w 146 krajach.

Niniejsze tłumaczenie zawiera podstawowy tekst programu zdrowienia z choroby alkoholowej, programu którego posłanie pozostało nie zmienione od przeszło półwiecza. Pomimo tego, że pewne odniesienia i wyrażenia, występujące w tekście, odzwierciedlają historyczne i społeczne warunki w USA pół wieku temu, istota programu AA okazuje się być znakomicie przetłumaczalna; jego podstawowe zasady bez względu na język, w którym są wyrażane stosują z powodzeniem osoby obu płci w każdym wieku, różnych narodowości na całym świecie. Różnice językowe podobnie jak społeczne czy zawodowe, różnice klasy, płci i rasy, które w pewnych okolicznościach tworzą groźne bariery w innych sferach ludzkiej aktywności wydają się nie sprawiać żadnych przeszkód w skutecznym niesieniu posłania AA, posłania opartego na dzieleniu się doświadczeniami cierpienia i zakorzenionej we wspólnocie miłości, które przekracza odmienność urodzenia i warunków życia.

PRZEDMOWA

OTO trzecie wydanie książki "Anonimowi Alkoholicy". Pierwsze wydanie ukazało się w kwietniu 1939 r. W tej postaci wznawiano ją przez 16 lat w ponad 300 000 egzemplarzy. Drugie wydanie opublikowano w 1955 roku. Jego łączny nakład przekroczył 1 150 000 egzemplarzy.

Książka ta stała się podstawowym tekstem dla naszego kręgu i pomogła w zdrowieniu wielkiej liczbie alkoholików, mężczyzn i kobiet, stąd panuje pogląd przeciwny wprowadzaniu jakichkolwiek zmian w tej książce. Dlatego też pierwsza część tego tomu, opisująca program ozdrowienia pozostała w postaci niezmienionej w obu edycjach drugiej i trzeciej. Rozdział pt. "Opinia lekarza" pozostał niezmieniony, tak jak został napisany do pierwszego wydaniu przez śp. dr. W. Silkwortha, wspaniałego medycznego dobroczyńcę naszej wspólnoty.

Druga edycja została uzupełniona o dodatki: 12 Tradycji i instrukcje kontaktu z AA. Ale główna zmiana polegała na wprowadzeniu osobistych historii, które ukazały się w celu odzwierciedlenia rozwoju wspólnoty. "Historia Billa", "Koszmar dr. Boba" i jeszcze jedna osobista historia z pierwszej edycji ukazały się w postaci niezmienionej; trzy historie były wcześniej publikowane, w jednej zmieniono tytuł. Dwie historie zostały napisane ponownie i ukazały się z nowymi tytułami. Dołączono trzydzieści całkowicie nowych historii, a partie zawierające osobiste historie podzielono na trzy części zatytułowane tak samo jak w obecnym wydaniu. Część pierwsza ("Pionierzy AA") pozostała bez zmian. W części drugiej ("Ci, którzy zatrzymali się w porę") dziewięć opowieści pozostawiono z drugiego wydania, a osiem nowych historii dodano. W części trzeciej ("Ci, którzy utracili prawie wszystko"), osiem opowiadań zachowano a pięć jest nowych.

Wszystkie zmiany wprowadzane przez lata w Wielkiej Księdze (popularne przydomki członków AA w tym tomie) miały ten sam cel, by przedstawić ozdrowienie członków Wspólnoty Anonimowych Alkoholików bardziej wnikliwie i w ten sposób bardziej dotrzeć do alkoholików. Jeżeli masz problem alkoholowy mamy nadzieję, że będziesz mógł zatrzymać się czytając jedną z 41 osobistych historii i pomyśleć: "Tak, to mi się przydarzyło", albo jeszcze ważniejsze: "Tak, czułem się dokładnie tak samo" lub też najważniejsze: "Tak, wierzę, że ten program może poskutkować także w moim przypadku".

WPROWADZENIE DO PIERWSZEGO WYDANIA

(Niniejsze wprowadzenie poprzedzało pierwsze wydanie z 1939 r.)

MY, Anonimowi Alkoholicy, liczymy ponad 100 mężczyzn i kobiet, którzy zostali uzdrowieni z na pozór beznadziejnego stanu umysłu i ciała. Głównym celem tej książki jest dokładne pokazanie innym alkoholikom w jaki sposób ozdrowieliśmy. Mamy nadzieję, że właśnie te strony, bez dodatkowych uwiarygodnień, będą dla nich przekonującym dowodem. Sądzimy, że ze względu na nasze doświadczenia, możemy każdemu pomóc lepiej zrozumieć alkoholików. Wielu nie rozumie, że alkoholik jest bardzo chorą osobą. Jesteśmy pewni, że nasz sposób życia przynosi korzyści wszystkim.

Ważne jest, abyśmy pozostali anonimowi ponieważ jest nas obecnie zbyt mało, byśmy mogli odpowiedzieć na napływ indywidualnych próśb o pomoc, które mogą nadejść w wyniku tej publikacji. Jako osoby przeważnie zajęte zawodowo nie moglibyśmy dobrze wywiązywać się z naszych obowiązków. Pragniemy, by nasze zajęcie na polu alkoholizmu rozumiano jako powołanie.

Nalegamy, by piszący czy mówiący publicznie o alkoholizmie członkowie naszej wspólnoty, pomijali swoje nazwisko, a zamiast tego przedstawiali się jako członkowie Anonimowych Alkoholików.

Z naciskiem prosimy prasę o przestrzeganie tego wymogu, w przeciwnym razie znaleźlibyśmy się w trudnym położeniu. Nie jesteśmy organizacją w tradycyjnym znaczeniu tego słowa. Nie ma tu jakichkolwiek opłat ani składek. Jedynym warunkiem członkostwa jest uczciwe pragnienie zaprzestania picia. Nie jesteśmy związani z żadną konkretną religią, sektą lub wyznaniem, klasą społeczną, ani nie przeciwstawiamy się nikomu i niczemu. Po prostu pragniemy być pomocni tym, którzy zostali dotknięci tą chorobą.

Bylibyśmy zainteresowani zdaniem tych, którym książka ta okaże się pomocna, a w szczególności tych, którzy rozpoczęli pracę z innymi alkoholikami. Po prostu pragnęlibyśmy być pomocni w tych przypadkach.

Zapytania naukowców, lekarzy i stowarzyszeń religijnych będą mile widziane.

ANONIMOWI ALKOHOLICY

WPROWADZENIE DO DRUGIEGO WYDANIA

OD napisania wprowadzenia do pierwszego wydania tej książki z 1939 r. zdarzył się cud sprzedaży hurtowej. Naszym pierwszym nakładem wyrażaliśmy nadzieję, by "każdy podróżujący alkoholik znalazł Wspólnotę AA u celu podróży". "Już dzisiaj – kontynuuje ówczesny tekst – dwóch, trzech i pięciu z nas wyniosło się do innych miejscowości".

Upłynęło 16 lat między pierwszym nakładem tej książki a decyzją o publikacji drugiego wydania w 1955 r. W tym krótkim okresie Anonimowi Alkoholicy, jak grzyby po deszczu, rozrośli się do blisko 6000 grup, a liczba członków znacznie przekroczyła 150 000 ozdrowiałych alkoholików. Założono grupy w każdym ze stanów USA i w każdej prowincji Kanady. AA rozwija się na Wyspach Brytyjskich, w Skandynawii, Południowej Afryce, Ameryce Południowej, Meksyku, na Alasce, w Australii i na Hawajach. Mówi się, że obiecujące zaczątki wspólnoty powstały w 50 innych krajach i terytoriach należących do USA. Wspólnota stawia pierwsze kroki w Azji. Wielu z naszych przyjaciół dodaje nam odwagi, mówiąc, że jest to zaledwie początek, ale przepowiadający duży postęp w przyszłości.

Iskra, która skrzesała pierwszą grupę AA, rozbłysła w Akron w Ohio w czerwcu 1935 r. podczas rozmowy między nowojorskim maklerem giełdowym a lekarzem z Akron. Sześć miesięcy wcześniej makler ten uwolnił się od obsesji picia przez niespodziewane duchowe doświadczenie, w następstwie spotkania z przyjacielem alkoholikiem, będącym wówczas w kontakcie z grupami oxfordzkimi. Otrzymał również ogromną pomoc od śp. doktora W. Silkwortha – nowojorskiego specjalisty w sprawach alkoholizmu, uznawanego obecnie przez członków AA prawie za medyczną świętość. Jego opowieść o najwcześniejszych dniach naszej wspólnoty pojawi się dalej. Od niego ów makler dowiedział się o istocie alkoholizmu. Pomimo iż nie mógł zaakceptować wszystkich zasad grup oxfordzkich był przekonany o potrzebie moralnej inwentury, przyznania się do osobistych wad, zadośćuczynienia skrzywdzonym, pomagania innym, konieczności uwierzenia i zależności od Boga.

Przed wyjazdem do Akron pracował ciężko z alkoholikami, z przekonaniem, że tylko alkoholik może pomóc alkoholikowi, ale tylko on utrzymał trzeźwość. Makler pojechał do Akron w interesie, który się nie powiódł, pozostając w wielkiej obawie, że mógłby znowu zacząć pić. Nagle uświadomił sobie, że aby zachować własną trzeźwość, musi nieść swoje "posłanie" innemu alkoholikowi. Alkoholik, do którego zwrócił się w Akron był lekarzem.

Ów lekarz, nieustannie próbował duchowego podejścia, aby rozwiązać swój problem alkoholowy ale ponosił porażki. Gdy makler przedstawił mu opis alkoholizmu i jego beznadziejności w rozumieniu doktora Silkwortha lekarz zaczął wykorzystywać duchowe środki z gotowością, jakiej nigdy nie był w stanie osiągnąć. Trzeźwiał i nigdy już nie napił się aż do śmierci w 1950 r. Wydawało się to potwierdzać, że alkoholik mógł wpływać na innego alkoholika, co nie udawało się niealkoholikowi. Ukazywało to również, że gorliwa praca jednego alkoholika z innym jest żywotna dla nieustannego zdrowienia.

Odtąd dwóch mężczyzn zaczęło niemal szaloną pracę z alkoholikami przebywającymi pod opieką szpitala w Akron. Ich pierwszy przypadek, człowiek zdesperowany, zaczął szybko zdrowieć, stając się trzecim członkiem AA. Już nigdy więcej nie pił. Praca w Akron trwała przez lato 1935 roku. Było wiele porażek, ale były też dodające otuchy rzadkie sukcesy. Kiedy makler powrócił do Nowego Jorku jesienią 1935 r., pierwsza grupa właśnie się formowała, choć wówczas nikt nie zdawał sobie z tego sprawy.

Druga mała grupa prawie natychmiast ukształtowała się w Nowym Jorku, a następnie w 1937 roku zaczęła działalność trzecia w Cleveland. Oprócz tego rozproszeni byli po całym kraju alkoholicy, którzy zaczerpnąwszy podstawowe zasady z Akron lub Nowego Jorku próbowali formować grupy w innych miastach. Pod koniec 1937 r. liczba członków mających za sobą solidny staż trzeźwości była wystarczająca, by przekonać społeczeństwo, że nowe światło wstąpiło w ciemny świat alkoholika.

Był to czas, kiedy zmagające się z trudnościami grupy myślały, w jaki sposób przekazać wiadomość o sobie i swoim niepowtarzalnym doświadczeniu światu. Ich determinacja zaowocowała wiosną 1939 roku publikacją tej książki. Liczba członków osiągnęła około 100 mężczyzn i kobiet. Raczkująca, dotąd bezimienna wspólnota, zaczęła nazywać się Anonimowi Alkoholicy od tytułu ich własnej książki. Zakończył się okres szukania po omacku a zaczęła się nowa faza pionierskiego rozwoju AA.

Wraz z ukazaniem się nowej książki zaczęły dziać się wielkie rzeczy. Doktor Harry Emerson Fosdick, wybitny duchowny, zrecenzował ją przychylnie. Jesienią 1939 roku Fulton Oursler ówczesny wydawca "Liberty" opublikował jej fragment w swoim magazynie pod nazwą "Alkoholicy i Bóg". Wywołało to poruszenie, 800 osób dopytywało się o książkę w ówczesnym, niewielkim nowojorskim biurze. Odpowiadano wyczerpująco na każde pytanie, wysyłano też broszury i książki. Podróżujący w interesach członkowie istniejących grup nawiązywali kontakt z tymi potencjalnymi nowicjuszami. Gdy nowe grupy zaczęły powstawać odkryto, ku zdumieniu wszystkich, że posłanie AA może być przekazywane pocztą równie dobrze jak ustnie. Pod koniec 1939 r. szacowano, że 800 alkoholików zdrowiało tą drogą.

Wiosną 1940 r. John D. Rockefeller junior wydał obiad dla wielu swoich przyjaciół, na który zaprosił członków AA, aby opowiedzieli swoje historie. Doniosły o tym depesze; ponownie napłynęło mnóstwo pytań, a wiele osób udało się do księgarń, by nabyć książkę "Anonimowi Alkoholicy". Do marca 1941 roku liczba członków przekroczyła 2000. Wówczas Jack Alexander napisał znamienny artykuł w *Saturday Evening Post* roztaczający przed czytelnikami obraz AA tak przekonujący, iż wynikało z niego, że alkoholicy potrzebujący pomocy zalewają nas. Do końca 1941 roku AA liczyło 8000 członków. Reakcja łańcuchowa nabrała pełnego rozmachu. AA stało się ogólnonarodową instytucją.

Nasza społeczność wkroczyła wówczas w niepewny i podniecający okres dorastania. Testem, któremu musieliśmy stawić czoło było: Czy tak duża liczba dotąd "błądzących" alkoholików może skutecznie spotykać się i pracować razem? Czy kłótnie o przywództwo i pieniądze będą ważniejsze od samego uczestnictwa? Czy nie pojawią się dążenia do potęgi i prestiżu? Czy nie będzie schizmy, która mogłaby podzielić AA? Wkrótce te rzeczywiste problemy osaczyły AA z każdej strony i w każdej grupie. Ale z tych, początkowo przykrych i budzących obawy doświadczeń wyrosło przekonanie, że AA musi trzymać się razem, bo podzielone umrze. Musieliśmy zjednoczyć naszą wspólnotę lub zejść ze sceny.

Tak odkryliśmy zasady, dzięki którym alkoholik może żyć, tak rozwinęliśmy zasady, dzięki którym grupy AA i AA jako całość mogły przetrwać i funkcjonować skutecznie. Stwierdzono, że alkoholik mężczyzna czy kobieta nie może być wykluczony z naszej społeczności, że przywódcy mają służyć a nie rządzić, że każda grupa jest niezależna i że nie będzie profesjonalnej terapii. Nie powinny istnieć opłaty ani składki. Nasze wydatki mają pochodzić z naszych własnych dobrowolnych składek. Wspólnota nie powinna być organizacją nawet w naszych centralnych biurach. Nasza publiczna obecność powinna opierać się raczej na przyciąganiu niż na reklamowaniu. Zdecydowano, że wszyscy członkowie powinni być anonimowi wobec prasy, radia, telewizji i filmu. I niezależnie od okoliczności nie powinni podpisywać lub tworzyć porozumień czy uczestniczyć w publicznych sporach.

To była istota 12 Tradycji AA, których pełne brzmienie znajduje się na stronie 182 tej książki. Chociaż żadna z tych zasad nie posiadała mocy reguły lub prawa, zostały powszechnie przyjęte do 1950 roku, w którym to zostały zatwierdzone przez pierwszą międzynarodową konferencję w Cleveland. Dzisiaj wspaniała jedność AA jest jednym z największych atutów, jakie nasza wspólnota posiada.

Podczas, gdy AA hartowało się w okresie dojrzewania przez wewnętrzne trudności, jego publiczna akceptacja postępowała wielkimi krokami. Istniały dwie zasadnicze przyczyny takiego powodzenia: wielka liczba zdrowiejących członków i połączonych znowu rodzin. To wszędzie sprawiało wrażenie. Połowa spośród alkoholików, którzy przyszli do AA podjęła rzeczywisty wysiłek, przestała pić natychmiast i postępowała tą drogą, jednej czwartej udawało się to po kilku wpadkach, wśród pozostałych, jeśli zostali w AA, zauważono poprawę. Tysiące innych po kilku spotkaniach uznało, że nie chcą programu. Ale większość z nich, około dwóch trzecich, zaczęło powracać do wspólnoty po jakimś czasie.

Inną przyczyną szerokiej akceptacji AA było służenie przyjaciele – przyjaciołom w medycynie, religii, prasie, razem z niezliczoną rzeszą innych, którzy pozostawali naszymi nieustannymi rzecznikami. Bez takiego wsparcia, postęp AA byłby znacznie wolniejszy. Kilka prezentacji przyjaciół z początków AA, z kręgu medycyny i religii, można znaleźć na dalszych stronach tej książki.

Anonimowi Alkoholicy nie są organizacją religijną. AA nie zajmuje również osobnego medycznego punktu widzenia, chociaż szeroko współpracuje z ludźmi medycyny tak samo jak i religii.

Istota alkoholu nie rozróżnia osób, jesteśmy dokładnym przekrojem Ameryki, podobnie demokratyczne procesy przebiegają obecnie w odległych krajach. Mamy w swoich kręgach katolików, protestantów, żydów, hindusów a nawet muzułmanów i buddystów. Ponad 15 % z nas stanowią kobiety.

Obecnie nasze członkostwo stale wzrasta o 20 % w skali roku. Mimo to, uczyniliśmy zaledwie zarys powszechnego problemu kilku milionów obecnych i potencjalnych alkoholików. Według wszelkiego prawdopodobieństwa nigdy nie będziemy w stanie poruszyć bardziej, niż ukazując jasną stronę problemu alkoholowego spośród mnóstwa innych. Z pewnością nie posiadamy monopolu na terapię dla każdego alkoholika. Mamy jednak wielką nadzieję, że wszyscy ci, którzy dotąd jeszcze nie znaleźli odpowiedzi, zaczną znajdować ją na stronach tej książki i wkrótce dołączą do nas na szerokiej drodze do nowej wolności.

WPROWADZENIE DO TRZECIEGO WYDANIA

W chwili oddawania niniejszego wydania do druku, w marcu 1976 roku, globalną liczbę członków Anonimowych Alkoholików szacowano ostrożnie na ponad 1 000 000 osób w ponad 90 krajach spotykających się w prawie 28 000 grup*.

Przegląd grup w USA i Kanadzie wskazywał, że nie dość że do AA przybywa coraz więcej i więcej osób lecz także obszar, na którym działa wciąż się powiększa. Kobiety stanowią teraz więcej niż jedną czwartą członków, a jedna trzecia to nowicjusze. Siedem procent aowców ma mniej niż 30 lat a wśród nich wielu to nastolatki**.

Podstawowe zasady programu AA, jak się okazuje, skutkują w przypadku poszczególnych osób bez względu na różnicę stylu życia, tak jak przyniosły ozdrowienie wielu osobom różnych narodowości. Dwanaście Kroków, które składają się na program mogą być nazywane Los Doce Pasos w jednym kraju, a w innym Les Douze Etapes, jednak wytyczają one tę samą ścieżkę do zdrowienia, którą wytyczyli najwcześniejsi członkowie Anonimowych Alkoholików.

Pomimo wspaniałego powiększenia się wspólnoty pod względem wielkości i zasięgu pozostaje ona w swej istocie prosta i osobowa. Każdego dnia w każdej części świata, zdrowienie rozpoczyna się, kiedy jeden alkoholik rozmawia z innym dzieląc się doświadczeniem, siłą i nadzieją.

---

* W 1996 r. było ponad 95 000 grup AA działających w 146 krajach.

** W 1996 r. kobiety stanowiły jedną trzecią, a osoby poniżej 30 lat jedną piątą członków wspólnoty.

OPINIA LEKARZA

MY, Anonimowi Alkoholicy, wierzymy, że czytelnik będzie zainteresowany medyczną oceną programu "leczenia alkoholizmu", opisanego w tej książce. Przekonujące świadectwo musi z pewnością pochodzić od tych ludzi medycyny, którzy posiadają zarówno wiedzę o istocie choroby alkoholowej, jak i są świadkami powrotu do zdrowia wielu "beznadziejnych przypadków". Pewien dobrze znany lekarz, ordynator sławnej kliniki w Stanach Zjednoczonych specjalizującej się w leczeniu chronicznego alkoholizmu i narkomanii przekazał Anonimowym Alkoholikom taki oto list:

"Do wszystkich zainteresowanych:

Specjalizuję się w leczeniu alkoholizmu od wielu lat. W końcu 1934 roku miałem pacjenta, skądinąd wysoko kwalifikowanego i dobrze zarabiającego specjalistę, którego uznałem za tzw. beznadziejny przypadek. W trakcie swej trzeciej kuracji odwykowej postanowił on wcielić w życie ideę, która miała się okazać tą przysłowiową "ostatnią deską ratunku" dla wielu alkoholików. Ów człowiek zaczął rozpowszechniać swą koncepcję wśród innych alkoholików, wpajając w nich przekonanie o konieczności podania pomocnej ręki wszystkim usiłującym bezskutecznie walczyć z nałogiem. Pracę swą traktował jako część własnego procesu rehabilitacyjnego. Stała się ona bazą szybko rosnącej wspólnoty skupiającej alkoholików i ich bliskich. Człowiek, o którym wspominam i ponad stu innych odzyskali zdrowie.

Znam osobiście wiele przypadków, w odniesieniu do których wszystkie inne metody całkowicie zawiodły. Fakt ten może okazać się niezwykle ważny z medycznego punktu widzenia, ponieważ ma szansę zapisać nową epokę w kronikach leczenia alkoholizmu. Członkowie owej wspólnoty są w posiadaniu znakomitego środka – sposobu mającego zastosowanie w tysiącach podobnych sytuacji. Możecie zatem ufać, że ludzie ci odsłaniają absolutną prawdę o sobie samych.

Wasz szczerze oddany
Dr William D. Silkworth"

Lekarz, który na naszą prośbę przekazał powyższy list, był również na tyle uprzejmy, że zechciał rozwinąć swoje poglądy na ten temat w innym oświadczeniu przytoczonym w dalszej części tekstu. Potwierdza w nim to, co my – cierpiący tortury alkoholowe – musimy przyjąć do wiadomości. Organizm alkoholika odbiega od normy, zarówno pod względem fizycznym jak i psychicznym.

Marną pociechę stanowi fakt, iż powszechnie stwierdzono, że nie potrafimy kontrolować picia, bo jesteśmy nieprzystosowani, całkowicie oderwani od rzeczywistości lub psychicznie "wypaczeni". Stwierdzenia te są prawdziwe w mniejszym lub większym stopniu w stosunku do większości z nas. Nie ulega jednak wątpliwości, że jest to również schorzenie fizyczne. W naszym przekonaniu, jakikolwiek obraz alkoholika, bez uwzględnienia czynnika fizycznego jest obrazem niekompletnym.

Z zainteresowaniem przyjmujemy teorię pewnego lekarza, że mamy uczulenie na alkohol. Nasza laicka opinia na temat zasadności tej teorii ma, rzecz jasna, niewielkie znaczenie. Jako byli nałogowcy możemy jednak stwierdzić, że jest to rozsądna koncepcja. Wyjaśnia ona wiele faktów niewytłumaczalnych w żaden inny sposób. Chociaż wypracowujemy własną metodę uporania się z problemem zarówno na płaszczyźnie duchowej, jak i altruistycznej, to jednocześnie uznajemy pierwszeństwo leczenia szpitalnego w przypadku alkoholika, który cierpi na stany lękowe lub jest umysłowo przytępiony. Bardzo często najpierw konieczne jest "oczyszczenie" mózgu takiego człowieka, zanim jest on w stanie ogarnąć cały problem i ewentualnie zrozumieć i zaakceptować to, co mamy mu do zaoferowania.

Pisze lekarz:

"Temat przedstawiony w niniejszej książce, w moim rozumieniu, ma ogromną wagę w odniesieniu do wszystkich dotkniętych nałogiem alkoholowym. Mówię to po wielu latach pracy w charakterze ordynatora jednego z najstarszych szpitali w Stanach, leczącego alkoholizm i narkomanię. Głęboką satysfakcję sprawiła mi zatem prośba o napisanie kilku słów na temat przedstawiony w tak nowatorski (i mistrzowski) sposób na kartach tej książki. My, lekarze, zdawaliśmy sobie od dawna sprawę, że pewna forma psychologii moralnej jest w przypadku alkoholizmu niezwykle ważna, ale jej zastosowanie w praktyce napotykało na trudności nie do pokonania. Dotychczasowe niepowodzenia na tym polu wskazywały na to, że mimo całej, supernowoczesnej wiedzy medycznej i ściśle naukowego podejścia do zagadnienia nie byliśmy wystarczająco gotowi do zaakceptowania możliwości leżących poza naszą wiedzą empiryczną.

Wiele lat temu jeden z głównych współautorów tej książki, będąc pod opieką szpitalną, wpadł na genialnie prosty pomysł zastosowania psychologii moralnej w praktyce. Wkrótce poprosił o możliwość podzielenia się swoimi doświadczeniami, na co – z niejakimi oporami – przystaliśmy. Przypadki, o których opowiadał były zdumiewające, czasami wprost niewiarygodne. Bezinteresowność ludzi, o których mówił, całkowity brak motywów materialnych oraz ich wspólnota duchowa stanowią rzeczywistą inspirację dla lekarza, który stracił lata na nierówną walkę z chorobą alkoholową. Ludzie ci muszą uwierzyć w siebie, ale jeszcze bardziej w Siłę Wyższą, która odciąga ich – chronicznych alkoholików – od progu śmierci. Ażeby środki psychologiczne przyniosły oczekiwane korzyści, w wielu przypadkach alkoholik musi zostać uwolniony od czysto chemicznych skutków nałogu, co wymaga już leczenia szpitalnego.

Jesteśmy przekonani, co sugerowaliśmy już kilka lat temu, że typ nałogowego alkoholika wykazuje coś w rodzaju alergii na każdy rodzaj alkoholu. Nieodparta konieczność picia jest charakterystyczna dla tej grupy ludzi i nigdy nie ujawnia się u pijących umiarkowanie. Typy alergiczne nie potrafią nigdy bezpiecznie używać alkoholu w jakiejkolwiek formie i – mając raz uformowany nałóg – nie są go już w stanie przełamać. Jednostka taka, która utraciła wiarę w siebie i nie ma zaufania do ludzi napotyka na coraz większe trudności w rozwiązywaniu piętrzących się problemów. Próby oddziaływania na uczucia i ambicje nie przynoszą rezultatów. Idea, która potrafiłaby zainteresować tych ludzi i powstrzymać ich od picia musi mieć prawdziwą głębię i wagę, musi czerpać natchnienie z Siły Wyższej niż ta, która tkwi w nich samych, jeżeli w ogóle mają zacząć żyć na nowo.

Jeżeli jako psychiatrzy, kierujący szpitalem dla alkoholików, wydajemy się niektórym ludziom nieco sentymentalni, niechże spróbują oni stanąć z nami na straconych pozycjach; zobaczyć tragedie, zdesperowane żony, małe dzieci... Niech rozwiązywanie tych problemów stanie się częścią ich codziennej pracy, wtedy nawet najbardziej cyniczni przestaną się dziwić, że zaakceptowaliśmy i poparliśmy tę wspólnotę. Czujemy – po wielu latach doświadczeń – że nie odkryliśmy niczego lepszego, co przyczyniłoby się bardziej do rehabilitacji tych ludzi, niż bezinteresowny ruch rozwijający się obecnie wśród nich.

Mężczyźni i kobiety piją głównie dlatego, że lubią efekty działania alkoholu. Doznawane wrażenia są tak nieuchwytne, że choć przyznają oni sami, iż jest to szkodliwe, nie mogą po jakimś czasie rozróżnić prawdy od fałszu. Dla nich życie z alkoholem wydaje się stanem normalnym. Bez alkoholu są niespokojni, skorzy do gniewu i rozgoryczenia, dopóki nie zaznają uczucia ulgi i uspokojenia, które przychodzi wraz z wypiciem kilku kieliszków, co przecież innym uchodzi całkowicie bezkarnie. Po jakimś czasie, kiedy nie mogą oprzeć się ponownemu pragnieniu – a dzieje się tak prawie zawsze – zjawisko łaknienia pogłębia się. Przechodzą wówczas przez dobrze znane fazy nie opanowanego picia, skruchy i poczucia winy z mocnym postanowieniem niepicia nigdy więcej. Powtarza się to wielokrotnie i jeśli u danej osoby nie dokona się całkowita zmiana psychiki – nadzieja na powrót do zdrowia jest znikoma.

Z drugiej strony – co wydaje się dziwne dla ludzi, którzy nie rozumieją problemu – raz zmieniona psychika alkoholika umożliwia nagle łatwą kontrolę nad pragnieniem napicia się. Jedyny niezbędny wysiłek, to przestrzeganie kilku prostych reguł.

Ludzie błagali mnie szczerze i w rozpaczy: "Doktorze, nie mogę tak dalej żyć. Wiem, że muszę skończyć z piciem, ale nie potrafię. Musi mi pan pomóc".

Postawiony przed tym problemem, a uczciwy wobec siebie samego, lekarz musi czasem odczuwać całkowitą bezsilność. I choć daje z siebie wszystko, jest to często niewystarczające. Coś więcej niż wysiłki lekarza jest niezbędne, aby doprowadzić do całkowitej zmiany psychiki pacjenta. I chociaż liczba wyzdrowień, będąca wynikiem wysiłków psychiatrii jest niemała, my, lekarze, musimy przyznać, że w odniesieniu do całościowego problemu postęp jest niewielki. Z wieloma typami alkoholików nie udaje się bowiem nawiązać normalnego kontaktu niezbędnego w psychoterapii.

Nie podzielam poglądów ludzi, którzy twierdzą, że alkoholizm jest wyłącznie problemem kontroli umysłowej. Znałem wielu pacjentów, którzy borykali się całymi miesiącami nad rozwiązaniem jakiegoś problemu lub załatwieniem ważnego interesu, tylko po to, żeby na dzień lub dwa przed sfinalizowaniem sprawy sięgnąć po jeden – ten pierwszy – kieliszek, a żądza zaspokojenia głodu alkoholowego brała górę nad wszystkim innym, nawet gdyby długoletni wysiłek w jednej chwili miał iść na marne. Ludzie ci nie pili, by uciec od problemu, kierowała nimi żądza leżąca daleko poza ich kontrolą umysłową i siłą woli.

Znam wiele sytuacji wynikających z konieczności picia, które powodują, że ludzie ci są raczej skłonni do największych wyrzeczeń niż do podjęcia walki.

Klasyfikacja alkoholików jest niezwykle skomplikowana, i w wielu szczegółach wykracza poza ramy niniejszej publikacji. Przede wszystkim mowa wśród nich o psychopatach, którzy są emocjonalnie niezrównoważeni; znamy ten rodzaj ludzi składających wiele przyrzeczeń i obietnic, których nigdy nie dotrzymują. Są pełni przesadnej skruchy i podejmują wiele postanowień, z których żadne nie kończy się konkretnym działaniem.

Istnieje typ alkoholika, który nigdy nie przyznaje, że nie potrafi bezpiecznie wziąć kieliszka do ust. Wymyśla najrozmaitsze preteksty, żeby się napić, zmienia rodzaj alkoholu lub środowisko. Istnieje także typ, wierzący w to, że po pewnym okresie wstrzemięźliwości może znów wypić bez niebezpiecznych skutków. Mamy również do czynienia z typem maniakalno–depresyjnym, który jest zapewne najmniej zrozumiały dla swojego środowiska, a o którym można by napisać cały rozdział. Mamy wreszcie typ człowieka normalnego pod każdym względem z wyjątkiem reakcji na alkohol. Jest to często ktoś wyjątkowo zdolny, inteligentny i przyjacielski.

U wszystkich wyżej wymienionych i wielu innych, których tu nie wspominam, występuje jeden wspólny objaw: nie potrafią wypić, by nie rozbudzić w sobie niepohamowanego łaknienia alkoholu. Zjawisko to – jak sugerowaliśmy – może być symptomem swoistej alergii, która wyodrębnia grupę tych ludzi spośród pozostałych. Nie zdarzyło się jeszcze, aby jakikolwiek sposób znany medycynie usunął całkowicie to zjawisko. Jedyna pomoc, jaką mamy do zaoferowania polega na zachowaniu bezwzględnej abstynencji.

Powyższe zagadnienie prowadzi nas do sedna sprawy. Choć napisano wiele za i przeciw – to wśród nas – lekarzy panuje pogląd, że większość chronicznych alkoholików skazana jest na zagładę.

Czy istnieje jakiekolwiek wyjście? Być może najlepszą odpowiedzią na to pytanie będzie przytoczenie jednego z moich doświadczeń.

Mniej więcej rok przed wydarzeniem, o którym chcę mówić, przywieziono do naszego szpitala nałogowego alkoholika odratowanego niedawno z krwotoku do jamy brzusznej, z objawami patologicznej degeneracji umysłowej. Stracił on wszystko, co miało dla niego jakąkolwiek wartość. Żył chyba tylko po to, jeśli tak można powiedzieć, by pić. Przyznał uczciwie, iż głęboko wierzył, że nie ma dla niego żadnej nadziei. Po okresie detoksykacji okazało się, że jego mózg nie został jeszcze uszkodzony przez alkohol. Ów człowiek zaakceptował program zawarty w tej książce. Po roku mniej więcej odwiedził mnie i wtedy to doznałem niezwykłego uczucia. Pamiętałem jego nazwisko i częściowo rozpoznawałem jego rysy, ale na tym całe podobieństwo się kończyło. Roztrzęsiony, zdesperowany i nerwowy wrak zmienił się w człowieka pełnego wiary w siebie i pogody ducha. Rozmawiałem z nim chwilę i nie mogłem w to uwierzyć, że znałem go wcześniej. Był teraz zupełnie innym człowiekiem. Wrażenie, że mam do czynienia z nieznajomym pozostało we mnie, gdy mnie opuścił. Było to dawno temu i człowiek ten nie pije.

Wówczas, kiedy potrzebuję duchowego pokrzepienia wspominam często przypadek alkoholika, o którym opowiadał mi sławny lekarz z Nowego Jorku. Pacjent ów sam sobie postawił diagnozę i stwierdziwszy, że sytuacja jest beznadziejna zaszył się w opustoszałej stodole, zdecydowany na śmierć. Został jednak uratowany przez poszukującą go ekipę i – w stanie beznadziejnym – przywiedziony do mnie. Gdy doszedł trochę do siebie wyznał mi bez ogródek, że leczenie będzie daremnym wysiłkiem, jeżeli go nie upewnię (co się dotąd nikomu nie udało), że w przyszłości jego siła woli zdoła powstrzymać go od picia. Jego problem alkoholowy był tak skomplikowany, a depresja tak głęboka, że uznaliśmy, iż jedyna nadzieja tkwi w "psychologii moralnej", chociaż i to, czy przyniesie ona jakkolwiek skutek, było dla nas sprawą wątpliwą. On jednakże "kupił" idee zawarte w tej książce. Nie pije od paru dobrych lat. Widuję go od czasu do czasu – jest wspaniałym człowiekiem, którego każdy chciałby poznać.

Gorąco polecam każdemu alkoholikowi dokładne przeczytanie tej książki. I choćby szydził na początku, to może zakończy modlitwą i przy modlitwie zostanie.

Dr William D. Silkworth

Rozdział 1

OPOWIEŚĆ BILLA

W pewnym mieście Nowej Anglii, do którego my – nowi, młodzi oficerowie z Plattsburga zostaliśmy skierowani, wrzała gorączka wojenna. Pochlebiało nam, kiedy zapraszali nas do swych domów pierwsi obywatele miasta. Czuliśmy się bohaterami. Otaczała nas miłość, poklask, wojna – momenty podniosłe i wesołe. Czułem, że żyję wreszcie pełnią życia i w tym stanie podniecenia odkryłem alkohol. Zapomniałem o przestrogach mojej rodziny i nieprzychylnym jej nastawieniu wobec alkoholu. Po jakimś czasie popłynęliśmy "na tamtą stronę". Byłem bardzo samotny i znowu wróciłem do alkoholu.

Wylądowaliśmy w Anglii. Odwiedziłem katedrę w Winchester. Wzruszony wyszedłem na zewnątrz. Wzrok mój padł na marne wierszydło na starym nagrobku:

> "W pokoju tu spoczywa
> grenadier, co poległ
> od nadmiaru piwa.
> Dobry żołnierz – zawsze pamiętany
> Czy pada od kuli
> Czy od pełnej szklany".

Złowieszcze ostrzeżenie, na które nie zwróciłem uwagi. Jako dwudziestodwuletni weteran wojen na obczyźnie wróciłem do domu. Uważałem się za przywódcę – czyż chłopcy z mojej baterii nie dali mi dowodu uznania? Mój talent przywódcy, jak to sobie wyobrażałem, uczyni ze mnie szefa ogromnego przedsiębiorstwa, którym będę kierował z absolutną pewnością siebie.

Zapisałem się na wieczorowe kursy prawa i otrzymałem pracę jako inspektor w towarzystwie ubezpieczeniowym. Byłem żądny sukcesu. Chciałem udowodnić światu, że jestem ważny. Moja praca wymagała obecności na Wall Street, gdzie stopniowo zacząłem interesować się giełdą. Wielu ludzi traciło wprawdzie pieniądze, ale niektórzy bogacili się. Dlaczego ja nie miałbym się wzbogacić? Oprócz prawa, studiowałem ekonomię i handel. Z powodu alkoholu o mało nie oblałem egzaminów. Na jednym z egzaminów końcowych byłem tak pijany, że nie mogłem myśleć ani pisać. Chociaż nie piłem dzień w dzień, niepokoiło to moją żonę. Odbywaliśmy długie rozmowy, w trakcie których uspokajałem żonę, tłumacząc, że ludziom genialnym najlepsze pomysły przychodziły do głowy pod wpływem alkoholu; często najdoskonalsze konstrukcje myśli ludzkiej powstawały w ten sposób. Zanim ukończyłem kurs prawa, wiedziałem już, że to nie dla mnie. Zostałem wciągnięty w wir Wall Street. Szefowie handlu i finansjery byli moimi bohaterami. Z tego stopu alkoholu i spekulacji zacząłem wykuwać broń, która pewnego dnia miała odwrócić się – jak bumerang w swym locie – i rozerwać mnie na strzępy. Żyjąc skromnie oszczędziliśmy z żoną tysiąc dolarów. Zamieniliśmy je na papiery wartościowe, wtedy tanie i raczej niepopularne. Miałem rację wyobrażając sobie, że pewnego dnia ich cena wzrośnie. Nie udało mi się przekonać zaprzyjaźnionych maklerów, aby wysłali mnie w teren w charakterze kontrolera finansów kompanii i przedsiębiorstw, ale mimo to – razem z żoną – wyruszyliśmy w drogę. Przekonany byłem wtedy, że ludzie tracą pieniądze na giełdzie z powodu nieznajomości rynków. Później odkryłem o wiele więcej przyczyn tego zjawiska.

Porzuciwszy nasze posady, wyjechaliśmy motocyklem z przyczepą, do której załadowaliśmy namiot, koce, odzież na zmianę i trzy grube tomy z adresami instytucji finansowych. Nasi przyjaciele uważali, że należałoby powołać dla nas komisję psychiatryczną. Prawdopodobnie mieli rację. Mieliśmy trochę pieniędzy ponieważ poprzednio odniosłem parę sukcesów na giełdzie. Żeby jednak uniknąć uszczuplenia tego niewielkiego kapitału pracowaliśmy. Raz nawet przez miesiąc, na farmie. Była to ostatnia wykonana przeze mnie uczciwa, fizyczna praca. W ciągu roku przejechaliśmy całe wschodnie Stany Zjednoczone. W końcu tego roku moje sprawozdania dla Wall Street zapewniły mi pozycję i duże konto. Wykorzystanie pewnych opcji przyniosło jeszcze więcej pieniędzy, tak że pod koniec roku mieliśmy kilka tysięcy dolarów.

Przez następne lata fortuna uśmiechała się do mnie, przynosząc pieniądze i poklask. Odniosłem sukces. Mój umysł i moje pomysły przyniosły mi milionowe kwoty. Wielki boom końca lat dwudziestych rozwijał się i powiększał. Alkohol stał się ważną częścią mojego życia, dodawał mi animuszu. W mieście mówiło się o pieniądzach. Wszyscy wydawali tysiące. Miałem mnóstwo przyjaciół, ale nie byli to ludzie skłonni pomóc mi w kłopotach czy niepowodzeniach. Moje picie przybrało poważniejsze rozmiary, trwało przez cały dzień i prawie w każdy wieczór. Upomnienia moich przyjaciół kończyły się awanturami, stopniowo stałem się "samotnym wilkiem". W naszym okazałym mieszkaniu dochodziło do wielu przykrych scen, mimo to nigdy nie zdradziłem swej żony – czasami tylko dzięki temu, że byłem zbyt pijany. To uchroniło mnie od popadnięcia w osobiste kłopoty.

W 1929 roku zawładnęła mną nowa pasja – gra w golfa. Natychmiast przenieśliśmy się na wieś: żona po to, żeby mi kibicować, ja żeby prześcignąć ówczesnego mistrza, Waltera Hagena. Ale alkohol dopadł mnie o wiele szybciej. Przestałem się liczyć jako gracz. Po całodniowym piciu zacząłem odczuwać lęki poranne. Golf był bowiem dobrą okazją do picia w dzień i w nocy. To była dopiero uciecha zabawić się na ekskluzywnym polu golfowym, które onieśmielało mnie i napawało paraliżującym lękiem, gdy byłem chłopcem. Mogłem się też poszczycić wspaniałą opalenizną, charakterystyczną tylko dla bardzo bogatych. Miejscowy bankier patrzył na mnie ze sceptycznym uśmiechem, kiedy nonszalancko obracałem dużymi sumami.

Nagle, w październiku 1929 roku, nastąpił krach na giełdzie w Nowym Jorku. Po jednym z tych dni piekła, chwiejnym krokiem poszedłem do biura maklera. Była ósma – pięć godzin po zamknięciu urzędowania. Teleks nadal stukał. Gapiłem się na taśmę z napisem: XYZ 32. Rano akcje stały – 52. Byłem skończony, tak jak i wielu moich przyjaciół. Gazety donosiły o wielu samobójstwach ludzi, którzy skakali z wieżowców wielkiej finansjery. To napawało mnie wstrętem. Ja nie skoczyłbym. Powlokłem się do baru. Od dziesiątej rano moi przyjaciele stracili po kilka milionów – no i co z tego? Jutro też będzie dzień. Kiedy piłem owładnęła mną dawna zawzięta determinacja, żeby wygrać.

Następnego dnia rano zadzwoniłem do przyjaciela w Montrealu. Zostało mu jeszcze mnóstwo pieniędzy i sądził, że lepiej będzie jeśli pojadę do Kanady. Do wiosny żyliśmy w stylu, do jakiego przywykliśmy. Czułem się jak Napoleon wracający z Elby. Nawet nie myślałem o wyspie św. Heleny. Ale picie znowu mnie dopadło i mój wspaniałomyślny przyjaciel musiał mnie zwolnić. Tym razem byliśmy już bez pieniędzy. Pojechaliśmy do rodziców mojej żony, by u nich zamieszkać. Znalazłem pracę. Potem – po bójce z taksówkarzem – straciłem ją. Na szczęście nikt nie domyślał się, że przez pięć lat nie miałem faktycznie żadnej posady i rzadko byłem trzeźwy. Moja żona zaczęła pracować w sklepie. Przychodziła do domu bardzo zmęczona i zastawała mnie pijanego. W biurach maklerów giełdowych stałem się niezbyt mile widzianym nadskakiwaczem.

Alkohol przestał być luksusem, stał się koniecznością. Dwie butelki ginu dziennie, a często trzy – to była norma. Czasami zarabiałem kilkaset dolarów na drobnych transakcjach i spłacałem rachunki w barach i sklepach. Trwało to w nieskończoność. Zacząłem budzić się wcześnie rano targany gwałtownymi drgawkami. Niemniej nadal uważałem, że potrafię kontrolować sytuację i zdarzały się okresy abstynencji, które na nowo przywracały mojej żonie nadzieję. Ale stopniowo zaczęło się dziać coraz gorzej. Dom został zajęty przez komornika, teściowa umarła, a żona i teść zachorowali.

Wtedy nadarzyła się obiecująca okazja zrobienia interesu. Akcje z roku 1932 stały na niskim poziomie. Udało mi się zebrać grupę ludzi i nabyć je. Planowałem spory udział w zyskach. Jednak poszedłem wtedy na koszmarną popijawę i szansa przepadła.

Przebudziłem się. Należało z tym skończyć. Uświadomiłem sobie, że nie potrafię już wypić tylko jednego kieliszka. Byłem skończony na zawsze. Przedtem ciągle składałem żonie mnóstwo łatwych obietnic, tym razem traktowałem tę sprawę na tyle poważnie, że wstąpiła w nią radosna nadzieja na rzeczywistą poprawę.

Wkrótce po tym przyszedłem znów do domu pijany. Nie wykazywałem woli do dalszej walki. Gdzie podziało się moje mocne postanowienie? Nie wiem. Wyparowało mi z głowy. Ktoś postawił mi przed nosem szklankę, a ja po prostu wypiłem wszystko. Czyżbym był szalony? Chyba tak, beznadzieja mojej sytuacji na to wyraźnie wskazywała.

Odnawiając postanowienie spróbowałem jeszcze raz. Minęło trochę czasu i pewność siebie przerodziła się w zadufanie. Mogłem śmiać się na widok baru. Teraz wiedziałem jak to jest. Któregoś dnia poszedłem do kawiarni, żeby zatelefonować. Jakimś cudem znalazłem się przy barze, nawet nie spostrzegając kiedy. W miarę jak whisky uderzała mi do głowy wmawiałem sobie, że następnym razem poradzę sobie lepiej. Ale tym razem mogę się upić. I tak się stało.

Wyrzuty sumienia, strach, poczucie beznadziejności, jakie odczuwałem nazajutrz rano są nie do opisania. Nie miałem już odwagi do podjęcia walki. Myśli kotłowały mi się w głowie i miałem okropne przeczucie niechybnej klęski. Bałem się przejść przez ulicę, aby nie przejechała mnie, bezwładnego, jakaś ciężarówka, bo jeszcze się dobrze nie rozwidniło. W lokalu otwartym całą noc wypiłem dwanaście szklanek piwa. To uspokoiło moje roztrzęsione nerwy. Z porannej gazety dowiedziałem się, że akcje diabli wzięli. Mnie zresztą też. Sytuacja na rynku uzdrowi się, ale ja nie. Zastanawiałem się nad samobójstwem, ale odsunąłem na razie tę myśl. Potem przyszło kompletne otumanienie. Gin to załatwił. A więc dwie butelki i... zapomnienie. Umysł i ciało człowieka to cudowne mechanizmy. Moje wytrzymały tę męczarnię jeszcze przez dwa lata. Kiedy nachodziły mnie poranne lęki i byłem bliski szaleństwa, kradłem pieniądze na wódkę ze skromnej portmonetki żony. Wirowało mi w głowie. Gdy stawałem przed otwartym oknem z nieokreślonym zamiarem, gdy stałem przed apteczką, w której znajdowała się trucizna, przeklinałem się za brak charakteru. Próbując uciekać od alkoholu razem z żoną odbywaliśmy wypady na wieś i z powrotem.

Nadeszła wreszcie noc, kiedy fizyczne i psychiczne męczarnie były tak potworne, iż bałem się, że wyskoczę przez okno i będzie koniec. Jakoś udało mi się zwlec materac na parter na wypadek gdyby przyszła mi do głowy samobójcza myśl. Rano przyszedł lekarz i dał mi silne środki uspokajające. Następnego dnia popijałem je ginem. Kombinacja okazała się katastrofalna. Znajomi podejrzewali, że jestem nienormalny. Ja też się tego obawiałem. Gdy piłem nie jadłem wcale, albo bardzo mało. Miałem już dwadzieścia kilo niedowagi. Dzięki staraniom mego szwagra, który był lekarzem, i przy pomocy mojej matki umieszczono mnie w sławnej na całe Stany klinice leczenia alkoholików. Specjalna kuracja rozjaśniła mój umysł. Hydroterapia i umiarkowane ćwiczenia bardzo mi pomogły. Ale najcenniejsze było to, że spotkałem tam życzliwego lekarza, który wyjaśnił mi, że choć samolubny i lekkomyślny, byłem jednak poważnie chory psychicznie i fizycznie. Sprawiło mi niejaką ulgę, kiedy dowiedziałem się, że u alkoholików wola jest zdumiewająco słaba, gdy chodzi o odparcie alkoholu, ale pod innymi względami może pozostać nieugięta. Wyjaśniło się moje niesamowite zachowanie w obliczu desperackiego pragnienia, aby skończyć z piciem. Zrozumiałem samego siebie i nadzieja uśmiechnęła się do mnie. Przez trzy czy cztery miesiące wszystko szło jak z płatka. Regularnie wychodziłem do miasta, zarobiłem nawet trochę pieniędzy. Zdawało się, że zrozumiałem na czym polega mój problem. Jednak tak nie było, bo nadszedł ten potworny dzień, kiedy znowu piłem. Moje zdrowie psychiczne i fizyczne załamało się zupełnie. Po jakimś czasie wróciłem do szpitala. Wydawało się, że to już koniec. Moją zmęczoną i zdesperowaną żonę poinformowano, że w niedługim czasie wszystko to skończy się atakiem serca w czasie delirium tremens albo rozmiękczeniem mózgu, jeśli zaś wcześniej nie upomni się o mnie przedsiębiorca pogrzebowy, z pewnością skończę w zakładzie dla obłąkanych.

Mnie nie trzeba było tego uświadamiać. Pogodziłem się z tym niemal z ulgą. Był to jednak cios dla mojej dumy. Ja, który miałem tak wysokie wyobrażenie o sobie i swoich zdolnościach, byłem przegrany i przyparty do muru. Teraz tylko mogłem staczać się coraz niżej w przepaść dołączając do nieskończonej rzeszy pijaków, którzy znaleźli się tam wcześnej. Myślałem o swojej biednej żonie, z którą byłem szczęśliwy.

Czegóż bym teraz nie oddał, żeby to wszystko naprawić. A na to było już za późno. Żadne słowa nie są w stanie opisać samotności i rozpaczy, w której się pogrążyłem litując się nad sobą. Ziemia usuwała mi się spod nóg. Alkohol był silniejszy ode mnie. Zostałem zmiażdżony. Na zawsze.

Trzęsąc się wyszedłem ze szpitala jako człowiek kompletnie załamany. Strach otrzeźwił mnie trochę. Potem wróciło to podstępne szaleństwo pierwszego kieliszka, którym uczciłem rocznicę zawieszenia broni – 1 XI 1934 roku i wszystko zaczęło się od nowa. Moi bliscy i znajomi byli zrezygnowani i pewni, że trzeba będzie mnie gdzieś zamknąć albo nastąpi mój żałosny koniec. Jakże ciemno jest przed świtem! W rzeczywistości był to początek mojej ostatniej popijawy. Wkrótce miałem zostać wrzucony w to, co lubię nazywać czwartym wymiarem egzystencji. Miałem poznać szczęście, spokój i poczucie przydatności, zakosztować życia, które w miarę upływu czasu – w niewiarygodny sposób – staje się coraz wspanialsze.

Któregoś dnia, pod koniec owego ponurego listopada, siedziałem w kuchni popijając. Z pewną dozą satysfakcji pomyślałem, że mam w domu dosyć ukrytego ginu na tę noc i następny dzień. Żona była w pracy. Zastanawiałem się, czy starczy mi odwagi, aby schować butelkę u wezgłowia łóżka. Będzie mi potrzebna przed świtem. Moje medytacje przerwał telefon. Dawny szkolny kolega pogodnym głosem zapytywał czy może do mnie wpaść. BYŁ TRZEŹWY. Nie mogłem sobie przypomnieć, kiedy ostatnio widziałem go w tym stanie. Byłem zdumiony. Chodziły pogłoski, że z powodu alkoholu został zamknięty w zakładzie dla obłąkanych. Ciekaw byłem jak się stamtąd wydostał. Oczywiście, zjadłby obiad, a potem mógłbym z nim otwarcie popić. Byłem nieświadomy tego, że udało mu się zerwać z nałogiem, myślałem tylko o przywołaniu atmosfery dawnych czasów. Czasów, kiedy nie znaliśmy żadnych przeszkód, gdy chodziło o zdobycie butelki. Jego przybycie było jako oaza na ponurej pustyni beznadziejności. Właśnie oaza. Ucieczka i schronienie.

Stanął w otwartych drzwiach świeży i promienny. Coś niezwykłego było w jego oczach... Zmienił się nie do poznania. Co się stało? Podsunąłem mu kieliszek. Odmówił. Rozczarowany, ale zaciekawiony zastanawiałem się, co w niego wstąpiło. Nie był sobą. "O co chodzi?" – zapytałem otwarcie. Spojrzał na mnie z prostotą i z uśmiechem powiedział: "Odkryłem nową wiarę". Osłupiałem. A więc to tak – zeszłego lata jeszcze alkoholik – wariat, a teraz, jak podejrzewałem, znów zwariowany na punkcie religii. I to promienne spojrzenie. Zdradzało jego płomienny zapał. "Niech mu tam, niech sobie deklamuje". Poza tym mój gin przetrwa dłużej niż jego kazanie. Ale on nie prawił kazań. Rzeczowo opowiedział mi, jak dwóm ludziom w sądzie udało się przekonać sędziego, aby zawiesił jego wyrok. Mówili oni o jakiejś prostej religijnej idei i praktycznym programie działania. Było to przed dwoma miesiącami. Skutek był oczywisty. Przyszedł, aby podzielić się ze mną tym doświadczeniem, gdyby mi na tym zależało. Byłem zaskoczony, zaszokowany, ale i zainteresowany. Z pewnością byłem zainteresowany. Była to moja ostatnia deska ratunku.

Mówił całymi godzinami. Ożyły we mnie wspomnienia z dzieciństwa. Niemalże słyszałem głos kaznodziei, który docierał do mnie na wzgórze, gdzie siadywałem w ciche niedzielne dni. Była tam nawet jakaś obietnica wstrzemięźliwości, której nigdy nie podpisałem i dobroduszna pogarda mojego dziadka dla ludzi, którzy chodzili do kościoła i dla ich postępowania. Jego głębokie przeświadczenie, że sfery niebieskie posiadają naprawdę jakąś własną muzykę i jego niezgoda no to, by kaznodzieja miał prawo mówienia mu, jak ma tej muzyki słuchać. Jego całkowity brak obaw, gdy mówił o tym wszystkim przed śmiercią, napełniły mnie serdecznym wzruszeniem. Dławiły mnie. Stanął mi przed oczami pewien dzień z czasów wojny i tekst wyryty na kamiennej płycie w katedrze w Winchester.

Zawsze wierzyłem w Siłę Wyższą ode mnie i często rozmyślałem nad tymi sprawami. Nie byłem ateistą. W gruncie rzeczy niewielu ludzi jest ateistami, ponieważ oznacza to ślepą wiarę w dziwną tezę, że wszechświat powstał z niczego i bez celu podąża donikąd. Moi intelektualni bohaterowie: chemicy, astronomowie, nawet ewolucjoniści, sugerowali działanie niezmierzonych sił i praw. Wbrew ich logicznym wywodom wierzyłem, że za wszystkim kryje się jakiś potężny cel i rytm. Jak mogłoby istnieć tyle dokładnych i niezmiennych praw bez istnienia Wyższej Inteligencji. Po prostu musiałem uwierzyć w Ducha Wszechświata, który nie znał ani czasu, ani ograniczeń. Dotąd tylko doszedłem w swych rozważaniach nad porządkiem świata. Właśnie w tym miejscu rozstałem się z pastorami i systemami religijnymi znanymi ludziom. Gdy mówili mi o uosobionym Bogu, który jest miłością, nadludzką siłą i wskazaniem, irytowałem się i odrzucałem tę teorię. Przyznawałem natomiast, że Chrystus z pewnością był wielkim człowiekiem, niezbyt dokładnie naśladowanym przez tych, którzy Go wyznają. Jego naukę moralną uważałem za najdoskonalszą. Sam przyjąłem tę część, która wydawała mi się dogodna i niezbyt trudna, odrzucając resztę. Wojny religijne, stosy i szykany, do których prowadziły religijne spory przyprawiały mnie o mdłości. Szczerze wątpiłem, czy w ostatecznym obrachunku religie ludzkości zdziałały cokolwiek dobrego. Sądząc po tym, co widziałem w Europie i później, potęga Boga w sprawach ludzkich była bez znaczenia, a braterstwo ludzi ponurą kpiną. Jeśli w ogóle istniał Szatan, to on raczej wydawał się Panem Stworzenia, a z pewnością miał on władzę nade mną. Lecz oto siedzący przede mną przyjaciel deklarował wprost, że Bóg zrobił dla niego to, czego on sam uczynić nie mógł. Jego ludzka siła woli zawiodła. Lekarze orzekli, że jest nieuleczalny. Społeczeństwo chciało go odizolować. Tak jak ja, uznał swoją całkowitą porażkę. Wtedy został wyrwany śmierci. Niespodziewanie podniesiony z rynsztoka, wzniósł się na taki poziom życia, jakiego nigdy nie znał. Czy ta siła miała swe źródło w nim samym? Oczywiście nie. Nie było w nim więcej siły niż w tej chwili we mnie. A jej poziom teraz równał się zeru. To mnie przekonało. Wyglądało na to, jakby ludzie wierząc mieli jednak rację. Coś kierowało ludzkim sercem, owo coś dokonało rzeczy niemożliwych. Moje poglądy na cuda zmieniły się radykalnie. Mniejsza o zmurszałą przeszłość; w tej chwili naprzeciw mnie, przy kuchennym stole siedział żywy cud. Oznajmiał niesłychane rzeczy. Zauważyłem, że u mojego przyjaciela zaszło coś więcej niż tylko wewnętrzne uzdrowienie. Znalazł bezpieczny punkt oparcia i zapuścił korzenie w nowe głębie.

Mimo tego, że miałem namacalny dowód w postaci mego przyjaciela, tkwiły wciąż we mnie dawne uprzedzenia. Samo słowo "Bóg" nadal wywoływało pewną niechęć. A idea uosobionego Boga była jeszcze bardziej nie do przyjęcia. Nie mogłem tego zaakceptować. Byłem w stanie zgodzić się na takie koncepcje, jak: Twórcza Inteligencja, Uniwersalny Rozum czy Duch Natury, ale odrzucałem myśl o "Carze Wszechniebios", jakkakolwiek miłująca byłaby Jego władza. Przyjaciel mój wystąpił z iście rewolucyjnym dla mnie wówczas pomysłem. Powiedział: "DLACZEGO NIE PRZYJMIESZ SWOJEJ WŁASNEJ KONCEPCJI BOGA?". Uderzyło mnie to. Stopniały nagle lodowate góry intelektu, w których cieniu żyłem i marzyłem od tylu lat. Znalazłem się nagle w blasku słońca. BYŁA TO PRZECIEŻ WYŁĄCZNIE KWESTIA MOJEJ CHĘCI, BY UWIERZYĆ W MOC PONAD MOJE SIŁY. NICZEGO WIĘCEJ NIE BYŁO MI TRZEBA NA TYM ETAPIE, BY ZROBIĆ POCZĄTEK. Zdałem sobie nagle sprawę, że przemiana na lepsze może zacząć się w tejże chwili. Na opoce najszczerszej chęci mógłbym zacząć budowę takiego stanu ducha, jaki postrzegłem w moim przyjacielu. Czy będę w stanie tego dokonać? Oczywiście, że tak!

W taki to sposób doszedłem do przekonania, że Bóg przejmuje się naszymi ludzkimi sprawami, o ile tylko my, ludzie, dostatecznie tego pragniemy. Nareszcie przejrzałem, poczułem, uwierzyłem. Łuski pychy i uprzedzenia opadły z moich oczu. Ujrzałem nowy świat.

Uderzyło mnie nagle prawdziwe znaczenie moich przeżyć, gdy zwiedzałem katedrę w Winchester. Na chwilę, przelotną chwilę, potrzebowałem wtedy i pragnąłem Boga. W pokorze zapragnąłem, by był ze mną – i oto przyszedł On do mnie. Wkrótce jednak poczucie Jego obecności przytłumił zgiełk tego świata i zgiełk wewnętrzny. I tak już zostało. Jakże ślepy byłem i nadal jestem!

W szpitalu nastąpił mój ostateczny rozwód z alkoholem. Leczenie było chyba na czasie, bo prześladowały mnie deliria. Podczas mojego pobytu w szpitalu oddałem się pokornie Bogu, tak jak Go wówczas pojmowałem, by czynił ze mną, co zechce. Poddałem się Jego opiece i Jego wskazówkom bez zastrzeżeń. Po raz pierwszy przyznałem, że sam z siebie jestem niczym, że bez Niego jestem stracony. Bezlitośnie stawiłem czoło swoim występkom i zapragnąłem, by mój nowo odnaleziony Przyjaciel wykarczował je i spalił co do joty. Od tego czasu nie wziąłem do ust alkoholu.

Gdy ów kolega z czasów szkolnych odwiedzał mnie w szpitalu, byłem wobec niego zupełnie szczery, mówiąc o swoich problemach i przewinach. Sporządziliśmy listę osób, którym wyrządziłem krzywdę, lub do których czułem urazę. Wyraziłem szczerą chęć, by się z nimi wszystkimi spotkać i wyznać, co im zawiniłem. Powinienem wyzbyć się wszelkiego krytycyzmu wobec tych osób. Powinienem zadośćuczynić im wszystkim najlepiej, jak umiałem.

Świadomość istnienia Boga miała stać się probierzem mojego myślenia. Oznaczało to, że zwykły zdrowy rozsądek miał się stać "niezwykłym" rozsądkiem. W przypadku wątpliwości miałem w spokoju oczekiwać na sygnał od NIEGO, w jaki sposób mam sprostać swoim problemom. Nigdy nie umiałem modlić się za siebie, chyba, że spełnienie moich próśb byłoby przydatne dla innych. Tylko wtedy mogłem się spodziewać, że zostanę wysłuchany i obdarowany obficie. Mój przyjaciel obiecywał, że kiedy dopełnię tych podstawowych warunków będę w stanie osiągnąć następny etap "komunikowania" się ze Stwórcą i będą mi dane nowe środki do uporania się z moimi problemami. Niezbędnymi warunkami, aby ustanowić i zachować nowy porządek rzeczy były: wiara w potęgę Boga, wystarczająco dobre chęci, uczciwość i pokora.

Proste, ale niełatwe. Ceną, którą należało zapłacić był koniec egocentryzmu. Ze wszystkim miałem się zwracać do Ojca Światłości, który panuje nad nami. Była to rewolucyjna i drastyczna zmiana koncepcji, ale z chwilą, gdy ją zaakceptowałem efekt był piorunujący. Poczułem smak zwycięstwa, potem ogarnął mnie spokój i pogoda ducha, których nigdy wcześniej nie zaznałem. Odczucie najpełniejszego zaufania. Czułem się jakby uniósł mnie wielki, czysty wiatr wiejący od górskich szczytów. Do większości ludzi Bóg przychodzi stopniowo; Jego wpływ na mnie był nagły i głęboki. W tym momencie byłem tak zaniepokojony, że wezwałem mego przyjaciela lekarza, by się upewnić, że nadal jestem normalny. Wysłuchał mnie ze zdumieniem. W końcu potrząsając głową powiedział: "Stało się z tobą coś, czego nie rozumiem. Ale lepiej się tego trzymaj. Cokolwiek to jest, jest lepsze niż Twoje życie przedtem". Teraz ów dobry lekarz spotyka wielu ludzi z podobnymi przeżyciami i wie, że są one realne.

Kiedy leżałem w szpitalu przyszło mi do głowy, że tysiące bezimiennych alkoholików przyjęłoby z wdzięcznością to, co i mnie zostało ofiarowane. Być może mógłbym pomóc niektórym z nich. Oni z kolei mogliby pomóc innym.

Mój przyjaciel podkreślał absolutną konieczność wzajemnej pomocy i współpracy. Zasadę szczególnie ważną stanowiła praca z innymi. Bowiem wiara bez uczynków jest martwa. Jak przerażająco prawdziwe jest to w odniesieniu do alkoholika! Jeżeli alkoholikowi nie udało się udoskonalić i pogłębić swojego duchowego życia przez pracę i poświęcenie dla innych, nie będzie on w stanie stawić czoło żadnym przeciwnościom losu. Jeżeli nie pomaga innym z pewnością wróci do picia, a jeśli będzie pił z pewnością umrze. Wtedy wiara będzie martwa w dosłownym tego słowa znaczeniu. Tak to już z nami jest.

Wraz z żoną oddałem się z entuzjazmem organizowaniu pomocy dla innych alkoholików. Szczęśliwym zbiegiem okoliczności nie miałem wtedy zbyt dużo pracy zawodowej, ponieważ moi dawni wspólnicy zachowywali się sceptycznie i od półtora roku wstrzymywali się ze współpracą. W tym zresztą czasie nie czułem się dobrze. Nachodziły mnie fale litości nad sobą i odżywały dawne urazy. Niekiedy owe stany doprowadzały do tego, iż byłem niemal gotowy sięgnąć znów po kieliszek, ale wkrótce odkryłem, że gdy wszystko inne zawodzi, praca z alkoholikami pozwala przeżyć następny dzień.

Wiele razy, zrozpaczony szedłem do mojego dawnego szpitala. Tam po rozmowie z kimś w podobnej sytuacji byłem zdumiewająco podniesiony na duchu i postawiony na nogi. Jest to sposób na życie, który sprawdza się nawet na wyboistej drodze.

Wkrótce zaczęliśmy zawierać wiele przyjaźni i szybko zawiązała się nowa wspólnota. Wspaniale było czuć się jej częścią. Była w nas radość życia, nawet w kłopotach i trudnościach. Byłem świadkiem jak setki rodzin stawiały pierwsze kroki na tej nowej drodze, która naprawdę dokądś prowadzi, widziałem jak naprawiane były najbardziej skomplikowane sytuacje, jak różnego rodzaju niechęci i urazy zostawały zażegnane. Ludzie wychodzili z zakładów dla obłąkanych i odzyskiwali swoje miejsce w życiu, wracali do rodziny i społeczeństwa. Lekarze, prawnicy i ludzie interesu odzyskiwali swoje stanowiska. Nie było prawie takiego kłopotu czy nieszczęścia, którego nie udałoby się rozwiązać. W jednym tylko mieście na Zachodzie jest nas i naszych rodzin tysiąc. Spotykamy się często, więc nowi mogą znaleźć wspólnotę, której potrzebują. Na te nieoficjalne spotkania przychodzi często od 50 do 200 osób. Rośnie nasza liczebność i siła*.

Pijany alkoholik nie jest istotą pociągającą. Nasza praca z alkoholikami jest na przemian męcząca, komiczna i tragiczna. Pewien nieszczęśnik popełnił nawet samobójstwo w moim domu. Nie mógł lub nie chciał zaakceptować naszego sposobu życia.

W tym, co robimy jest wielka radość. Przypuszczam, że niektórzy byliby zaskoczeni naszym widocznym brakiem powagi i gadatliwością. Ale pod tym kryje się śmiertelna powaga. Wiara musi być w nas i przemawiać przez nas dwadzieścia cztery godziny na dobę. Inaczej zginiemy! Większość z nas czuje, że nie musi już poszukiwać Utopii. Jest ona z nami – tu i teraz. Proste słowa mojego przyjaciela wypowiedziane w naszej kuchni pomnażają się każdego dnia w rozszerzający się krąg pokoju na Ziemi i dobrej woli wśród nas, ludzi.

Bill W., współzałożyciel AA, zmarł 24 stycznia 1971 roku.

---

* W roku 1996 na całym świecie działało około 95 000 grup AA.

Rozdział 2

JEST SPOSÓB

MY, Anonimowi Alkoholicy, znamy tysiące mężczyzn i kobiet, którzy byli w stanie równie beznadziejnym jak Bill i Bob. Wielu z nich powróciło do zdrowia, dzięki temu, że rozwiązali problem alkoholizmu.

Jesteśmy przeciętnymi Amerykanami. Pochodzimy z różnych stron i reprezentujemy różne zawody. Różnimy się pod wieloma względami – politycznym, ekonomicznym, socjalnym i religijnym. Jesteśmy ludźmi, którzy w normalnych warunkach nie trzymaliby się razem. Pomimo to istnieje wśród nas wspólnota, przyjaźń i niezwykłe wprost zrozumienie.

Czujemy się jak pasażerowie wielkiego statku w chwilę po katastrofie... gdy poczucie wspólnoty, radości i demokratycznego współistnienia przepełnia cały statek od zatłoczonych, tanich kabin dla emigrantów po dostojnych gości przy stole kapitańskim. W odróżnieniu od reszty pasażerów nasza radość z powodu przeżycia katastrofy nie zmniejsza się po zakończeniu rejsu. Wspólne doświadczenie przeżycia katastrofy cementuje naszą przyjaźń.

Faktem nadzwyczajnym dla każdego z nas jest to, że odkryliśmy wspólną drogę do rozwiązania problemu. Znaleźliśmy sposób, który aprobujemy i w imię, którego możemy połączyć się w braterskiej i harmonijnej akcji. To jest Wielka Nowina, którą objawia ta książka wszystkim cierpiącym z powodu alkoholizmu. Choroba taka jak nasza – a faktem jest, że alkoholizm jest schorzeniem – łączy ludzi w taki sposób, w jaki żadna inna choroba nie jest w stanie tego uczynić.

Jeśli ktoś, na przykład, zachoruje na raka wszyscy mu współczują. Nikt się na niego nie złości, ani nie czuje się dotknięty. Inaczej wygląda to w przypadku choroby alkoholowej, ponieważ wiąże się z nią kompletne zniszczenie wszystkiego, co ma wartość w życiu ludzkim. Ogarnia ona wszystkich, których życie związane jest z osobami cierpiącymi na alkoholizm. Jest przyczyną nieporozumień, ostrych sprzeczek i kłótni oraz finansowej niepewności. Powoduje, że zawodzimy przyjaciół i pracodawców. Wypacza życie niewinnych dzieci, rodzi nieszczęścia żon i rodziców. Listę tę można ciągnąć w nieskończoność. Mamy nadzieję, że książka ta poinformuje i pocieszy tych, którzy są lub byli zagrożeni chorobą alkoholową. Wszyscy kompetentni psychiatrzy, którzy zajmują się nami, stwierdzili, że czasami jest niemożliwością skłonienie alkoholika do przedyskutowania bez oporów jego sytuacji. Zadziwiające jest również, że ani żony, ani rodzice, ani najbliżsi przyjaciele nie są zazwyczaj w stanie znaleźć lepszego sposobu podejścia do alkoholika niż psychiatra czy lekarz. NATOMIAST ALKOHOLIK, KTÓRY ZNALAZŁ DLA SIEBIE WYJŚCIE Z SYTUACJI, KTÓRY JEST BOGATO WYPOSAŻONY W FAKTY Z WŁASNEGO DOŚWIADCZENIA ZDOBYWA ZAZWYCZAJ KOMPLETNE ZAUFANIE INNEGO ALKOHOLIKA W CIĄGU KILKU GODZIN. JEŚLI TAKIE OBOPÓLNE ZROZUMIENIE NIE ZOSTANIE OSIĄGNIĘTE, TO DLA CHOREGO MOŻNA ZROBIĆ BARDZO MAŁO ALBO ZGOŁA NIC.

To, że człowiek, który stara się zdobyć zaufanie alkoholika miał te same trudności, że wie z własnego doświadczenia o czym mówi, że całe jego zachowanie wskazuje na to, iż zna odpowiedź na dręczące pytania, że nie uważa się za świętszego niż sam Bóg, że nie ma żadnych innych motywów prócz szczerej chęci pomocy, że poza jego działaniem nie ma żadnych ukrytych celów, motywów pieniężnych ani ludzi, których trzeba zadowolić, ani kazań, których trzeba wysłuchiwać – wszystko to składa się na stworzenie najbardziej przychylnych i pozytywnych warunków do współdziałania. Przy takim podejściu wielu chorych alkoholików wstaje z klęczek i zaczyna chodzić na nowo.

Praca z innymi alkoholikami nie staje się naszym jedynym zajęciem. Nie sądzimy też, by jej efektywność wzrosła, gdyby tak było. Uważamy, że wyeliminowanie picia jest tylko początkiem pracy nad sobą. Znacznie ważniejsze jest demonstrowanie przez nas nowych zasad w życiu rodzinnym, zawodowym i różnych sytuacjach życiowych. Poświęcamy wiele czasu podejmując wysiłki, które pragniemy tutaj opisać. Niektórzy są w tej dobrej sytuacji, że mogą poświęcić prawie cały swój czas pracując dla naszych celów. Jeśli będziemy nadal kroczyć drogą, na którą weszliśmy, wyniknie z tego – bez wątpienia – wiele dobra, ale nie jest to jeszcze załatwienie całego problemu, tylko zadraśnięcie o jego powierzchnię.

Ci z nas, którzy mieszkają w dużych miastach zdają sobie sprawę z tego, że każdego dnia setki ludzi pogrąża się w otchłań alkoholu. Wielu z nich mogłoby wyzdrowieć, gdyby mieli taką okazję, jaka była naszym przywilejem. W jaki sposób powinniśmy więc prezentować i przekazywać dalej to, co tak wielkodusznie zostało nam ofiarowane?

Zdecydowaliśmy się na wydanie tej książki, by omówić w niej zagadnienie tak, jak je widzimy. Wniesiemy do tej pracy rezultaty naszego wspólnego doświadczenia i wszystkie zebrane przez nas wiadomości. W ten sposób powinien powstać pożyteczny program działania dla każdego alkoholika, zainteresowanego zdrowieniem. Z konieczności będziemy musieli poruszyć zagadnienia medyczne, psychiatryczne, społeczne i religijne. Zdajemy sobie sprawę z tego, że są to kwestie – z natury swej – kontrowersyjne. Nic nie cieszyłoby nas bardziej niż opracowanie książki, która nie dawałaby podstaw do sporów i polemik. Zrobimy, wszystko, aby się zbliżyć do tego ideału.

Większość z nas czuje, że prawdziwa tolerancja dla poglądów czy też wad innych ludzi oraz szacunek dla ich opinii sprawią, iż będziemy im bardziej potrzebni. Nasze osobiste życie jako alkoholików zależy od stałego myślenia o innych i o tym, jak możemy im dopomóc w potrzebie.

Zapewne niejeden z czytelników zastanawia się dlaczego wszyscy, o których tutaj mowa stali się ludźmi tak bardzo chorymi z powodu nadużywania alkoholu. Bez wątpienia wielu zaciekawi fakt, że wbrew opinii wydanej przez specjalistów, wyleczyliśmy się z beznadziejnego stanu umysłu i ciała.

Jeżeli ktoś z czytających ten tekst jest alkoholikiem może już w tym miejscu postawić pytanie: "Co ja mam robić?". Odpowiedź na to pytanie jest głównym celem tej książki. Opowiemy w niej każdemu zainteresowanemu o tym, co myśmy robili będąc w podobnej sytuacji, w analogicznym stanie. Zanim jednak przystąpimy do szczegółowej dyskusji, omówmy wcześniej pewne punkty widzenia, postrzegane naszymi oczyma.

Ileż to razy ludzie mówili nam: "Ja mogę pić albo nie pić, a ty?". "Jeśli nie potrafisz pić kulturalnie, przestań w ogóle". "Ten facet nie potrafi kontrolować picia". "Dlaczego nie spróbujesz piwa albo wina?" "Odstaw mocne napoje". "On musi mieć słabą wolę". "Gdyby chciał – mógłby przestać". "Ona jest taką wspaniałą dziewczyną, myślę, że dla niej przestanie pić". "Lekarz powiedział mu, że alkohol może go zabić, a on dalej robi to samo". To są typowe uwagi na temat pijących, jakie słyszy się cały czas. Kryje się za nimi morze ignorancji i niezrozumienia.

Ludzie pijący umiarkowanie mogą z picia zupełnie zrezygnować, jeśli mają ku temu powód. Mogą pić lub nie pić.

W naszym środowisku istnieje pewien typ nałogowego pijaka, który wpadł w tak głęboki nałóg, że stopniowo uległ zachwianiu jego system fizyczny i umysłowy. Sytuacja ta może spowodować przedwczesną śmierć. Jeżeli zaistnieje jakiś poważny powód, jak na przykład utrata zdrowia, miłość, zmiana otoczenia albo poważne ostrzeżenie lekarza – taki człowiek jest również w stanie wstrzymać się od alkoholu lub poważnie ograniczyć jego używanie, choć może to przyjść z wielkim trudem i przy pomocy lekarskiej.

A jak przedstawia się sprawa z prawdziwym alkoholikiem? Może on zacząć używać alkoholu umiarkowanie. Potem "wpadnie w ciąg", choć może nie od razu. Jednak na pewnym etapie swej pijackiej "kariery" – z chwilą, gdy zacznie już pić – traci kontrolę nad alkoholem.

Istnieje jeszcze typ, którego brak kontroli nad sobą wprawia nas w zakłopotanie. Kiedy pije wyprawia absurdalne, niestworzone i tragiczne rzeczy. To prawdziwy Dr Jekyll i Mr Hyde. Rzadko bywa tylko z lekka wstawiony. Przeważnie jest mniej lub bardziej zamroczony, czasem aż do nieprzytomności. Wtedy prawie w ogóle nie przypomina siebie. Może to być dusza człowiek, jeden z najlepszych ludzi na świecie. Jednak jeśli popije – choćby przez jeden dzień – staje się odrażający, a nawet niebezpieczny. Jest geniuszem w upijaniu się w najbardziej nieodpowiednim czasie. Zwłaszcza wtedy, gdy trzeba podjąć jakąś decyzję lub zrobić coś na określony termin. Jest rozsądny i logicznie myślący, jeśli chodzi o wszystko inne, poza alkoholem. W tej ostatniej dziedzinie jest nieuczciwy i egoistyczny. Bardzo często posiada specjalne umiejętności, zdolności i obiecującą karierę przed sobą. Wykorzystuje on swoje zdolności w celu zbudowania dla siebie i swojej rodziny jasnych widoków na przyszłość, a potem wszystko wali mu się na głowę przez bezsensowną serię pijackich ciągów. Ów człowiek kładzie się do łóżka tak pijany, że powinien przespać całą dobę. Jednak już wczesnym rankiem szuka w panice niedopitej butelki z ostatniego wieczoru. Jeśli jest jeszcze dobrze sytuowany materialnie, ma zachomikowany alkohol we wszystkich możliwych skrytkach domu, tak aby nikt nie mógł tego zapasu znaleźć i wyrzucić. W miarę pogarszania się jego stanu, osobnik taki zaczyna równolegle z używaniem alkoholu przyjmować silne środki uspokajające, aby móc pójść do pracy. W końcu nadchodzi dzień, kiedy po prostu nie jest w stanie już tego wszystkiego wytrzymać, wówczas pogrąża się w alkoholu na nowo i bez reszty. Zdarza się, że ów człowiek udaje się po pomoc do lekarzy, którzy aplikują mu morfinę lub inne środki uspokajające, aby go jakoś utemperować. Staje się on stałym pacjentem różnych szpitali i zakładów leczenia zamkniętego.

Nie jest to bynajmniej pełny obraz prawdziwego alkoholika jako, że modele naszego postępowania zmieniają się. Ale ta charakterystyka powinna identyfikować go z grubsza.

Nasuwa się pytanie, dlaczego ten człowiek mimo wszystko tak postępuje. Jeśli wiele przykładów dowiodło jasno, że jeden kieliszek oznacza dla niego nowy upadek połączony z ogromem cierpień fizycznych i moralnych oraz uczuciem poniżenia, dlaczego sięga on po ten pierwszy kieliszek? Dlaczego nie może go sobie odmówić? Co się dzieje z jego siłą woli i zdrowym rozsądkiem, które dotąd jeszcze przejawiają się we wszystkich innych sprawach?

Nie można udzielić pełnej odpowiedzi na te pytania. Panują różne opinie co do tego, dlaczego alkoholicy reagują na alkohol inaczej niż ludzie normalni. Nie wiadomo również dlaczego osiągnięcie przez człowieka pewnego poziomu uzależnienia od alkoholu powoduje, że niewiele można mu już pomóc. Jeśli jednak chroniczny alkoholik powstrzyma się od picia w ciągu wielu miesięcy czy lat jego reakcje na otaczającą rzeczywistość stają się takie same, jak u innych ludzi. Jesteśmy też pewni, że z chwilą, gdy wprowadzi on do swego organizmu alkohol coś się dzieje, zarówno w sensie fizycznym, jak i psychicznym. To "coś" sprawia, że nie może on przestać pić. Doświadczenia każdego alkoholika całkowicie potwierdzają tę obserwację.

Powyższa teza nie miałaby podstaw, gdyby nasz typ nie sięgnął po pierwszy kieliszek alkoholu, aby w ten sposób puścić w ruch cały ciąg następstw. Główny problem alkoholika lokuje się zatem raczej w sferze jego świadomości niż w sferze fizjologii.

Jeśli zapytać go, dlaczego rozpoczął swój ostatni pijacki ciąg to jest całkiem pewne, że zaoferuje nam w odpowiedzi sto powodów. Czasami owe tłumaczenia zawierają w sobie pewną dozę sensu, umożliwiają ich pozytywne przyjęcie. Ale żadne z tłumaczeń nie wytrzymuje próby w świetle spustoszeń spowodowanych pijaństwem.

Alkoholik tłumacząc swoje pijaństwo posługuje się "filozofią" człowieka, który cierpiąc na ból głowy bije się po niej młotkiem, aby zagłuszyć ból. Gdyby zasugerować alkoholikowi taką analogię wyśmieje ją, zirytuje się albo w ogóle odmówi rozmowy. Czasami jednak alkoholik mówi prawdę. A prawdą jest – jakkolwiek dziwne się to wydaje – że on sam nie wie dlaczego sięgnął po ten pierwszy kieliszek. Niektórzy alkoholicy znajdują usprawiedliwienie, które sami akceptują do pewnego czasu. Jednak w głębi serca nie wiedzą dlaczego tak postępują. Kiedy zaś już wpadają w chorobę alkoholową są skończeni.

Mimo wszystko chwytają się obsesyjnej nadziei, że jakoś, kiedyś, wygrają w tej fałszywej grze. Częściej jednak uważają się za ludzi już przegranych.

Niewielu ludzi rozumie, ile jest w tym głębokiej prawdy. Rodziny i przyjaciele w nieokreślony sposób wyczuwają, że alkoholicy nie są normalnymi ludźmi. Wszyscy jednak z niegasnącą nadzieją oczekują dnia, kiedy cierpiący ocknie się z letargu i odzyska własną siłę woli. Tragiczna prawda jest jednak taka, że jeżeli człowiek już stanie się alkoholikiem ów szczęśliwy dzień może nigdy nie nadejść. Człowiek ten stracił bowiem kontrolę nad samym sobą.

Zaawansowany alkoholik w pewnej fazie uzależnienia od alkoholu osiąga stan, w którym nawet najmocniejszej pragnienie powstrzymania się od picia nie ma już żadnej siły przebicia. Ten stan rzeczy pojawia się w praktyce – w każdym niemal przypadku – na długo przedtem, zanim jego istnienie można podejrzewać.

Faktem jest, że większość alkoholików – z przyczyn dotąd nie poznanych – straciło możliwość wyboru w odniesieniu do alkoholu. Nasza tzw. siła woli przestała istnieć. My, alkoholicy, nie potrafimy wystarczająco silnie przywołać w naszej świadomości obrazów doznanych cierpień i upokorzeń sprzed tygodnia czy miesiąca. Jesteśmy bezbronni wobec pierwszego kieliszka.

Oczywiste konsekwencje, które wynikają z wypicia choćby szklanki piwa, nie znajdują drogi do naszej świadomości. Jeżeli nawet takie myśli przyjdą nam do głowy, natychmiast zostają zastąpione starą i zwodniczą nadzieją, że tym razem potrafimy zachować się tak, jak inni ludzie. W takich przypadkach brakuje nam kompletnie zwykłego samozachowawczego instynktu, który powstrzymuje człowieka od położenia ręki na rozpalonej blasze. Alkoholik zamiast tego powie: "Tym razem się nie oparzę, dowiodę tego!". Albo... może w ogóle wtedy nie myśli...

Jakże często niektórzy z nas zaczynali pić w ten nonszalancki sposób, a po trzecim, czwartym kieliszku walili ręką w stół mówiąc do siebie: "Na miłość Boską, jakim sposobem znów zacząłem to wszystko?". A potem żeby zagłuszyć sumienie: "No dobrze, zatrzymam się przy szóstym". Albo: "Tak, czy inaczej co to ma za znaczenie?". Jeżeli ten sposób myślenia zakorzenił się w umyśle człowieka z tendencją do alkoholizmu, odciął on sobie drogę do pomocy ze strony innych. Umrze lub zwariuje, chyba, że przedtem zostanie zamknięty. Tysiące przypadków potwierdza te okropne i przerażające fakty. A gdyby nie łaska Boga, byłoby ich więcej. Bowiem tak wielu chce przestać, a nie potrafią.

A przecież jest rozwiązanie. Prawie nikt z nas nie lubi analizowania samego siebie, obniżania we własnych oczach poziomu swej dumy, przyznawania się do własnych niedoskonałości, a wszystkie te czynniki są niezbędne, by powrócić do zdrowia. Niektórym się to udało. My, patrząc na nich zaczęliśmy wierzyć w to, że nasze dotychczasowe życie było beznadziejne i pozbawione sensu. Kiedy więc ci, u których problem został rozwiązany zaoferowali nam duchową pomoc, nie pozostało nam nic innego, jak ją przyjąć. Odkryliśmy wtedy sposób, który miał, i ma, zastosowanie uniwersalne. Odkryliśmy wtedy ziemski raj i przenieśliśmy się do jakiegoś czwartego wymiaru naszej egzystencji, o którego istnieniu nie śmieliśmy nawet marzyć.

A wielka prawda jest po prostu taka: przeżyliśmy głębokie duchowe doświadczenia, które gruntownie zmieniły całe nasze nastawienie do życia, bliźnich i Wszechświata. Centralnym wektorem naszego obecnego nastawienia jest absolutna pewność, że Stwórca wstąpił do naszych serc i naszego życia w sposób zaiste cudowny. On to zapoczątkował osiągnięcie przez nas tego, czego nigdy nie osiągnęlibyśmy sami. Jeśli jesteś naprawdę alkoholikiem, takim jak my – nie ma dla ciebie półśrodków. Byliśmy w sytuacji, kiedy życie stało się dla nas nie do zniesienia, a zwykła ludzka pomoc była bezskuteczna. Mieliśmy tylko możliwości: postępować tak dalej aż do tragicznego końca, zagłuszając świadomość naszego beznadziejnego położenia lub przyjąć pomoc natury duchowej. Zdecydowaliśmy się na to drugie, ponieważ z całą uczciwością pragnęliśmy podjąć ten wysiłek.

Oto przykład pewnego amerykańskiego przedsiębiorcy z dużymi zdolnościami, zdrowym rozsądkiem i dobrym charakterem. W ciągu wielu lat przebywał on w sanatoriach, przenosząc się z jednego do drugiego. Szukał porady lekarskiej u najznakomitszych psychiatrów. Wreszcie pojechał do Europy, oddając się w ręce sławnego lekarza psychiatry, doktora Junga. Aczkolwiek nastawienie chorego do jego sposobów leczenia było raczej sceptyczne nabrał on wielkiego zaufania do owych metod po ich zastosowaniu. Stan chorego, zarówno fizyczny, jak i umysłowy poprawił się niewiarygodnie. A nade wszystko pacjent zyskał przekonanie, że poznał funkcjonowanie swego wewnętrznego świata tak dokładnie, że nawrót do zgubnego nałogu wydawał mu się niemożliwy. Pomimo to wkrótce upił się ponownie, a co więcej nie potrafił tego w żaden sposób wytłumaczyć.

Człowiek ten powrócił do swojego lekarza, którego ciągle darzył zaufaniem. Zapytał go wprost o szanse wyleczenia się z nałogu. Pragnął on przede wszystkim odzyskać samokontrolę. Do innych problemów miał w pełni zrównoważony i racjonalny stosunek. Natomiast w zetknięciu z alkoholem tracił wszelką możliwość kontroli. Dlaczego tak było? Błagał lekarza, aby wyjawił mu całą prawdę. W pojęciu lekarza jego stan był absolutnie beznadziejny. Według jego opinii pacjent nigdy nie będzie mógł odzyskać swej pozycji w społeczeństwie. Trzeba będzie go zamknąć albo – jeśli chce dłużej żyć – zatrudnić pielęgniarza, który by go nadzorował. Taka była opinia lekarskiej sławy.

Tymczasem mężczyzna ten żyje i jest wolnym człowiekiem. Nie potrzebuje pielęgniarza ani nie przebywa w zamknięciu. Może udać się dokąd chce, tak jak inni wolni ludzie, bez ryzyka czy groźby upadku, pod warunkiem, że będzie przestrzegał pewnego prostego sposobu postępowania.

Niektórzy alkoholicy czytając te słowa zapewne pomyślą, że potrafią obyć się bez pomocy natury duchowej. Specjalnie dla nich przytaczamy dalszy ciąg rozmowy, jaka zaszła między opisanym wyżej pacjentem a jego lekarzem.

Lekarz: "Ma pan umysł nałogowego alkoholika. Nie zetknąłem się ani razu z przypadkiem wyzdrowienia pacjenta, którego umysł był w takim stanie, jak pański". Nieszczęsny chory poczuł się tak, jakby bramy piekieł zatrzasnęły się za nim. Zapytał lekarza: "Czy nie ma wyjątków?" "Tak – odpowiedział lekarz – w przypadkach takich jak pański zdarzają się wyjątki. Od czasu do czasu pojedynczy alkoholicy przechodzą przez to, co można nazwać "wstrząsem duchowym". Dla mnie owe wydarzenia są swoistym fenomenem. Są rezultatem emocjonalnego i duchowego przestawienia się na inne tory. Idee, emocje i nastawienia, które kiedyś rządziły życiem tych ludzi zostają nagle odrzucone i zastąpione przez zupełnie nowe koncepcje i motywy. W istocie i ja próbowałem spowodować taką emocjonalną przemianę w pana osobowości. W wielu przypadkach metody, które stosuję dają pozytywne rezultaty, nigdy jednak nie odniosłem sukcesu w leczeniu alkoholika takiego jak pan".

Słysząc te słowa, chory doznał pewnej ulgi. Pomyślał, że pomimo swego aktualnego stanu był przecież dobrym i praktykującym członkiem swego Kościoła. Lekarz rozwiał jednak jego nadzieję, mówiąc, że choć przekonania religijne pacjenta są ważne, to nie gwarantują one totalnego odrodzenia duchowego.

Nasz przyjaciel przeżył jednak owo nadzwyczajne "przebudzenie", które uczyniło z niego wolnego człowieka.

Każdy z nas – tak samo jak on – z całą desperacją człowieka tonącego szukał ucieczki od picia. To co z początku wydawało się być tylko wątłą trzcinką okazało się miłującą i wszechmocną ręką Boga.

Nowe życie zostało nam ofiarowane. Albo – jeśli kto woli – ofiarowany został nam wzorzec, według którego należy żyć. I wzór ten okazał się niezwykle przydatny w praktyce.

Wybitny amerykański psycholog William James w swojej książce "Różnorodność doświadczeń religijnych" ("Varieties of Religious Experiences") wskazuje na wiele różnych dróg, na których człowiek może odnaleźć Boga. Nie mamy zamiaru przekonywać nikogo, że istnieje tylko jeden sposób znalezienia wiary. Jeśli to, czegośmy się dowiedzieli, cośmy czuli i widzieli, ma w ogóle jakieś znaczenie oznacza to, że wszyscy – niezależnie od wiary, koloru skóry i wyznania – jesteśmy dziećmi realnie istniejącego Stwórcy, z którym zawsze możemy nawiązać kontakt w prosty i zrozumiały sposób, jeśli tylko jesteśmy wystarczająco uczciwi i bardzo pragniemy spróbować. Ci, którzy są związani z jakimś wyznaniem nie znajdą w proponowanym przez nas programie niczego, co kolidowałoby z ich wiarą i praktykami religijnymi. Nie angażujemy się w spory tego rodzaju. Nie interesuje nas to, jakie są wierzenia naszych członków. Są to sprawy całkowicie prywatne. Każdy decyduje o nich sam, kierując się tradycją lub wolnym wyborem.

W następnych rozdziałach postaramy się wyjaśnić czym jest alkoholizm, tak jak my go rozumiemy. Jeden z rozdziałów adresowany jest do niewierzących. Wielu z tych, którzy się kiedyś za takich uważali znalazło się w naszej wspólnocie. Być może wyda się to dziwne, ale postawy agnostyczne nie stanowią zbyt wielkiej przeszkody w przeżyciu "przeobrażenia duchowego".

Kolejne rozdziały zawierają objaśnienie procesu naszego powrotu do normalnego życia. Potem zamieszczamy czterdzieści trzy historie życia alkoholików. Każdy z tych ludzi własnym językiem i ze swojego punktu widzenia opisuje sposób, w jaki nawiązał kontakt z Bogiem. Owe historie stanowią przekrój doświadczeń naszej wspólnoty, ilustrują przemiany w naszym życiu*. Mamy nadzieję, że te osobiste wynurzenia nie wzbudzą w czytelnikach uczucia niesmaku. Wierzymy, że wielu alkoholików, zarówno mężczyzn jak i kobiet zapozna się z treścią tych stronic. Wierzymy, że szczerość, z jaką mówimy o sobie i naszych problemach pozwoli innym odnaleźć siebie i stwierdzić: "I ja jestem jednym z nich. I ja muszę odnaleźć swoją drogę".

---

* Ze wspomnianych tu opowieści alkoholików w polskiej wersji Wielkiej Księgi zamieszczamy "Koszmar dr Boba", "Trzeci Anonimowy Alkoholik", "Sądził, że może pić jak dżentelmen" oraz "Europejski pijak".

Rozdział 3

WIĘCEJ NA TEMAT ALKOHOLIZMU

WIĘKSZOŚĆ z nas nie chce przyznać się do alkoholizmu. Nikt nie lubi myśleć, że fizycznie i umysłowo różni się od innych. Nic dziwnego zatem, że nasze pijackie kariery charakteryzują się niezliczonymi próbami dowiedzenia tego, że potrafimy pić tak jak inni. Towarzysząca nam uparta myśl, że jakoś, kiedyś będziemy w stanie jednak kontrolować picie alkoholu jest czymś w rodzaju manii każdego alkoholika. Upór, z jakim podtrzymujemy w sobie tę myśl jest zadziwiający. Prowadzi on wielu z nas do szaleństwa albo do śmierci.

Pierwszy krok na drodze do zdrowienia, to dojście do stanu, kiedy musimy przede wszystkim upewnić się i przekonać samych siebie, że jesteśmy alkoholikami. Musimy pozbyć się złudnej wiary, że jesteśmy tacy sami jak inni. My, alkoholicy, zarówno mężczyźni, jak i kobiety, jesteśmy ludźmi, którzy utracili możność kontroli nad swoim piciem alkoholu. Wiemy, że żaden alkoholik NIGDY nie odzyska tej kontroli. Każdy z nas w różnych okresach czuł, że zaczyna budować w sobie umiejętność samokontroli. Są to jednak zazwyczaj krótkie epizody. Po nich nieuchronnie następuje stan tym większej utraty panowania nad sytuacją, co prowadzi do pożałowania godnej i niewyobrażalnej demoralizacji. Przekonaliśmy się, że nasza choroba rozwija się. Z biegiem czasu nasz stan pogarsza się, nigdy zaś odwrotnie.

Jesteśmy podobni do ludzi, którym amputowano nogi i którym nowe nigdy nie odrosną. Nie ma sposobu leczenia, który z alkoholików zrobiłby ludzi podobnych do innych. Próbowaliśmy wszystkich możliwych leków. Niekiedy następowała krótka poprawa, ale zawsze kończyło się to jeszcze dramatyczniejszym nawrotem choroby. Lekarze obeznani z alkoholizmem są zgodni co do tego, że nie jest możliwa przemiana alkoholika, w człowieka pijącego umiarkowanie. Być może kiedyś nauce uda się tego dokonać. Dotychczas to nie nastąpiło. Wielu z nas, bezsprzecznych alkoholików, nie chce uwierzyć, że należy do tej kategorii ludzi. Nie przyjmują oni do siebie przytoczonych wyżej argumentów. Przy pomocy każdego możliwego sposobu samookłamywania i racjonalizowania będą starali się oni dowieść samym sobie, że są wyjątkami z ogólnej reguły, że zatem – mimo wszystko – nie są alkoholikami. Jeśli ktoś, kto nie umie kontrolować picia potrafi się zmienić i pić jak gentleman – chylimy przed nim czoło. Niebo nam świadkiem, wiele trudu i uporczywego wysiłku włożyliśmy w to, by pić tak, jak inni, posiadający możność kontroli nad alkoholem, ludzie.

A oto niektóre sposoby, jakich próbowaliśmy: picie wyłącznie piwa, ograniczanie liczby kieliszków, niepicie w samotności, niepicie rano, picie tylko w domu, nietrzymanie alkoholu w domu, niepicie w pracy, picie tylko na przyjęciach, przerzucanie się z whisky na koniak, picie tylko naturalnego wina, zgoda na odejście z pracy dobrowolnie gdybyśmy się upili, wyjazd, pozostanie w domu, oficjalne i nieoficjalne przysięgi, wzmożenie ćwiczeń fizycznych, czytanie inspirujących książek, pobyty w ośrodkach zdrowia i sanatoriach, dobrowolne leczenie w zakładach psychiatrycznych – tę listę moglibyśmy ciągnąć w nieskończoność. Mimo że nie lubimy piętnować nikogo mianem alkoholika, diagnozę każdy może sobie postawić sam.

Wejdź – dla eksperymentu – do najbliższego baru i spróbuj kontrolować podawany ci alkohol. Spróbuj nagle przestać w środku picia. Spróbuj dokonać tego nie jednorazowo, ale wielokrotnie. Nie zajmie ci wiele czasu przekonanie się, czy jesteś wobec siebie uczciwy. Właściwe rozpoznanie swego stanu ma dużą wartość. Chociaż brak jest niezbitych dowodów sądzimy, że na wczesnym etapie naszego picia większość z nas mogłaby przestać. Trudność polega na tym, że niewielu alkoholików pragnęło się zatrzymać zanim nie było jeszcze za późno.

Słyszeliśmy o kilku przypadkach, gdy ludzie będący niewątpliwie alkoholikami byli w stanie wytrzymać bez alkoholu przez długi czas, gdyż kierowała nimi silna determinacja. Oto jeden z przykładów:

Pewien trzydziestolatek bardzo często oddawał się towarzyskiemu piciu. Powodowało ono ranne stany nerwowości i podniecenia. Dla kurażu wypijał znów "klina" lub dwa. Człowick, o którym opowiadamy miał duże ambicje, chciał osiągnąć wielki sukces zawodowy. Zdawał sobie jednak sprawę, że pijąc nie zajdzie nigdzie, ponieważ gdy tylko chwycił za kielich tracił panowanie nad sobą. Obiecał zatem sobie, że dopóki nie osiągnie sukcesu i nie dojdzie do emerytury nie tknie ani kropli alkoholu. Ów wyjątkowy człowiek przez dwadzieścia pięć lat nie zachwiał się ani na chwilę w swym postanowieniu. Po przejściu jednak na emeryturę, w wieku 55 lat, popełnił ten sam błąd, który popełniają wszyscy alkoholicy. Uwierzył w to, że po tak długim okresie abstynencji i samodyscypliny potrafi pić tak jak inni. Nałożył więc domowe pantofle i otoczył się butelkami... Po dwóch miesiącach ciągłego picia znalazł się w szpitalu. Był zaskoczony i upokorzony.

Po tym fakcie przez jakiś czas próbował jeszcze kontrolować swoje picie, kilkakrotnie wracając do szpitala. Wreszcie, zbierając wszystkie swoje siły, postanowił rzucić picie całkowicie, ale odkrył, że nie jest w stanie. Miał do swojej dyspozycji wszystkie środki, które tylko można kupić za pieniądze, ale żaden z nich nie przynosił rezultatów. Choć, przechodząc na emeryturę, był silnym i zdrowym człowiekiem – załamał się i umarł po czterech latach.

Ten przypadek jest doskonałą lekcją dla innych. Wielu z nas, alkoholików wierzyło, że jeśli przez dłuższy czas pozostaniemy w stanie bezwzględnej abstynencji, to potem będziemy pić normalnie. Ale oto mamy przykład człowieka, który w wieku 55 lat był dokładnie w tym samym położeniu, w jakim znajdował się jako trzydziestoletni mężczyzna. Ukazała się nam naga prawda: "Kto raz stanie się alkoholikiem ten pozostanie nim na zawsze". Nawet bowiem po najdłuższym okresie abstynencji nic się nie zmienia i nawrót do picia przyniesie zawsze te same skutki.

Jeśli z całym przekonaniem zaplanujemy zaprzestanie picia, nie może być mowy o żadnych wyjątkach, ani o żadnej podświadomej myśli i nadziei, że kiedyś w przyszłości staniemy się odporni na alkohol. Przytoczony powyżej przykład mógłby zasugerować młodszym ludziom, że podobnie jak ów człowiek mogą przestać pić z własnej woli. Wątpimy czy wielu potrafi tego dokonać, bowiem tak naprawdę, to nikt nie chce przestać pić, a na dodatek z powodu nabytego, specyficznego skrzywienia psychicznego prawie nikt nie wierzy, że może się to rzeczywiście udać. Kilku trzydziestoletnich (albo młodszych) członków naszej grupy piło tylko przez pięć lat, stwierdzili oni, że są tak samo bezsilni wobec alkoholu jak ci, którzy pili przez dwadzieścia lat.

Rozwój uzależnienia od alkoholu nie wymaga ani picia przez dłuższy czas, ani też picia w dużych ilościach. Jest to prawdziwe zwłaszcza w odniesieniu do kobiet. Kobiety – potencjalne alkoholiczki – często stają się nieodwołalnie alkoholiczkami w ciągu kilku zaledwie lat. Niektórzy pijący są nieprzyjemnie zaskoczeni, że nie potrafią przestać pić, choć poczuliby się dotknięci, gdyby nazwano ich alkoholikami. My, którzy znamy objawy choroby, widzimy wszędzie wielu młodych ludzi, będących potencjalnymi alkoholikami. Ale spróbuj ich o tym przekonać!*

Patrząc wstecz zdajemy sobie sprawę, że nasze pijaństwo również przekroczyło ów punkt, w którym mogliśmy jeszcze zatrzymać się z własnej woli. Jeśli ktoś nie jest pewien czy osiągnął już ten krytyczny próg i szuka dowodu – niech spróbuje porzucić alkohol na rok. Jeśli ktoś jest alkoholikiem, i to zaawansowanym, jest mało prawdopodobne by zdołał to uczynić. W początkowej fazie naszego picia zdarzało się, że zachowywaliśmy abstynencję przez rok lub dłużej. Po tej przerwie znowu stawaliśmy się nałogowymi pijakami. Oznacza to, że nawet jeśli potrafisz powstrzymać się od alkoholu przez dłuższy czas, jesteś wciąż alkoholikiem. Przypuszczamy, że niewielu spośród tych, do których adresowana jest ta książka potrafiłoby zachować trzeźwość przez mniej więcej rok. Niektórzy upijają się do nieprzytomności już nazajutrz po podjęciu postanowienia niepicia, inni na ogół po paru tygodniach.

---

* Stwierdzenie to odpowiadało prawdzie w roku pierwszego wydania książki. Ankieta przeprowadzona w USA i Kanadzie w roku 1992 wykazała, że około jedna piąta członków AA była w grupie wiekowej do lat 30.

Dla tych, którzy nie są w stanie pić umiarkowanie głównym problemem jest całkowita rezygnacja z alkoholu. Zakładamy oczywiście, że czytający tę książkę pragnie to uczynić. To, czy konkretna osoba potrafi zerwać z nałogiem w inny sposób niż w drodze "duchowego przebudzenia" zależy od stopnia zaniku siły woli. Wielu z nas, alkoholikom wydawało się, że mamy bardzo dużo silnej woli. Mieliśmy również w sobie ogromne pragnienie porzucenia nałogu. A jednak okazało się to niemożliwe. To jest właśnie ta zaskakująca cecha alkoholizmu, którą poznaliśmy – owa całkowita niemożność porzucenia alkoholu bez względu na to, jak wielkie byłoby nasze pragnienie czy uzasadnienie.

Jak zatem pomóc naszym czytelnikom w rozpoznawaniu, choćby wyłącznie dla ich własnej satysfakcji, czy są, czy jeszcze nie są jednymi z nas? Pomocny w tej mierze jest eksperyment polegający na całkowitej abstynencji na pewien czas. My, alkoholicy sądzimy jednak, że możemy zaproponować coś lepszego zarówno ludziom cierpiącym z powodu picia, jak i tym którzy zajmują się leczeniem alkoholizmu zawodowo.

W ramach owej oferty opiszemy niektóre ze stanów psychicznych poprzedzających ostateczne popadnięcie w alkoholizm, jako że w tym, naszym zdaniem, tkwi sedno sprawy. Jaki rodzaj myślenia dominuje u alkoholika, który bezustannie powtarza rozpaczliwy eksperyment tego pierwszego kieliszka? Otóż przyjaciele człowieka, u którego alkoholizm doprowadził już do rozwodu czy bankructwa, starają się mu pomóc, lecz nie mogą przejrzeć tajemnicy – dlaczego on znowu po tym wszystkim idzie do knajpy? Dlaczego to czyni?... Co wtedy myśli?

Naszym pierwszym przykładem będzie niejaki Jim. Ma on czarującą żonę i rodzinę. Odziedziczył doskonale prosperującą firmę samochodową. Z wojny wrócił z opinią doskonałego dowódcy. Ma kwalifikacje zawodowe. Wszyscy go lubią. Jest człowiekiem inteligentnym i całkowicie normalnym pod każdym względem, może z wyjątkiem pewnej nerwowości. Do 35 roku życia nie pił w ogóle. Później po kilku zaledwie latach picia stawał się pod wpływem alkoholu tak gwałtowny, że musiano go zamknąć w zakładzie dla obłąkanych. Po wyjściu stamtąd zdecydował się na kontakt z naszym ruchem. Opowiedzieliśmy mu o tym, co wiemy dotąd o alkoholizmie i o rozwiązaniu, które znaleźliśmy. Jim zdecydował się spróbować... Zszedł się z rodziną, zaczął pracować jako sprzedawca w firmie, którą stracił na skutek picia. Przez jakiś czas wszystko szło dobrze. Zaniedbał jednak pogłębianie sfery życia duchowego. Ni stąd, ni zowąd, ku swemu zaskoczeniu, kilka razy pod rząd upił się. Po każdej z tych "wpadek" pracowaliśmy z nim, starając się dokładnie zanalizować, co się stało? Jim zgodził się wreszcie z nami, że jest alkoholikiem i uznał swój stan za poważny. Wiedział, że jeśli tak dalej pójdzie, znowu trafi do zakładu. Co więcej, straci rodzinę, którą bardzo kochał. Mimo to pewnego dnia ponownie się upił. Pytaliśmy go jak do tego doszło?

Oto jego opowieść:

"Przyszedłem do pracy we wtorek rano. Przypominam sobie, że byłem nieco zirytowany tym, że muszę pracować jako sprzedawca w przedsiębiorstwie, które kiedyś należało do mnie. Doszło do krótkiej sprzeczki z szefem, ale nie było to nic poważnego. Zdecydowałem, że pojadę za miasto w sprawie sprzedaży samochodu. W drodze poczułem się głodny, więc wstąpiłem do restauracji. Nie miałem zamiaru niczego pić. Chciałem zjeść tylko jedną kanapkę. Poza tym zdawało mi się, że mógłbym tam znaleźć kupca na samochód. Miejsce to było mi znane, często tam wstępowałem w ciągu miesięcy, w których zachowywałem abstynencję. Siadłem przy stole, zamówiłem kanapkę i szklankę mleka. Nie myślałem o piciu. Zamówiłem jeszcze jedną kanapkę i następną szklankę mleka.

Nagle zaświtała mi myśl, że gdybym wlał kieliszek whisky do mleka, to na pewno nie zaszkodzi mi wypicie tej mieszanki na pełny żołądek. Zamówiłem porcję whisky i wlałem ją do mleka. Zdawałem sobie sprawę, że nie jest to mądry pomysł. Sądziłem jednak, że kieliszek alkoholu w szklance mleka i to na pełny żołądek nie może pociągnąć za sobą dalszych konsekwencji.

Eksperyment wypadł tak dobrze, że zamówiłem następny kieliszek i wlałem go do kolejnej szklanki mleka. Tak wypity alkohol zdawał się nie mieć na mnie żadnego wpływu. Zamówiłem więc trzeci kieliszek...".

Tak wyglądał początek następnej podróży Jima do zakładu dla obłąkanych. Zawisła nad nim groźba zamknięcia w zakładzie, utraty rodziny i pozycji życiowej, nie mówiąc już o ogromie cierpień fizycznych i psychicznych, które zawsze wiązały się u niego z pijaństwem. Wiedział dobrze, że jest alkoholikiem. A jednak wszystkie racje przemawiające za abstynencją zostały z łatwością odsunięte na rzecz idiotycznego pomysłu, że mógłby wypić whisky, gdyby zmieszać ją z mlekiem.

Postępowanie Jima musimy nazwać szaleństwem. Czyż bowiem można inaczej określić taki brak umiejętności myślenia i wyczucia proporcji?

Być może sądzisz, czytelniku, że jest to przypadek skrajny. Dla nas nie jest "naciągany", ponieważ tego rodzaju rozumowanie jest charakterystyczne dla każdego z nas. Bywało, że niektórzy z nas bardziej niż Jim zastanawiali się nad konsekwencjami. Ale zawsze występowało to zastanawiające zjawisko, równolegle z rzeczowym myśleniem pojawiał się śmiesznie błahy powód tłumaczący sięgnięcie po pierwszy kieliszek. Nasze rzeczowe myślenie zawiodło, a zwyciężył szaleńczy pomysł. Następnego dnia zwykle pytamy siebie z całą powagą i szczerością, jak mogło się coś takiego stać. W niektórych przypadkach, z pewną świadomością tego co robimy, wychodziliśmy z domu właśnie po to, aby się upić. Usprawiedliwialiśmy to stanem zdenerwowania, rozgniewania, zmartwienia, przygnębienia, zazdrości i tym podobnymi powodami. Ale nawet, jeśli początek picia był tak motywowany, musimy przyznać, że nasze uzasadnienia popijawy były zdumiewająco błahe w porównaniu z tym, co się potem zawsze zdarzało. Jest teraz oczywiste, że kiedy zaczynaliśmy pić z rozmysłem, a nie okazjonalnie, konsekwencje nie przychodziły nam jakoś do głowy.

Nasze zachowanie prowadzące do pierwszego kieliszka jest tak absurdalne i niezrozumiałe jak człowieka, który – dla kawału – przekracza ulicę na czerwonym świetle. Doznaje dreszczu emocji, kiedy prześlizguje się wśród szybko pędzących samochodów. Sprawia mu to przez parę lat frajdę, mimo przyjaznych ostrzeżeń. Do tego momentu można go nazwać nierozsądnym, mającym głupie pomysły facetem. Ale gdy przysłowiowe szczęście nagle go opuści i zostanie kilkakrotnie potrącony przez samochód, to należałoby oczekiwać, że normalny człowiek zaprzestanie takich praktyk. Następny wypadek kończy się pękniętą czaszką i szpitalem. Krótko po wyjściu ze szpitala wpada pod trolejbus i łamie ramię. Przysięga wówczas, że już ostatecznie zrezygnował z zabawiania się ruchem ulicznym. Mimo to po paru tygodniach wpada znów pod rozpędzony samochód, który łamie mu obie nogi. I tak w ciągu wielu lat, pomimo ponawianych przyrzeczeń, zachowanie się tego człowieka na ulicy nie ulega zmianie. W końcu nie jest w stanie kontynuować pracy, żona uzyskuje rozwód, a on sam wystawia się na pośmiewisko. Próbuje wszelkich sposobów, aby wybić sobie z głowy ów nałóg zabawy w ruchu ulicznym. Leczy się w zakładach psychiatrycznych w nadziei, że tam przywrócą mu rozsądek. Ale w dniu wyjścia na wolność ponownie przebiega ulicę przed rozpędzonym samochodem, który łamie mu kręgosłup. Czyż człowiek taki nie jest chory psychicznie?

Możesz uznać czytelniku nasz przykład za zbyt absurdalny. Czyżby tak było? My, którzy mamy za sobą piekło, musimy przyznać, że przykład naszego kawalarza dokładnie ilustruje chorobę alkoholową. Choć normalni pod innymi względami, gdy w grę wchodził alkohol zachowywaliśmy się jak chorzy umysłowo. To mocne słowa, ale czyż nieprawdziwe?

Niektórzy z zainteresowanych tym tekstem mogą pomyśleć "Tak, to co tutaj piszecie to prawda, ale to nie odnosi się w całej rozciągłości do nas. Przyznajemy, że odnajdujemy w sobie część owych symptomów, ale przecież nie doszliśmy do ostateczności i do tego stanu nie dojdziemy, ponieważ teraz, po waszych wyjaśnieniach taki los nie może stać się naszym udziałem. Wprawdzie pijemy alkohol, ale nie straciliśmy jeszcze z tego powodu wszystkiego w życiu i nie mamy zamiaru do tego dopuścić. Dzięki za "informację". Takie stanowisko może mieć ręce i nogi w stosunku do ludzi, którzy nie są alkoholikami. Choćby pili niemądrze i dużo. Mogą jednak przestać pić lub pić umiarkowanie, ponieważ ich umysły i ciała nie zostały jeszcze tak zniszczone jak nasze. Ale prawdziwy lub potencjalny alkoholik – prawie bez wyjątku – nie jest absolutnie w stanie przestać pić na podstawie uświadomienia sobie swojego stanu i w oparciu o własną siłę woli. Jest to fakt, który należy stale podkreślać, aby rozwiać iluzje naszych czytelników alkoholików, iluzje, których sami doświadczyliśmy.

Przedstawmy jeszcze jeden przykład:

Fred jest wspólnikiem znanej firmy handlowej. Dobrze zarabia. Ma piękny dom, żonę i dzieci na wyższych studiach. Jest człowiekiem o przemiłym sposobie bycia, jednającym mu szybko ludzi. Jeśli wyobrazić sobie człowieka mającego powodzenie w życiu i w interesach, to Fred jest tego przykładem. Pozornie jest to człowiek niezwykle zrównoważony. A jednak jest alkoholikiem.

Po raz pierwszy zobaczyliśmy Freda w szpitalu, mniej więcej przed rokiem, kiedy starano się go wydobyć z ostrego stanu lękowego. Było to pierwsze tego rodzaju doświadczenie dla niego i bardzo się go wstydził. Będąc daleki od przyznania się do alkoholizmu wmawiał w siebie, iż zjawił się w szpitalu po to, by dać wypocząć nerwom. Lekarz oznajmił mu jednakże, iż jego stan może być gorszy, niż sam przypuszcza. Przez parę dni chory był w stanie depresji. Postanowił całkowicie rzucić alkohol. Nie przyszło mu na myśl, że być może – pomimo swej pozycji w społeczeństwie i charakteru – nie będzie w stanie tego zrobić. Fred nie chciał uwierzyć, że jest alkoholikiem. Jeszcze mniej wierzył w pomoc natury duchowej. Opowiedzieliśmy mu wszystko, co wiemy o alkoholizmie. Słuchał z zainteresowaniem. Przyznawał, że zauważa u siebie pewne opisane przez nas symptomy. Był jednak daleki od uznania, że nie może tego problemu pokonać we własnym zakresie. Był absolutnie przekonany, że wiedza, którą uzyskał oraz poniżające go doświadczenie wystarczą, aby zachować trzeźwość przez resztę życia. Uważał, że świadomość swego stanu pomoże mu uporać się z chorobą.

Przez jakiś czas nic o nim nie słyszeliśmy. Pewnego dnia powiadomiono nas, że Fred znowu jest w szpitalu. Tym razem jego stan był gorszy niż poprzednio. Chory przejawiał gorąco chęć spotkania się z nami. Jego historia jest bardzo pouczająca. Był to bowiem ktoś całkowicie przekonany, że musi przestać pić, człowiek który nie miał żadnego usprawiedliwienia dla swego picia, zdolny we wszystkich innych sytuacjach do doskonałego rozeznania i zdecydowania. Teraz jednak leżał rozłożony na łopatki. Oto co nam o sobie opowiedział:

"To wszystko, coście mi opowiedzieli o alkoholizmie zrobiło na mnie ogromne wrażenie i – szczerze mówiąc – nie przypuszczałem, że mogę zacząć pić na nowo. Zgadzałem się z wami, że wypicie pierwszego kieliszka jest krokiem zgoła szaleńczym, ale byłem przekonany, że po tym czego się od was nauczyłem, nic takiego mi się nie przydarzy. Sądziłem, że mój alkoholizm nie był tak zaawansowany, jak w przypadku większości z was. Myślałem, że skoro z powodzeniem załatwiłem wszystkie swoje osobiste sprawy uda mi się również w tej dziedzinie, w której wam się nie powiodło. Czułem, że mam powody do wiary w siebie i że jest to tylko kwestia silnej woli i trzymania się na baczności. Z takim nastawieniem zająłem się sprawami zawodowymi i przez pewien czas wszystko szło dobrze. Odmawiałem sobie picia i nie sprawiało mi to kłopotów i zacząłem się nawet zastanawiać czy nie robię problemu z prostej sprawy. Pewnego dnia pojechałem do Waszyngtonu w sprawach służbowych. Wyjeżdżałem już przedtem z domu podczas okresu abstynencji, więc ten wyjazd nie był niczym innym. Byłem w dobrej formie fizycznej. Nie miałem żadnych kłopotów, ani żadnych powodów do zmartwień. Moje sprawy układały się pomyślnie. Byłem zadowolony z ich biegu i przekonany, że i moi wspólnicy odbierają to tak samo. Właśnie dobiegał końca jeden z pomyślnych dni bez żadnej chmurki. Wróciłem do hotelu i powoli przebrałem się do obiadu.

Kiedy przekroczyłem próg restauracji przyszło mi na myśl, że byłoby przyjemnie wypić koktajl do obiadu. To było wszystko. Nic więcej. Zamówiłem koktajl wraz z obiadem. Potem zamówiłem jeszcze jeden koktajl. Po obiedzie postanowiłem wyjść na spacer. Kiedy wróciłem do hotelu pomyślałem sobie, że byłoby miło przed pójściem spać wypić sobie kieliszek whisky z wodą sodową. Poszedłem więc do baru i wypiłem jeden. Pamiętam, że wypiłem jeszcze wiele tego wieczoru i mnóstwo następnego ranka. Jak przez mgłę pamiętam podróż samolotem do Nowego Jorku i spotkanie na lotnisku zamiast żony "życzliwego" taksówkarza, który mi potem przez kilka dni towarzyszył. Niewiele pamiętam, gdzie byłem, co mówiłem i co robiłem. Potem jeszcze raz szpital oraz fizyczne i psychiczne cierpienia nie do zniesienia. Gdy tylko odzyskałem możliwość logicznego myślenia, starałem się przypomnieć sobie po kolei co zaszło w Waszyngtonie. Nie tylko, że nie miałem się na baczności, ale w ogóle nie próbowałem zwalczać chęci wypicia pierwszego kieliszka. O konsekwencjach nie myślałem wcale. Pozwoliłem sobie na wypicie koktajli, tak jak pije się oranżadę. Teraz przypomniałem sobie to, co mówili moi przyjaciele alkoholicy: jeśli mam świadomość alkoholika, to przyjdzie taki czas i miejsce, gdzie znów zacznę pić bez jakiejkolwiek kontroli. Przestrzegali mnie, że mimo wewnętrznego oporu, pewnego dnia zachwieję się bez istotnej przyczyny, jeśli tylko wypiję pierwszy kieliszek.

I tak się właśnie stało. Co więcej, wszystko czego dowiedziałem się o alkoholizmie jakby kompletnie wyparowało mi z głowy. Od tego momentu już wiedziałem, że mam mentalność alkoholika. Zrozumiałem, że ani siła woli, ani znajomość samego siebie nie mogą mi w tych momentach zaćmienia umysłu pomóc. Nigdy nie mogłem zrozumieć ludzi, którzy mówili mi, że są bezsilni wobec alkoholu. Teraz to zrozumiałem. Był to dla mnie potężny cios.

Dwóch członków Wspólnoty AA przyszło do mnie w odwiedziny. Obaj uśmiechali się do mnie, co niezbyt mi się podobało. Zapytali mnie, czy jestem teraz przekonany o tym, że jestem alkoholikiem i czy przejąłem się tym faktem dostatecznie mocno? Zasypywali mnie dowodami na to, że moje zachowanie w czasie pobytu w Waszyngtonie dowodzi mentalności alkoholika i że to uzależnienie jest nieodwracalne. Poparli tę tezę mnogością przykładów z własnego życia, ze swojego doświadczenia. To wszystko co mówili rozwiało wszelkie moje nadzieje, że mogę sam dać sobie radę w zaistniałej sytuacji. Przedstawili mi wizję duchowego rozwiązania, opisali program z powodzeniem stosowany przez wielu z nich. Choć byłem tylko nominalnym członkiem Kościoła, ich propozycje nie wydawały mi się – w sensie intelektualnym – trudne do przełknięcia. Cały program działania, aczkolwiek rozsądny, wyglądał raczej drastycznie. Wynikało z niego, że muszę odrzucić wiele swoich dotychczasowych poglądów. Nie było to łatwe. Z chwilą jednak, gdy zdecydowałem się podjąć działanie, naszło mnie dziwne przeczucie, że oto choroba alkoholowa ustąpiła, i tak się też stało. Równie ważne było przeświadczenie, iż zasady natury duchowej pozwolą mi rozwiązać wszystkie inne problemy życiowe. Od tego czasu całe moje życie weszło na inną drogę, zdecydowanie bardziej zadowalającą mnie i bardziej pożyteczną niż kiedykolwiek. Mój poprzedni sposób życia nie był wcale zły, ale nie zamieniłbym jego najlepszych momentów na najgorsze z obecnego życia. Nie zawróciłbym już teraz z nowej drogi, nawet gdybym mógł".

Historia Freda mówi sama za siebie. Jesteśmy przekonani, że może ona pomóc w zmianie sposobu myślenia innym, podobnym do niego alkoholikom. Bowiem większość alkoholików musi nieźle się poturbować, zanim zdecyduje się na podjęcie próby rozwiązania swego problemu.

Wielu lekarzy i psychiatrów zgadza się z rezultatami naszych doświadczeń. Jeden z nich, pracujący w szpitalu o światowej sławie, oświadczył niedawno: "To, co mówicie na temat kompletnej bezradności przeciętnego alkoholika jest, moim zdaniem, całkowicie słuszne. Jeśli chodzi o historie dwóch z was, które słyszałem, to nie mam najmniejszych wątpliwości, że obydwaj byli swego czasu w stanie absolutnie beznadziejnym. Gdyby ludzie w takim stanie zgłosili się do mojego szpitala nie przyjąłbym ich, nawet gdybym mógł. Na widok ludzi takich jak wy, serce mi się kraje. Chociaż nie jestem człowiekiem religijnym, mam głęboki szacunek dla waszego duchowego podejścia do przypadków alkoholizmu. Dla wielu przypadków ludzkich inne rozwiązanie doprawdy nie istnieje". Powtórzmy raz jeszcze: alkoholik niekiedy nie posiada wystarczająco skutecznej obrony psychicznej przed pierwszym kieliszkiem. Oprócz bardzo rzadkich przypadków ani on sam, ani z pomocą innego człowieka, nie jest w stanie obronić się przed chęcią wypicia. Owa obrona musi nadejść od Siły Wyższej.

Rozdział 4

MY – NIEWIERZĄCY

W poprzednich rozdziałach dowiedzieliśmy się co nieco o alkoholizmie. Mamy nadzieję, że udało się nam wyjaśnić różnicę między alkoholikiem a "niealkoholikiem". Jeśli szczerze chcesz, a nie potrafisz przestać pić lub, gdy nie jesteś w stanie kontrolować ilości wypijanego alkoholu prawdopodobnie jesteś alkoholikiem. Jeśli tak, cierpisz na chorobę, którą można opanować jedynie na drodze przemiany duchowej.

Dla kogoś uważającego siebie za ateistę lub agnostyka, przeżycie duchowe tego rodzaju wydaje się niemożliwe. Z drugiej, strony przedłużanie stanu czynnego alkoholizmu oznacza kompletne wyniszczenie. Być skazany na śmierć z powodu alkoholizmu, czy żyć w oparciu o duchowy program to niełatwa alternatywa stojąca przed alkoholikiem.

Wybór, mimo wszystko, nie jest aż tak trudny. Mniej więcej połowa naszych współbraci alkoholików zaliczała siebie do tego typu ludzi. Na początku niektórzy z nas starali się unikać zagadnienia, łudząc się, że wbrew wszelkiej nadziei nie są jednak prawdziwymi alkoholikami. W końcu wszyscy musieliśmy pogodzić się z faktem istnienia alternatywy: albo znajdziemy duchową podstawę do nowego życia, albo zginiemy. Być może podobnie przedstawia się sprawa i z tobą czytelniku. Nawet gdyby tak było, nie wszystko jeszcze stracone. Pamiętajmy bowiem, że prawie połowa z nas uważała się za ateistów lub agnostyków i że tego rodzaju nastawienia – jak dowodzi nasze doświadczenie – nie stanowiły przeszkody w przyjęciu programu duchowego odrodzenia.

Gdyby problem alkoholizmu można było rozwiązać przy pomocy jakiegoś kodeksu moralnego, albo jakiejś "ulepszonej" filozofii życiowej, wielu z nas dawno by już wyzdrowiało. Przekonaliśmy się jednak, że ani zasady moralne ani filozoficzne nie były w stanie nas uratować, bez względu na to jak bardzo się staraliśmy. Chcieliśmy być moralni, chcieliśmy znaleźć pocieszenie w filozofii. Pragnęliśmy tego naprawdę z całego serca lecz brak było sił. Nasze ludzkie zasoby siły woli nie wystarczyły i dlatego zawsze przegrywaliśmy. Głównym naszym problemem okazał się kompletny brak siły duchowej. Koniecznością dla nas stało się znalezienie takiej siły, z pomocą której moglibyśmy żyć. Musiała to być SIŁA POTĘŻNIEJSZA NIŻ NASZA WŁASNA. To stało się dla nas jasne. Ale gdzie i jak znaleźć taką siłę?

Właśnie o tym jest ta książka. Jej głównym celem jest pomóc ci w znalezieniu Siły Większej niż ty sam. Siły, która rozwiąże twój problem. Wydaliśmy zatem książkę, która zawiera zarówno treści natury moralnej, jak i duchowej. Oznacza to, że będziemy również mówili o Bogu.

W tym momencie wyłaniają się trudności z niewierzącymi. Często, gdy rozmawiamy z kimś nowym widzimy, jak rośnie jego nadzieja kiedy dyskutujemy jego alkoholowy problem i omawiamy istotę naszej wspólnoty. Ale mina mu rzednie, gdy poruszamy sprawy duchowe, zwłaszcza zaś, gdy wspomnimy o Bogu. Jest to bowiem temat, którego nasz przyjaciel unikał zręcznie lub całkowicie ignorował.

Wiemy, jak on się w tym momencie czuje. Podobnie jak on przeżywaliśmy kiedyś szczerze wątpliwości i uprzedzenia. Niektórzy z nas byli zdecydowanymi przeciwnikami religii. Dla innych słowo "Bóg" kojarzyło się ze szczególnym Jego obrazem, wyniesionym z okresu dzieciństwa. Sądziliśmy, że odrzucamy ten obraz, bo wydawał się nam niewystarczający. Odrzucając tę koncepcję, odrzuciliśmy zarazem wiarę w Jego istnienie. Niepokoiła nas myśl, że wiara w Siłę Wyższą i zależność od Niej jest słabością, a nawet tchórzostwem. Z głębokim sceptycyzmem patrzyliśmy na nasz świat – świat zwalczających się nawzajem ludzi, walczących ze sobą systemów teologicznych, świat niewytłumaczalnych katastrof i klęsk. Krzywo patrzyliśmy na wielu ludzi, którzy manifestują swą pobożność.

Jakże Najwyższa Istota może mieć z tym wszystkim cokolwiek wspólnego? Któż jest w stanie pojąć Najwyższą Istotę?

A mimo to obserwując z zachwytem gwieździste niebo, łapaliśmy się na rozmyślaniu nad odwiecznym pytaniem:

"Któż więc stworzył to wszystko?". I wtedy nachodziło nas uczucie bojaźni i podziwu. Wkrótce rozwiewało się ono i ginęło.

Tak, nam niedowiarkom znane są takie myśli i odczucia! Pragniemy jednak zapewnić cię – z chwilą, gdy udało nam się odrzucić nasze uprzedzenia i wykazać choćby samą chęć uwierzenia w Siłę Większą od nas samych, zaczęliśmy otrzymywać pozytywne rezultaty. Stało się tak chociaż żaden z nas nie potrafił precyzyjnie określić ani pojąć tej Siły, która jest Bogiem.

Odkryliśmy też z wielką ulgą, że wyobrażenia innych o Bogu nie miały najmniejszego znaczenia. Nasze własne wyobrażenia, jakkolwiek niedoskonałe, wystarczyły, by udać się do Niego po pomoc i nawiązać kontakt. Z chwilą, gdy przyjęliśmy możliwość istnienia Twórczej Inteligencji, Ducha Wszechświata, spłynęło na nas poczucie celowości, rodzaj ukierunkowanej energii; jedynym warunkiem było przestrzeganie paru prostych zasad. Odkryliśmy, że Bóg nie rzuca kłód pod nogi tym, którzy za nim podążają. Dziedzina Ducha jest w naszym pojęciu obszerna i wszechogarniająca; wstęp do niej jest wolny dla wszystkich, którzy szczerze szukają. W naszym przekonaniu Dziedzina Ducha stoi otworem dla wszystkich ludzi.

Dlatego też, kiedy mówimy o Bogu mamy na myśli twoje własne pojęcie Boga. Dotyczy to również wszystkich "duchowych" pojęć zawartych w tej książce. Nie pozwól, aby jakieś twoje uprzedzenie wobec tych określeń powstrzymały cię od starannego rozważenia, co one dla ciebie znaczą. To wystarczyło, na początek, aby nawiązać nasz pierwszy świadomy kontakt z Bogiem, takim jak Go pojmujemy. Zaczęliśmy akceptować to, co przedtem było poza zasięgiem naszego pojmowania. Aby się podnosić i rozwijać trzeba ruszyć w drogę. Zastosowaliśmy więc naszą własną koncepcję ze wszystkimi jej ograniczeniami.

Przedtem trzeba odpowiedzieć sobie na krótkie pytanie: "Czy wierzę, albo czy przynajmniej jestem skłonny uwierzyć, że istnieje Siła Wyższa, która jest potężniejsza ode mnie samego? Jeśli ktoś jest w stanie powiedzieć, że wierzy lub że jest skłonny kiedyś uwierzyć, to możemy go z szczerze zapewnić, że znalazł się na właściwej drodze. Nasze doświadczenie wielokrotnie dowiodło, że takie nastawienie jest jak kamień węgielny, na którym można zbudować wspaniały gmach. Była to dla nas wielka nowina, bo przedtem uważaliśmy, że doświadczenie duchowe jest poza naszym zasięgiem o ile nie zaakceptujemy kanonów i dogmatów religijnych, które były dla nas nie do przyjęcia.

Kiedy inni ludzie mówili nam o duchowym podejściu do problemu, myśleliśmy: "Ach!... jak bardzo pragnąłbym mieć to, co ma ten człowiek. Jestem przekonany, że i we mnie spowodowałoby to przełom, gdybym tylko potrafił wierzyć tak, jak on wierzy. Ale ja nie potrafię bezkrytycznie przyjąć zasad wiary tak prostych i jasnych dla niego. Z tym większą ulgą dowiedzieliśmy się, że możemy rozpocząć swoje doświadczenie duchowe na niejako uproszczonym poziomie. Oprócz pozornej niezdolności do przyjęcia czegokolwiek na wiarę, często czuliśmy się wręcz upośledzeni z powodu wewnętrznych rozterek, naszej nadwrażliwości i bezpodstawnego uprzedzenia. Wielu z nas było tak przewrażliwionych na tym punkcie, że nawet przelotna wzmianka o prawach natury duchowej wzbudzała sprzeciw. Ten rodzaj reakcji i typ myślenia musieliśmy całkowicie odrzucić. Odrzucenie takiego nastawienia i przełamanie wewnętrznych oporów nie jest – jak się przekonaliśmy – aż tak bardzo trudne. Będąc jeszcze niedawno zagrożeni totalnym zniszczeniem przez alkohol, wkrótce staliśmy się otwarci na sprawy duchowe, jak i na inne zagadnienia. W tym przypadku alkohol ujawnił swą wielką siłę perswazji. W sposób paradoksalny przywrócił on nam rozsądek.

Oczywiście był to najczęściej proces powolny. Przekazujemy wam nasze doświadczenia z nadzieją, że uda się wam przezwyciężyć długo hołubione uprzedzenia szybciej, niż wielu z nas. Możesz zapytać czytelniku, dlaczego masz wierzyć w jakąś Siłę Wyższą, niż ty sam. Uważamy, że jest po temu wiele powodów. Zastanówmy się nad niektórymi:

Praktycznie myślący człowiek w dzisiejszych czasach trzyma się logiki i faktów. Ludzie XX wieku przyjmą bez zastrzeżeń każdą teorię, o ile poparta jest ona sprawdzonymi faktami. Teorii mamy mnóstwo, na przykład te, które wyjaśniają zjawisko elektryczności. Przyjmujemy je bez cienia powątpiewania. Dlaczego tak się dzieje? Ponieważ bez pewnych logicznych założeń nie jesteśmy w stanie wyjaśnić czegoś czego używamy na co dzień, czym się posługujemy, czego skutki są widoczne i oczywiste.

Człowiek współczesny przyjmuje do wiadomości wiele założeń, popartych pewnymi faktami naukowymi, co do których jednak brak jest namacalnych dowodów. I czyż nie jest stwierdzone naukowo, że dowody naoczne są często łudzące? Badania zjawisk świata materialnego wskazują na fakt, że to co widzimy na własne oczy nie zawsze jest rzeczywiste. Oto przykład:

Najzwyklejszy stalowy dźwigar jest w istocie zbiorem elektronów, wirujących wokół siebie z niewiarygodną prędkością. Ruch tych cząstek atomu podlega niezachwianym prawom fizyki, które są prawdziwe zawsze i wszędzie, w całym Wszechświecie. Tak twierdzi nauka. Nie podajemy tego w wątpliwość. Gdy jednak ktoś stawia równie logiczną tezę, że ponad materią i życiem, które jesteśmy w stanie zmysłowo zaobserwować, kryje się Potęga, Sens i Inteligentna Siła Sprawcza rodzi się w nas przekora, nasz umysł zaczyna natychmiast dowodzić, że tak nie jest.

Czytamy zawiłe książki, wdajemy się w skomplikowane rozważania wierząc, iż nie potrzebujemy Boga, by wyjaśnić tajemnice Wszechświata. Gdyby tak było, oznaczałoby to, iż życie nasze powstało z nicości, nic nie znaczy i zmierza donikąd.

Zamiast uznać siebie za medium, obdarzone inteligencją, za czołówkę nieustającego procesu Boskiego Tworzenia, my – agnostycy i ateiści – wolimy wierzyć w to, że inteligencja ludzka jest ostatnim słowem, alfą i omegą, początkiem i końcem wszystkich rzeczy. Czyż nie jest to megalomania z naszej strony?

My, którzy kroczyliśmy tą wątpliwą ścieżką błagamy was – odrzućcie wszystkie uprzedzenia, nawet w odniesieniu do zorganizowanych religii. Przekonaliśmy się, że w kontekście wielu ludzkich słabości, mimo istnienia wielu wyznań, wiara wyznacza cel i kierunek dla milionów ludzi. Ludzie wiary posiadają logiczne wytłumaczenie sensu i istoty życia.

A my przecież nie mieliśmy wcześniej żadnej sensownej w tej mierze koncepcji. Zwykliśmy się zabawiać cynicznie, analizując wierzenia i praktyki religijne ludzi różnych ras i kolorów skóry, zamiast obserwować ich zrównoważenie, poczucie szczęścia i użyteczności, a zatem drogę życia, której sami powinniśmy poszukiwać.

Zamiast tego patrzyliśmy przede wszystkim na niedoskonałość tych ludzi, szukaliśmy ich słabostek, by ich z tego powodu piętnować. Mówiliśmy o nietolerancji innych, podczas gdy sami byliśmy nietolerancyjni. To tak, jakby nie zauważyć piękna całego lasu, z powodu brzydoty kilku pojedynczych drzew. Nigdy nie potrafiliśmy sprawiedliwie ocenić duchowej strony życia, którą z góry odrzucaliśmy.

W rozdziale tej książki, zawierającym "życiorysy" członków naszej wspólnoty, znajdzie czytelnik całą różnorodność interpretacji i pojmowania owej Siły Wyższej*. Czy poszczególne sposoby podejścia do owego zagadnienia będą nam odpowiadały to już inna sprawa. Nie ma to zresztą większego znaczenia. Doświadczenie nauczyło nas bowiem, że są to kwestie, które każdy musi rozwikłać na własną rękę.

Co do jednego jednak wszyscy, zarówno mężczyźni, jak i kobiety zgadzają się bez zastrzeżeń. A mianowicie, że odkryli drogę prowadzącą do poznania Siły Wyższej niż oni sami i uwierzenia w Nią. Ta Siła spowodowała w każdym pojedynczym przypadku to cudowne odrodzenie ponad ludzkie możliwości. Rzućmy tylko okiem na zawarte w tej książce świadectwa.

Tysiące mężczyzn i kobiet zgodnie oświadczają, że od momentu, gdy uwierzyli w istnienie Siły Wyższej niż oni sami i przyjęli określoną postawę, zaszła w nich kardynalna zmiana. Dotyczy ona zarówno ich sposobu myślenia, jak i stylu życia. W obliczu kompletnego duchowego załamania, rozpaczy i zupełnego upadku materialnego, odkryli nagle nowe źródło siły wewnętrznej. Źródło spokoju, radości, poczucia właściwych proporcji i prawdzi-

---

* W polskim wydaniu Wielkiej Księgi publikujemy historię współzałożyciela wspólnoty, doktora Boba oraz świadectwa trzech innych pionierów Wspólnoty Anonimowych Alkoholików.

wego porządku. Nastąpiło to wkrótce po tym, gdy z całego serca, szczerze zapragnęli sprostać kilku prostym wymaganiom. Do niedawna zbłąkani i zbici z tropu bezsensem życia odkrywają podłoże swych dotychczasowych ciężkich zmagań z życiem. Abstrahując od problemu z alkoholem ludzie zaczynają opowiadać o przyczynach swego wielkiego niezadowolenia z życia, równocześnie odsłaniając tajemnicę gruntownej zmiany, jaka w nich zaszła. Jeśli tysiące z nich są w stanie oświadczyć, że świadomość obecności Boga jest najważniejszym faktem w ich życiu, to jest to bardzo mocny argument za tym, by uwierzyć.

W ostatnim stuleciu nasz świat dokonał większego materialnego postępu niż we wszystkich poprzednich tysiącleciach. Prawie każdy z nas zna przyczyny tego rozwoju. Historia starożytna dowodzi, że intelekt człowieka starożytności dorównywał najlepszym umysłom doby współczesnej, a mimo to postęp materialny był wówczas zadziwiająco powolny. Duch nowoczesnej naukowej dociekliwości, badania i inwencja twórcza były w stanie zastoju. W pojmowaniu świata materialnego ludzkie umysły skrępowane były przesądami, tradycją i utartymi poglądami. Niektórzy współcześni Kolumbowi uważali kulistość Ziemi za absurd. Galileusz o mało nie zginął na stosie za swoje astronomiczne herezje.

Zadajemy sobie pytanie: Czy niektórzy z nas nie są równie uprzedzeni w sprawie ducha, jak starożytni w sprawie materii? Nawet w obecnym stuleciu niektóre amerykańskie gazety obawiały się opublikować dane na temat udanego lotu braci Wright. Czyż wszystkie poprzednie próby nie skończyły się fiaskiem? Czyż latająca maszyna prof. Langleya nie spadła do rzeki Potomac? Czyż nie jest prawdą, iż najlepsze matematyczne umysły dowiodły, że człowiek nie może latać? Czyż nie twierdzono, że ten przywilej Bóg dał tylko ptakom? Trzydzieści lat później podbój przestrzeni powietrznej dokonał się całkowicie, a podróż samolotem jest rzeczą normalną.

Nasze pokolenie było świadkiem wyzwolenia całkowicie nowego sposobu myślenia w wielu dziedzinach. Pokaż jakiemukolwiek robotnikowi portowemu niedzielny dodatek do gazety opisujący możliwość lotu na Księżyc, a on powie: "Założę się, że tego dokonają i to niedługo".*

Czyż naszej epoki nie charakteryzuje łatwość zmieniania starych idei na nowe oraz gotowość odrzucania przeżytych poglądów, aby przyjąć bardziej trafne – nowe.

Pytamy samych siebie, dlaczego nie potrafimy przejawiać tej samej gotowości w zmianie poglądów odnoszących się do naszych ludzkich spraw. Mieliśmy kłopoty w osobistych stosunkach z ludźmi, nie potrafiliśmy kontrolować emocji, byliśmy ofiarami nieszczęść i depresji, nie byliśmy w stanie związać końca z końcem, mieliśmy poczucie bezużyteczności, byliśmy pełni lęków, nieszczęśliwi, nie potrafiliśmy pomagać innym – czyż rozwiązanie całej tej udręki nie było ważniejsze od obejrzenia na ekranie lotu na Księżyc? Oczywiście, że było.

I właśnie my, obserwując jak inni rozwiązują swoje problemy przez przemiany duchowe, w oparciu o Siłę Wyższą, byliśmy zmuszeni porzucić wszystkie wątpliwości, co do potęgi Boga. Nasze dotychczasowe idee były bezużyteczne. Ale idea Boga przyniosła praktyczne rezultaty. Dziecięca wiara braci Wright w to, że potrafią zbudować maszynę, która pozwoli im latać była główną sprężyną całego ich przedsięwzięcia. Bez tej wiary nie byliby w stanie nic zrobić. My, agnostycy i ateiści, wyznawaliśmy ideę samowystarczalności w rozwiązywaniu własnych problemów. Kiedy inni powierzali swoje sprawy "łasce boskiej" – skutecznie – czuliśmy się jak ci ludzie, którzy wyśmiewali braci Wright.

Logika jest rzeczą wielką. Uznawaliśmy ją i nadal uznajemy. Nie przypadkiem dano nam możność rozumowania, analizowania naszych uczuć i wyciągania wniosków. Ta możliwość jest jednym z najwspanialszych atrybutów człowieka. My – ludzie nastawieni agnostycznie – czerpiemy satysfakcję podchodząc sensownie i rozsądnie do rozwiązywania problemów. Dlatego tak trudno nam przyznać, że nasza obecna wiara to coś rozsądnego, że korzystniej i bardziej logicznie jest dla nas wierzyć, niż podawać w wątpliwość;

---

* Książka "Anonimowi Alkoholicy" ukazała się po raz pierwszy w 1939 roku.

że czas dojrzeć jak bezradny i bezsensowny był nasz poprzedni sposób myślenia, gdy na dręczące nas pytania mogliśmy tylko odpowiedzieć: "Nie wiemy".

Kiedy, jako zdeklarowani alkoholicy, stanęliśmy w obliczu kryzysu nie do uniknięcia, musieliśmy wreszcie pozbyć się obaw i dokonać wyboru, czy Bóg jest dla nas wszystkim, czy niczym. Albo istnieje, albo Go nie ma.

Docierając do tego punktu stanęliśmy twarzą w twarz z kwestią wiary. Nie mogliśmy dłużej unikać tego zagadnienia. Niektórzy z nas zaszli dość daleko na "Drodze Rozsądku" prowadzącej do przystani wiary. Wizja Ziemi Obiecanej rozjaśniła nasze zmęczone oczy i podniosła nas na duchu. Przyjazne ręce wyciągnęły się do nas w serdecznym geście powitania. Czuliśmy wdzięczność, że Rozum zaprowadził nas tak daleko, ale jakoś nie potrafiliśmy zejść na twardą ziemię. Może zbyt silnie, przemierzając ten ostatni dystans, opieraliśmy się na naszym rozumie i po prostu nie chcieliśmy utracić naszej podpory...

Ów stan był zresztą naturalny. Spróbujmy bardziej zagłębić się w ten problem. Czyż wbrew naszej świadomości nie zostaliśmy doprowadzeni przez pewien rodzaj wiary do miejsca, w którym się właśnie dziś znajdujemy? Czyż nie wierzyliśmy w potęgę naszych umysłów? Czyż nie mieliśmy zaufania do naszego własnego sposobu myślenia? Czy nie można zatem nazwać tego pewnego rodzaju wiarą?

Tak byliśmy wierni! Niewolniczo wierni wobec Boga Intelektu. Tak, czy inaczej, odkryliśmy, że wiara była stale w nas obecna. Odkryliśmy również, że byliśmy wierzący i praktykujący. Kiedyś takie stwierdzenie przyprawiłoby nas o gęsią skórkę.

Czyż jednak nie czciliśmy ludzi, sentymentów, przedmiotów, pieniędzy, jak również samych siebie? Czyż w szczególnie podniosłych momentach nie patrzyliśmy z czcią na zachód słońca, na morze czy na kwiaty? Któż z nas nie kochał czegoś lub kogoś? Ile związku miały te uczucia miłości czy uwielbienia z intelektem? Niewiele albo nic, jak się w końcu o tym przekonaliśmy.

Czy te rzeczy nie były tkanką, z której uformowane zostało nasze życie? Czy uczucia te, mimo wszystko, nie decydowały o naszej egzystencji? Trudno więc powiedzieć, że nie byliśmy zdolni do wiary, miłości czy uwielbienia. W takiej czy inne formie żyliśmy głównie wiarą.

Spróbujmy sobie wyobrazić życie bez wiary! Gdyby istniał tylko czysty rozum nie byłoby życia. A myśmy wierzyli w życie, oczywiście że tak. Nie mogliśmy tego wprawdzie dowieść tak jak się dowodzi, że linia prosta jest najkrótszą odległością między dwoma punktami.

Czyż nadal mogliśmy twierdzić, że wszystko to jest niczym innym niż kotłowaniną elektronów powstałych z nicości, bez znaczenia i zmierzających donikąd? Oczywiście, że nie mogliśmy!

Nawiasem mówiąc, zachowanie się elektronów wskazywało na pewnego rodzaju inteligencję materii nieożywionej. Tak przynajmniej twierdzili chemicy. Wtedy więc zobaczyliśmy, że rozum nie jest wszystkim. Nie można też polegać wyłącznie na rozumie, jak czyniło to wielu z nas, wychodząc – skądinąd – z najlepszych przesłanek. W jakim świetle jawią się dziś ludzie, którzy twierdzili, że człowiek nie może latać? Byliśmy przecież świadkami i innych "lotów", duchowego wyzwolenia z tragedii tego świata ludzi, którzy potrafili wznieść się ponad własne problemy. Gdy oni twierdzili, że stało się to możliwe dzięki Bogu my uśmiechaliśmy się tylko. Byliśmy świadkami duchowego wyzwolenia, ale wmawialiśmy sobie, że to nieprawda.

Tymczasem oszukiwaliśmy samych siebie, gdyż w głębi każdego człowieka – mężczyzny, kobiety lub dziecka, tkwi fundamentalne pojęcie Boga.

Może ono zostać przyćmione przez tragedię, pychę lub gloryfikowanie spraw materialnych, ale w takiej czy innej formie jest ono w nas. Wiara w Siłę Wyższą niż my sami i cudowne przejawy tej wiary w ludzkim istnieniu, to fakty istniejące tak dawno, od jak dawna istnieje człowiek.

W końcu pojęliśmy, że wiara w jakąś koncepcję Boga była częścią nas samych, podobnie jak uczucia żywione dla przyjaciół. Czasami odważnie musieliśmy Go szukać, ale On zawsze istniał. Był faktem, tak jak i my. Głęboko w nas samych znaleźliśmy Wspaniałą Rzeczywistość. Bo tylko w Niej można coś znaleźć. Tak się miała sprawa z nami.

W tej kwestii możemy tylko w niewielkim stopniu przygotować grunt dla was. Jeśli nasza deklaracja pomoże wam odrzucić uprzedzenia, pozwoli myśleć uczciwie i zachęcić do wejrzenia wewnątrz samego siebie, wtedy, jeśli zechcecie, możecie przyłączyć się do naszego marszu Wielką Aleją. Z takim nastawieniem świadomość wiary z pewnością nadejdzie.

Na dalszych stronicach tej książki opiszemy doświadczenia człowieka, który myślał, że jest ateistą. Jego historia jest na tyle ciekawa, że niektóre jej fragmenty warte są przytoczenia. Zmiana w jego uczuciach była dramatyczna, przekonująca i wzruszająca zarazem.

Nasz przyjaciel był synem pastora. Uczęszczał do szkoły przykościelnej. Po pewnym czasie zbuntował się przeciwko nadmiernemu religijnemu wychowaniu. W latach późniejszych przeżył jeszcze wiele kłopotów i frustracji. Niepowodzenia w interesach, choroba umysłowa i samobójstwo w jego najbliższej rodzinie – wszystko to doprowadziło go do stanu depresji. Powojenne rozczarowanie i coraz poważniejsze uzależnienie od alkoholu przywiodły go na krawędź samobójstwa. Pewnego razu, w trakcie pobytu w szpitalu, zetknął się on z pewnym alkoholikiem, który doświadczył "duchowego przebudzenia". Podczas rozmowy z tym człowiekiem, nasz przyjaciel doprowadzony do ostateczności, wykrzyknął: "Jeżeli jest Bóg, to na pewno nic dla mnie nie uczynił!".

Później, w samotności nasunęły mu się refleksje "Czyżby było możliwe, aby wszyscy religijni ludzie, których znam, nie mieli racji". Gdy szukał odpowiedzi na to pytanie, zdawało mu się, że jego życie upłynęło w piekle. I nagle jak grom z jasnego nieba, uderzyła go myśl, głęboka myśl przyćmiewająca wszystkie inne: "Kim jesteś ty, który twierdzisz, że nie ma Boga?". Opowiadający tę historię przypomina sobie, że wtedy zwlókł się z łóżka i padł na kolana. W ciągu tych paru sekund zawładnęło nim przeświadczenie Obecności Boga.

Ogarnęło go ono jak wielka fala. Zmyła wszystkie bariery, którymi się starannie otoczył. Stanął w obecności Nieskończonej Miłości i Wszechmocy. Stanął na drugim brzegu rzeki, bo wreszcie zdołał opuścić chwiejny most. Po raz pierwszy świadomie zaakceptował Boga. Było to jak kamień węgielny położony we właściwym miejscu, którego nie zachwiały żadne już późniejsze zdarzenia. Problem alkoholizmu został usunięty tej pamiętnej nocy, wiele lat temu, przestał po prostu istnieć. Z wyjątkiem kilku przelotnych pokus, myśl o alkoholu nigdy nie powróciła. Wręcz wzbudzała w nim obrzydzenie. Wydawało się, że nie mógłby pić nawet gdyby chciał. Bóg przywrócił mu rozsądek.

Czyż nie był to przypadek cudownego uzdrowienia? A przecież elementy jego genezy są tak proste. Okoliczności spowodowały, że pragnął uwierzyć. Pokornie ofiarował się Stwórcy i wtedy zrozumiał. W ten sposób Bóg przywrócił rozum nam wszystkim, kroczącym niegdyś drogą alkoholizmu. Dla tego człowieka objawienie było nagłe. Niektórzy z nas, alkoholików doświadczają takiego zwrotu wolniej. Ale On przyszedł do wszystkich, którzy Go uczciwie szukali. Gdyśmy się do NIEGO zbliżyli objawił się nam.

Rozdział 5

JAK TO DZIAŁA?

RZADKO się zdarza, by doznał niepowodzenia ktoś, kto postępuje zgodnie z naszym programem. Nie wracają do zdrowia ludzie, którzy nie mogą lub nie chcą całkowicie poddać się temu prostemu programowi. Zazwyczaj są to mężczyźni i kobiety, którzy z natury swojej nie są zdolni do zachowania uczciwości wobec samych siebie. Istnieją tacy nieszczęśnicy. To nie ich wina. Tacy się po prostu urodzili. Z natury swej nie są zdolni pojąć, a tym bardziej rozwinąć, sposobu postępowania, który wymaga bezwzględnej uczciwości. Ich szanse na powodzenie są znikome. Istnieją także ludzie, których cierpienie wypływa z głębokich zaburzeń emocjonalnych lub umysłowych, ale wielu z nich wraca do zdrowia, jeśli tylko zdobędą się na uczciwość wobec siebie.

Historie naszych zmagań opublikowane w tej książce ukazują – w ogólnych zarysach – kim byliśmy, co się z nami stało i jacy jesteśmy obecnie.

Jeżeli czytelnik tej książki poweźmie decyzję, że pragnie tego co my w AA posiadamy, i że gotów jest uczynić wszystko, aby ów cel osiągnąć, wtedy jest już przygotowany do postawienia pierwszych kroków.

Przy stawianiu niektórych z nich towarzyszyło nam wahanie. Sądziliśmy, że potrafimy znaleźć łatwiejszą, łagodniejszą drogę. Ale nie potrafiliśmy. Pozostaje nam zatem prosić was – bądźcie nieustraszeni i gorliwi od samego początku. Niektórzy z nas przez jakiś czas bezskutecznie usiłowali trzymać się starych przekonań. Musieliśmy pozbyć się ich całkowicie. Pamiętajmy przy tym, że mamy do czynienia z alkoholem, wrogiem podstępnym, potężnym i przebiegłym. Nie jesteśmy w stanie walczyć z nim sami, bez dodatkowej pomocy. Ale na szczęście jest Ktoś potężniejszy pod każdym względem, posiadający wszystkie potrzebne zasoby sił. Tym Kimś jest Bóg. Obyś znalazł Go teraz.

Stosowanie półśrodków nic nam nie dało. Znajdowaliśmy się ciągle w punkcie wyjściowym. Prosiliśmy Boga – z całkowitym oddaniem – o pomoc i opiekę.

A oto Kroki, które sami stawiamy i które są proponowanym przez nas programem zdrowienia:

1. Przyznaliśmy, że jesteśmy bezsilni wobec alkoholu, że przestaliśmy kierować naszym życiem.
2. Uwierzyliśmy, że Siła Większa od nas samych może przywrócić nam zdrowie.
3. Postanowiliśmy powierzyć naszą wolę i nasze życie opiece Boga, *jakkolwiek Go pojmujemy*.
4. Zrobiliśmy gruntowny i odważny obrachunek moralny.
5. Wyznaliśmy Bogu, sobie i drugiemu człowiekowi istotę naszych błędów.
6. Staliśmy się całkowicie gotowi, aby Bóg uwolnił nas od wszystkich wad charakteru.
7. Zwróciliśmy się do Niego w pokorze, aby usunął nasze braki.
8. Zrobiliśmy listę osób, które skrzywdziliśmy, i staliśmy się gotowi zadośćuczynić im wszystkim.
9. Zadośćuczyniliśmy osobiście wszystkim, wobec których było to możliwe, z wyjątkiem tych przypadków, gdy zraniłoby to ich lub innych.
10. Prowadziliśmy nadal obrachunek moralny, z miejsca przyznając się do popełnianych błędów.
11. Dążyliśmy przez modlitwę i medytację do coraz doskonalszej więzi z Bogiem, *jakkolwiek Go pojmujemy*, prosząc jedynie o poznanie Jego woli wobec nas oraz o siłę do jej spełnienia.
12. Przebudzeni duchowo w rezultacie tych Kroków staraliśmy się nieść posłanie innym alkoholikom i stosować te zasady we wszystkich naszych poczynaniach.

Na początku wielu z nas, alkoholików, przeraziło się: "Cóż to za rygor! To przecież niewykonalne". Nie upadajcie jednak na duchu! Nikt z nas nie był w stanie idealnie dostosować się do tych zasad. Nie jesteśmy świętymi. Rzecz w tym, że naszym pragnieniem jest rozwój duchowy w wyznaczonym kierunku. Zasady wypracowane przez AA są jedynie wytyczną dla ogólnego rozwoju. Chodzi nam bowiem o postęp duchowy, a nie o duchowy ideał.

Opis alkoholika, rozdział poświęcony niewierzącym oraz nasze osobiste doświadczenia "przed" i "po" prowadzą, do trzech ważnych wniosków :

a) że byliśmy alkoholikami niezdolnymi do kierowania własnym życiem,

b) że prawdopodobnie żadna ludzka siła nie mogłaby uwolnić nas od alkoholizmu,

c) że tylko Bóg może to uczynić i uczyni, gdy się do Niego zwrócimy.

Zyskując owo przekonanie, jesteśmy na etapie Trzeciego Kroku, to znaczy podejmujemy decyzje oddania naszej woli i naszego życia w ręce Boga, takiego, jakim Go sami pojmujemy. Co przez to rozumiemy i jak mamy postępować?

Po pierwsze musimy dojść do przekonania, że błędne jest opieranie życia na naszej własnej woli. Nawet przy najlepszych chęciach znajdziemy się bowiem nieuchronnie na kursie kolizyjnym z inną istotą ludzką lub z losem. Większość ludzi usiłuje żyć na własny rachunek, bez niczyjej pomocy. Taki człowiek zachowuje się jak aktor, który usiłuje zaaranżować całe przedstawienie na swój sposób – zarówno światła, balet, scenografię, jak i resztę artystów. Gdyby tylko owe wysiłki zmaterializowały się... Gdyby tylko inni artyści zechcieli postępować według jego życzeń, widowisko byłoby wspaniałe. Wszyscy, łącznie z nim samym, byliby zadowoleni. Życie byłoby cudowne. Taki człowiek w swoich wysiłkach dokonuje czasem najwyższych wyrzeczeń. Potrafi być uprzejmy i uważający, cierpliwy, szczodry, nawet skromny i pełny poświęcenia dla innych. Z drugiej strony, może też okazać się chciwy, egocentryczny, samolubny i nieuczciwy. Na ogół jednak, jak to bywa z większością ludzi, nie jest ani idealny, ani też kompletnie zły.

Cóż zazwyczaj się dzieje? Przedstawienie nie toczy się dobrze. Nasz bohater jest przekonany, że zasługuje na coś lepszego. Postanawia więc dołożyć większych starań. Przy najbliższej okazji staje się jeszcze bardziej wymagający albo bardziej czarujący zależnie od sytuacji. Ale owo przedstawienie na scenia życia nie rozwija się nadal po jego myśli.

Przyznając, że być może jest w tym część jego winy, nadal jest przekonany, że główna wina leży po stronie innych. Kolejno rozwija się w nim uczucie gniewu, potem złości, wreszcie popada w stan współczucia dla siebie samego.

Jaka jest główna przyczyna takiego stanu rzeczy?

Czyż ów człowiek nie jest w rzeczywistości egoistą, nawet wtedy, gdy stara się być uprzejmy wobec innych? Czy nie jest ofiarą złudzenia, że mógłby osiągnąć zadowolenie i szczęście, gdyby tylko potrafił swym otoczeniem właściwie pokierować? Czy dla wszystkich zaangażowanych w jego grę, nie jest ewidentne jego egoistyczne pragnienie? I czyż jego sposób postępowania nie wywołuje u innych prób odwetu, połączonych z chęcią wykorzystania sytuacji dla siebie? Czyż nie jest on zatem, nawet w swoich najlepszych intencjach, raczej sprawcą zamieszania i nieporozumień niż harmonijnego współdziałania?

Nasz "aktor" jest skupionym na sobie egocentrykiem, jak byśmy go dzisiaj określili. Przypomina emerytowanego biznesmena, który zimą wygrzewa się w słońcu Florydy, narzekając na upadek ducha narodowego; księdza, który ubolewa nad grzechami dwudziestego wieku; polityka i reformatora, którzy są pewni, że świat byłby Utopią, gdyby reszta ludzi zachowywała się zgodnie z ich oczekiwaniami; kryminalistę włamywacza, który wierzy w to, że społeczeństwo go skrzywdziło, albo alkoholika, który przepił wszystko i jest zamknięty w miejscu odosobnienia. Czy większość z nas, wbrew wszelkim fałszywym protestom, nie koncentruje się na sobie, swoich urazach i użalaniu się nad losem?

Egoizm, egocentryzm, koncentracja na samym sobie!... To właśnie jest, jak sądzimy, zasadnicze źródło naszych kłopotów. Powodowani tysięcznymi lękami, fałszywymi wyobrażeniami, różnymi odmianami samolubstwa i rozczulania się nad sobą krzywdzimy innych ludzi, a oni odpłacają nam tym samym. Czasami wydaje się, że ludzie ranią nas bez powodu, bez żadnej prowokacji z naszej strony. Niezmiennie jednak doszukujemy się wydarzenia w przeszłości, które upoważniło tego kogoś do wyrządzenia nam przykrości.

A więc nasze kłopoty, jak stwierdzamy, w zasadzie pochodzą od nas samych. Powstają w nas. Alkoholik jest krańcowym przykładem upartego szaleńca, choć zwykle on sam tak o sobie nie myśli. A więc my, alkoholicy musimy przede wszystkim wyzbyć się egoizmu. Musimy tego dokonać za wszelką cenę, gdyż inaczej egoizm zabije nas.

Bóg dopomoże nam w tym. Jakże często wydaje się być wprost niemożliwością wyzbycie się egoizmu bez Jego pomocy. Mimo że wielu z nas miało w sobie dostatecznie dużo zasad moralnych i przekonań filozoficznych, to nie potrafiliśmy według nich żyć. Nie byliśmy również w stanie własnymi siłami pozbyć się egocentryzmu. Potrzebna była nam pomoc Boga.

Jak, naszym zdaniem, należy podejść do tego zagadnienia. Przede wszystkim musimy skończyć udawać Wszystkowiedzącego Boga. Następnie musimy uznać, że w tym dramacie życiowym Bóg ma być odtąd naszym Drogowskazem. On jest Przywódcą, my zaś Jego podwładnymi. On jest Ojcem, my Jego dziećmi. Wiele sprawdzonych i wielkich idei charakteryzuje się prostotą. Również ta koncepcja była kamieniem węgielnym pod nowy łuk triumfalny, przez który my, alkoholicy przeszliśmy do wolności.

Kiedy więc szczerze podjęliśmy decyzję przyjęcia takiej postawy wobec naszego problemu, nastąpiły niezwykłe wydarzenia. Odtąd mieliśmy nowego Pracodawcę. Będąc Wszechmocną Potęgą, zaspokajał nasze potrzeby, pod warunkiem, że pozostawaliśmy w bliskiej z Nim łączności i wypełnialiśmy właściwie nasze obowiązki wobec Niego. Mając taki punkt oparcia coraz mniej uwagi poświęcaliśmy sobie, swoim małym planom i projektom. Znacznie bardziej skupiliśmy się na naszym wkładzie dla ogólnego dobra. W miarę jak odczuwaliśmy nową, napełniającą nas siłę, w miarę jak czerpaliśmy zadowolenie ze spokoju ducha i odkrywaliśmy, że możemy stawić czoło życiu w świecie wypełnionym Jego obecnością, nagle pozbyliśmy się strachu przed dniem dzisiejszym, jutrzejszym i wszystkimi następnymi. Odrodziliśmy się na nowo.

Znaleźliśmy się na etapie TRZECIEGO KROKU. Wielu z nas zwróciło się do naszego Stwórcy, takiego, jakim Go każdy z nas z osobna pojmuje, ze słowami: "Boże, ofiaruję siebie Tobie, abyś mnie uformował i uczynił ze mną to, co będzie zgodne z Twoją wolą. Uwolnij mnie ode mnie samego, żebym mógł lepiej spełniać Twoją wolę. Oddal ode mnie trudności, aby zwycięstwo nad nimi mogło być świadectwem dla tych, którym pospieszę z pomocą, czerpiąc z Twej Potęgi, Miłości i Twego Pojmowania Dróg Życia. Dopomóż mi, abym zawsze spełniał Twą wolę".

My, alkoholicy, długo zastanawialiśmy się zanim postawiliśmy Trzeci Krok. Musieliśmy wpierw upewnić się, czy jesteśmy gotowi całkowicie oddać się Bogu. Stwierdziliśmy również, iż bardzo pożądane jest, abyśmy stawiali ten duchowy Krok razem z osobą, która nas rozumie, jak żona, najlepszy przyjaciel czy duchowy doradca.

Jednak o wiele lepiej jest spotkać się z Bogiem samotnie niż w towarzystwie osoby, która nie ma pełnego zrozumienia Jego istoty. Słowa, jakich używamy w czasie naszych prób nawiązania kontaktu z Bogiem są, oczywiście, sprawą naszego wyboru. Chodzi o to, by wyrażały właściwe nastawienie i wypowiadane były bez zastrzeżeń. To tylko początek drogi, ale jeśli powzięty zostanie z całą uczciwością i pokorą, rezultat widoczny jest natychmiast.

Następnie podjęliśmy dalsze energiczne działania, których pierwszym etapem było uporządkowanie spraw osobistych. Wielu z nas nigdy przedtem nawet nie usiłowało tego robić. Nasza decyzja w tej mierze, aczkolwiek niezbędna, nie przyniosłaby trwałych skutków, gdyby nie towarzyszył jej natychmiastowy wysiłek mający na celu usunięcie z nas wszystkiego co hamowało nasz rozwój. Alkohol jest bowiem tylko symptomem naszej choroby. Musieliśmy zatem dotrzeć do jej istotnych przyczyn i warunków, które sprzyjały jej rozwojowi.

Dlatego rozpoczęliśmy od dokonania osobistego rozrachunku. To CZWARTY KROK na naszej drodze. Przedsiębiorstwo, które nie sporządza regularnie bilansu zwykle bankrutuje. W handlu taki remanent obrazuje stan posiadania. Jest zatem niezbędny po to, by określić prawidłowo liczbę towarów. Jednym z celów owego remanentu jest ujawnienie przedmiotów uszkodzonych lub nie nadających się do sprzedaży oraz szybkie pozbycie się ich. Jeśli właściciel przedsiębiorstwa chce odnosić sukcesy, nie może sam siebie oszukiwać.

Dokładnie to samo robiliśmy z naszym życiem. Nasz obrachunek moralny sporządziliśmy uczciwie. Przede wszystkim odsłoniliśmy nasze wady, które spowodowały wszystkie kolejne niepowodzenia. Przekonawszy się, że to nasz egoizm, przejawiający się na różne sposoby, był przyczyną naszych porażek dokładnie tę cechę przeanalizowaliśmy. Skłonność do urazy i łatwość popadania w złość to nasz grzech "numer jeden".

Trwała uraza jest naszym głównym nieprzyjacielem. Doprowadza ona do upadku więcej alkoholików, niż jakakolwiek inna przyczyna. Wywodzą się z niej różne choroby naszego ducha. Bo przecież byliśmy chorzy nie tylko psychicznie czy fizycznie. Byliśmy również schorowani na duchu. Przezwyciężając chorobę ducha wzmacniamy się jednocześnie psychicznie i fizycznie. Analizując przypadki naszych uraz, niechęci i złości, sporządziliśmy listę osób, instytucji i zasad moralnych, które wprawiały nas w złość, wywoływały niechęć. Pytaliśmy samych siebie o przyczyny tych wrogich uczuć. W większości przypadków okazywało się, że poczuliśmy się dotknięci lub zagrożeni w naszym poczuciu godności, pozycji majątkowej, naszych stosunkach intymnych, włącznie ze sferą seksualną. Stąd też byliśmy rozdrażnieni i wściekli. Na liście naszego osobistego obrachunku umieściliśmy obok nazwiska naszego "prześladowcy" rodzaj doznanej "krzywdy". Czy to nasze poczucie godności, czy poczucie bezpieczeństwa, nasze ambicje, stosunki osobiste czy seksualne zostały zagrożone najbardziej? Zwykle byliśmy wobec siebie tak precyzyjni, jak w przytoczonym przykładzie. (patrz tabela str. 56)

Uczciwie i dokładnie przeanalizowaliśmy nasze życie. Kierowaliśmy się kompletną uczciwością wobec siebie samych. Kiedy ukończyliśmy skrupulatnie naszą listę przyjrzeliśmy się jej uważnie. Okazało się, że z naszego dotychczasowego punktu widzenia, inni ludzie bardzo często nie mieli racji. Dochodziliśmy do wniosku, że to inni wyrządzali nam krzywdy. My zaś cierpieliśmy z tego powodu

Osoba, do której żywię niechęć	Przyczyna	Ma to wpływ na moje
Pan Brown	Interesuje się moją żoną. Powiedział mojej żonie, że mam kochankę. Może zająć moje stanowisko w pracy.	Stosunki małżeńskie. Poczucie godności (strach). Stosunki małżeńskie. Poczucie bezpieczeństwa. Poczucie godności.
Pani Jones	Jest wariatką. Zrobiła mi afront. Oddała męża do zakładu leczniczego z powodu pijaństwa. On jest moim przyjacielem. Plotkarka.	Stosunki osobiste. Poczucie godności (strach).
Mój pracodawca	Jest zbyt wymagający, niesprawiedliwy, apodyktyczny. Grozi mi zwolnieniem z pracy za pijaństwo i sfałszowanie rachunku.	Poczucie godności (zadraśnięta ambicja, strach). Zachwianie poczucia bezpieczeństwa.
Moja żona	Brak zrozumienia. Zrzędzi. Lubi Browna. Chce, aby na nią zapisać dom, itd.	Poczucie godności, stosunki małżeńskie, poczucie bezpieczeństwa (strach).

i współczuliśmy sami sobie. Ale im bardziej walczyliśmy i staraliśmy się postawić na swoim, tym gorzej układały się nasze sprawy. Tak jak bywa na wojnie, zwycięzca wygrywał tylko pozornie. Nasz triumf był krótkotrwały.

To oczywiste, że życie z głęboką urazą i złością prowadzi, nieuchronnie do poczucia pustki wewnętrznej i nieszczęścia. Jeśli dopuścimy do takiego życia to marnujemy te wszystkie godziny, które mogłyby być wartościowe. Szczególnie dla alkoholika, którego nadzieja tkwi w rozwijaniu i pogłębianiu życia duchowego, zachowywanie uraz i złości jest zazwyczaj fatalne. Owe uczucia są dla niego, jak stwierdziliśmy wiele razy, zgubne. Kiedy nosimy w sobie te uczucia, zamykamy się przed światłością ducha. Powraca do nas alkoholowe szaleństwo i zaczynamy od nowa oddawać się pijaństwu. A dla nas picie jest równoznaczne ze śmiercią. Zatem, jeśli chcemy żyć, musimy uwolnić się od uczucia gniewu. Złe nastroje i burze psychiczne są dla nas zgubą. Nawet dla normalnych ludzi są one wątpliwym luksusem, dla alkoholików są trucizną.

Wróćmy teraz ponownie do sporządzonej uprzednio listy, jako że w niej może tkwić klucz do naszej przyszłości. Spójrzmy na nią pod zupełnie innym kątem. Zauważamy teraz, że świat nas przytłaczał, a inni ludzie dominowali nad nami. W takim świecie poczucie doznanych krzywd, rzeczywistych czy urojonych, mogło nas rzeczywiście zabić.

Jak mogliśmy się uratować? Zdaliśmy sobie sprawę, że musimy opanować uczucia urazy i złości. Pragnęliśmy pozbyć się ich tak samo, jak alkoholu. Ale w jaki sposób to zrobić.

Przyjęliśmy następujące założenie: zdaliśmy sobie sprawę, że ludzie, którzy nas skrzywdzili byli – być może – również chorzy na duchu. Jeśli zatem ich zachowanie nam się nie podobało i drażniło nas, przyjmowaliśmy, że są chorzy, podobnie jak i my. Prosiliśmy więc Boga, aby dopomógł nam zdobyć się wobec nich na taką samą tolerancję, jaką okazywalibyśmy choremu przyjacielowi. Jeśli ktoś nas obraził, mówiliśmy sobie: "To jest chory człowiek, w jaki sposób mógłbym mu pomóc? Boże chroń mnie od uczucia gniewu. Bądź wola Twoja". Unikamy odwetu i kłótni. Przecież nie traktowalibyśmy chorych ludzi w taki sposób. Takie postępowanie zniweczyłoby szansę bycia pomocnym. Nie jesteśmy w stanie świadczyć pomocy wszystkim ale – z wolą

Boską – możemy okazać uprzejmość i tolerancję każdej ludzkiej istocie.

Wróćmy do naszej listy.

Puszczając w niepamięć krzywdy doznane od innych, postanowiliśmy skupić się na własnych błędach. W jakich okolicznościach byliśmy egoistami, kiedy byliśmy nieuczciwi, samolubni lub tchórzliwi? Aczkolwiek zaistniała sytuacja nie wynikła wyłącznie z naszej winy staramy się udział innych zostawić na boku. Interesuje nas jedynie nasza wina. Przecież sporządzamy własny obrachunek, a nie innych ludzi. Kiedy zatem tylko zauważyliśmy swoje wady wpisywaliśmy je na listę, którą stale musimy mieć przed oczyma. Przyznając się uczciwie do zapisanych czarno na białym wykroczeń, przejawiamy szczerą wolę poprawy.

Zwróćmy uwagę na słowo "strach" umieszczone w nawiasie przy nazwiskach p. Brown, p. Jones, pracodawcy i żony. Słowo to w jakiś sposób wiąże się z każdym aspektem naszego życia. To złe zardzewiałe ogniwo, które spajało całą naszą egzystencję. Rozpoczynało ono cały łańcuch zdarzeń, które ściągały na nas niezasłużone nieszczęścia. Czy jednak my sami nie byliśmy główną ich przyczyną? Czasami wdaje się nam, że strach powinien być traktowany jak kradzież. Powoduje on chyba więcej nieszczęść.

Przeanalizowaliśmy nasze uczucia strachu nawet gdy nie łączyły się one z niechęcią i złością. Zastanawialiśmy się nad ich źródłem. Czyż straciliśmy zaufanie do samych siebie? Niektórzy z nas mieli kiedyś dużo pewności siebie, ale to wcale nie rozwiązywało problemu strachu, ani też żadnego innego. Gdy ta pewność zmieniła się w zarozumialstwo, było jeszcze gorzej.

Sądzimy, że znaleźliśmy być może lepsze rozwiązanie. Mamy teraz inne oparcie: ufność i poleganie na Bogu. Zamiast polegać na sobie ufamy nieskończonemu Bogu. Jesteśmy na świecie po to, aby odegrać wyznaczoną przez Niego rolę. Jeśli w jakiejś mierze udaje się nam postępować tak jak On by tego chciał i z pokorą polegać na Nim, On pomoże nam ze spokojem stawić czoło nieszczęściom.

Nigdy i przed nikim nie usprawiedliwiamy się z naszej zależności od Stwórcy. Możemy śmiać się z tych, dla których wiara w wartości duchowe jest oznaką słabości. Wprost przeciwnie – to jest siła. Od wieków wiara oznacza odwagę. Wszyscy ludzie wiary mają w sobie odwagę. Ufają oni swojemu Bogu. Nie musimy tłumaczyć się z naszej wiary w Boga. Za to pozwalamy, by przez nas ukazał to, czego może dokonać. Prosimy Go, aby pozbawił nas strachu i pokierował nami tak jak tego chce. I od razu zaczynamy przezwyciężać strach.

Przejdźmy teraz do kwestii seksu. U wielu z nas problem ten wymagał gruntownej rewizji. Przede wszystkim jednak staraliśmy się zachować rozsądek. Tak łatwo bowiem w tej dziedzinie stracić umiar. Opinie są w tej mierze skrajne, bywają wręcz absurdalnie krańcowe.

Jedni mówią, że seks to pożądanie niższego rzędu, inni głoszą, że idzie tu o zwykłą, podstawową potrzebę prokreacji. Jeszcze inni, lamentując nad instytucją małżeństwa, wołają o coraz więcej seksu. Są i tacy, którzy twierdzą, że seks jest źródłem większości kłopotów gatunku ludzkiego, Według kolejnego stanowiska, seksu jest za mało, a do tego nie jest on odpowiedniej "jakości", biorąc pod uwagę jego ważną rolę w życiu człowieka. Jedna szkoła zaleca jałową w smaku dietę, druga chciałaby zaaplikować nam "potrawę" ostrą i pieprzną.

Proponujemy stanąć na uboczu owych kontrowersji. Nie mamy zamiaru odgrywać roli mediatorów. Wszyscy mamy potrzeby natury seksualnej i związane z tym problemy. Nie bylibyśmy ludźmi, gdybyśmy ich nie mieli. Zanalizowaliśmy nasze postępowanie w tej dziedzinie w przeszłości. Kiedy byliśmy egoistyczni, nieuczciwi, kiedy zlekceważyliśmy kogoś? Kogo przez to skrzywdziliśmy? Czy niesłusznie wywołaliśmy zazdrość, podejrzenia i przykrości? Kiedy i jakie popełniliśmy błędy? Czy wiemy jak powinniśmy byli wówczas postąpić?

Wszystko to spisaliśmy i uważnie przyjrzeliśmy się tekstowi. W ten oto sposób staraliśmy się wypracować zdrowy i rozsądny model naszego przyszłego intymnego życia. Poddaliśmy ocenie nasze intymne związki, pytając czy były one kiedyś przejawem naszego egoizmu. Prosiliśmy Boga, aby pomógł nam w ukształtowaniu naszego ideału w tej sferze.

Starajmy się pamiętać o tym, że nasz pociąg seksualny jest również darem Boskim, więc nie należy go traktować ani lekkomyślnie i egoistycznie ani też z pogardą i wstrętem. Wszelako, niezależnie od tego, jakie będą nasze w tej dziedzinie ideały, musimy mieć dobrą wolę, aby do nich dorosnąć. Musimy również być gotowi do zadośćuczynienia wyrządzonych krzywd, pod warunkiem wszakże, iż nie spowoduje to nowych krzywd. Słowem musimy traktować życie seksualne jak każdą inną sferę naszego życia.

W naszych medytacjach zwracamy się do Boga z każdą poszczególną sprawą. Jeśli będziemy tego szczerze pragnęli otrzymamy właściwą odpowiedź.

Jedynie Bóg może osądzić naszą sytuację w sferze życia seksualnego. Czasami przezornie jest poradzić się innych, ale pozwólmy, aby Bóg był w tej dziedzinie ostatecznym sędzią. Należy sobie zdawać sprawę, że tyle samo jest fanatycznych przeciwników seksu, co jego wyuzdanych wyznawców. Dlatego unikamy histerycznych reakcji, jak i stronniczych rad.

Załóżmy, że nie możemy sprostać wybranemu ideałowi i spotka nas niepowodzenie. Czyż z tego powodu mamy się upić? Niektórzy tak twierdzą. Ale to tylko półprawda. Reakcja zależy od nas i od naszej motywacji. Jeśli żałujemy tego, co zrobiliśmy i uczciwie pragniemy, aby Bóg zmienił nas na lepsze otrzymamy przebaczenie i zdolność wyciągnięcia wniosków na przyszłość. Jeśli zaś nie wykażemy żalu, jeśli nasze postępowanie będzie nadal sprowadzać krzywdę na innych ludzi, to wedle naszego głębokiego przekonania, znów sięgniemy po alkohol. To nie teoria. Wiemy o tym z wielu doświadczeń.

Reasumując: uczciwie módlmy się i prośmy o wskazanie nam idealnego modelu, o opiekę w każdej wątpliwej sytuacji, o trzeźwość umysłu oraz o siłę potrzebną do mądrego postępowania.

Jeśli seks przysparza nam problemów, rzućmy się w wir pomocy innym. To pozwoli nam oderwać się od nas samych. W ten sposób uspokoimy silny popęd, poddanie się któremu byłoby cierpieniem.

Jeśli przeprowadziliśmy nasz osobisty rozrachunek dokładnie, to sporządzona lista jest długa. Spisaliśmy i przeanalizowaliśmy nasze wady. Zaczęliśmy pojmować ich czczość, pustkę i zgubność, dostrzegać ich niszczycielskie działanie. Zaczęliśmy uczyć się tolerancji, cierpliwości, zrozumienia dla innych. Kierować się dobrą wolą w stosunku do wszystkich, nawet wobec nieprzyjaciół, gdyż patrzymy na nich, jak na ludzi chorych. Sporządziliśmy listę ludzi, których naszym postępowaniem skrzywdziliśmy. Zamierzamy te krzywdy w przyszłości naprawić.

W książce tej – raz po raz – czytelnik dowiaduje się, że wiara uczyniła dla nas, alkoholików to, czego sami dla siebie nie byliśmy w stanie uczynić. Mamy nadzieję, że przekonaliśmy cię, czytelniku, że Bóg może usunąć wszystko, co oddzielało ciebie od Niego.

Jeśli podjąłeś decyzję i rozliczyłeś się ze swych najpoważniejszych braków, zrobiłeś dobry początek. To tak, jakbyś przełknął i przetrawił sporą porcję prawdy o sobie samym.

Rozdział 6

DO CZYNU

Po sporządzeniu osobistego rozrachunku, zastanawiamy się nad następnym krokiem. Staramy się znaleźć nowe podejście, nowy związek z naszym Stwórcą i odkryć przeszkody piętrzące się na naszej drodze. Przyznaliśmy się do swoich uchybień, z grubsza określiliśmy na czym polega nasz problem, położywszy szczególny nacisk na nasze słabe strony. Teraz nadchodzi czas usuwania owych słabości i błędów. Wymaga to z naszej strony działania, którego rezultatem powinno się stać wyznanie przed Bogiem, sobą samym i naszymi bliźnimi prawdziwej istoty naszych wad. W ten sposób wchodzimy w etap PIĄTEGO KROKU programu zdrowienia, o którym pisaliśmy w poprzednim rozdziale tej książki.

Najtrudniejsze jest chyba dyskutowanie o naszych wadach z innymi ludźmi. Wydawałoby się bowiem, że zrobiliśmy dostatecznie dużo przyznając się do błędów przed sobą. Jest to jednak założenie wątpliwe. W rzeczywistości samoocena nie wystarcza dla skutecznej terapii. Jesteśmy przekonani, iż w tym procesie niezbędne jest pójście znacznie dalej. Będziemy bardziej skłonni do dyskutowania o nas samych z drugą osobą, gdy jasno dostrzeżemy powody, dla których jest to wskazane.

Wskażmy na początek zasadniczy powód. Jeśli opuścimy ten – tak ważny – PIĄTY KROK, może nam się nie udać zaprzestać picia. Wiele razy zdarzało się, że nowi członkowie AA starali się niektóre fakty ze swojego życia zachować tylko dla siebie. Starali się uniknąć, ich zdaniem, poniżającego doświadczenia i pójść łatwiejszą drogą, "na skróty". Prawie wszyscy z nich doznawali klęski, wracali do picia. Akceptując i realizując pozostałe elementy programu, nie mogli pojąć przyczyn swej porażki.

Wydaje się, że zasadniczym powodem ich niepowodzenia było to, że nigdy nie uporządkowali gruntownie swych spraw. Dokonali obrachunku pozostawiając najwstydliwsze sprawy w ciemnym zakątku. Jedynie PRZYPUSZCZALI, że pozbyli się egoizmu i strachu, jedynie WYDAWAŁO IM SIĘ, że się ukorzyli.

Dopóki jednak nie zdecydują się opowiedzieć o sobie WSZYSTKIEGO drugiemu człowiekowi nie nauczą się dostatecznej pokory, odwagi i uczciwości, koniecznej do ozdrowienia.

Alkoholik częściej niż większość ludzi prowadzi podwójne życie. Jest aktorem. Dla świata zewnętrznego prezentuje swój sceniczny charakter, ten, który i jemu podoba się bardziej. Chciałby się cieszyć określoną reputacją, ale w głębi serca wie, że na nią nie zasługuje. Ta niespójność i rozdwojenie pogłębiają się w wyniku jego zachowania podczas picia. Kiedy przychodzi opamiętanie odczuwa niesmak z powodu zajść, które ledwie pamięta. Jak zmora dręczą go wspomnienia tych zdarzeń. Drży z przerażenia na myśl, że ktoś znajomy mógłby go w tym czasie obserwować. W rezultacie ukrywa owe wspomnienia tak głęboko w swej jaźni, jak tylko jest to możliwe. Łudzi się przy tym, że nigdy nie wyjdą na jaw. Żyje w ciągłym napięciu i strachu, a to sprawia, że pije jeszcze więcej.

Specjaliści z zakresu psychologii podzielają nasze w tej dziedzinie obserwacje i doświadczenia. Wydajemy tysiące dolarów na leczenie, ale niesłychanie rzadko szczerze informujemy lekarzy o naszym stanie. Bardzo rzadko mówimy im o sobie całą prawdę i stosujemy się do ich rad. Nie stać nas na uczciwość nawet w stosunku do tych ludzi, którzy chcą nam pomóc. Nic więc dziwnego, że nie potrafimy być uczciwi wobec reszty naszego otoczenia. W konsekwencji lekarze mają niezbyt dobrą opinię o alkoholikach i szansach na ich pomyślne wyniki leczenia.

Jeśli chcemy żyć długo i szczęśliwie musimy być w pełni uczciwi przynajmniej wobec jednej osoby. Zrozumiałe, że długo zastanawiamy się nad wyborem tej osoby lub osób, z którymi wspólnie chcemy podjąć ten bardzo intymny i poufny Krok.

Ci spośród nas, którzy wyznają wiarę, gdzie wymagana jest spowiedź, będą chcieli znaleźć kapłana z autorytetem, by przed nim wyznać swe grzechy. Jeśli nawet jesteśmy ludźmi nie związanymi z żadnym Kościołem, dobrze zrobimy rozmawiając z osobą duchowną. Osoby tego typu zazwyczaj szybko dostrzegają nasz problem i potrafią go zrozumieć. Oczywiście, zdarza się że i wśród nich spotkamy kogoś, kto nie rozumie alkoholików. Jeśli wybór osoby duchownej na powiernika budzi nasze zastrzeżenia, najlepiej jest poszukać po prostu człowieka dyskretnego, wyrozumiałego i przyjaznego nam. Tą osobą może być nasz domowy lekarz czy psycholog. Możemy oczywiście zwrócić się o pomoc do naszych najbliższych – rodziców, żony lub męża. Wtedy zachodzi jednak obawa, że ujawnienie naszych tajemnic może przyczynić się do ich bólu i cierpień. Nie mamy prawa ratować naszej skóry kosztem bliźniego. Owe najtajniejsze zakątki naszej duszy odsłaniamy przed kimś, kto zrozumie, ale nie poczuje się dotknięty. Zasadą jest być surowym wobec siebie samego, ale zawsze delikatnym i rozważnym wobec innych.

Może się zdarzyć, że czując wielką potrzebę przedyskutowania z kimś naszych osobistych problemów, nie znajdujemy odpowiedniej osoby. Wówczas możemy – na razie – odłożyć wykonanie tego Kroku, ale tylko pod warunkiem, że jesteśmy całkowicie gotowi podjąć jego realizację przy pierwszej okazji. Radzimy tak uczynić, gdyż zdajemy sobie sprawę jak ważne jest znalezienie odpowiedniego słuchacza. Powinien to być człowiek dyskretny, wyrozumiały, aprobujący nasze zamiary i intencje. Ktoś, kto nie będzie się starał wpływać na nasz plan postępowania. Pamiętajmy jednak, że szukanie idealnego powiernika nie może być dla nas pretekstem, aby odkładać wykonanie tego Kroku w nieskończoność.

Jeśli już zdecydujemy kto ma zostać naszym powiernikiem nie traćmy czasu. Spisaliśmy nasz osobisty obrachunek i jesteśmy gotowi do długiej rozmowy. Starajmy się wyjaśnić naszemu rozmówcy, co nas do tego skłoniło. Powinien on zrozumieć, że zaangażowaliśmy się w grę na śmierć i życie. Większość ludzi, do których się w ten sposób zwrócimy z chęcią nam dopomoże. Będą się czuć zaszczyceni naszym zaufaniem. Zapomnijmy więc o naszej dumie i wydobądźmy na światło dzienne wszystkie wypaczenia i braki naszych charakterów, wszystkie ciemne strony naszej przeszłości.

Kiedy zaś, nie ukrywając niczego, zaczęliśmy już realizować ten Krok, od razu doznajemy uczucia ulgi. Możemy spojrzeć w oczy otaczającemu nas światu. Ze spokojem ducha możemy spojrzeć w nasze wnętrze. Zniknęły nasze obawy. Zaczynamy odczuwać obecność naszego Stwórcy. Być może kiedyś w coś wierzyliśmy – teraz zaczynamy przeżywać nasze doświadczenie duchowe. Coraz silniej czujemy, że problem alkoholizmu dla nas nie istnieje. Odnosimy wrażenie, że wkroczyliśmy na Szeroką Drogę i idziemy ręka w rękę z Duchem Wszechświata. Gdy przy najbliższej okazji, w spokoju i samotności możemy przemyśleć to, co w nas zaszło, z całego serca dziękujemy Bogu za to, że lepiej Go poznaliśmy.

Bierzemy do ręki tę książkę i szukamy strony, która zawiera Dwanaście Kroków AA.

Czytamy z uwagą pierwsze Pięć Kroków – zaleceń i pytamy samych siebie, czy czegoś nie opuściliśmy. Budujemy przecież łuk triumfalny, pod którym przejdziemy jako wolni ludzie.

Czy do tego momentu wykonaliśmy naszą pracę solidnie? Czy prawidłowo zostały ułożone kamienie podtrzymujące łuk? Czy są właściwie spojone? Czy na zaprawę użyliśmy właściwego materiału?

Jeśli na powyższe pytania możemy udzielić zadowalającej odpowiedzi, przechodzimy do wykonania SZÓSTEGO KROKU Naszej Drogi.

Podkreślaliśmy już, że niezbędna jest nasza gotowość do zmiany. Czy jesteśmy teraz gotowi, aby Bóg usunął z nas te cechy, które uznaliśmy za budzące zastrzeżenia? Jeśli dalej hołubimy którąś z naszych słabości błagajmy Boga, aby pomógł nam chociaż walczyć o usunięcie tej wady. Nasze myśli wyrażamy w takich mniej więcej słowach: "Boże, Stwórco mój, oddaję Ci w posiadanie to wszystko, co jest we mnie dobre i złe. Modlę się i błagam, abyś raczył usunąć ze mnie wszystkie braki mego charakteru, które przeszkadzają mi być użytecznym dla Ciebie i mych współbraci. Udziel mi siły, abym od tej chwili czynił Twoją wolę. Amen". W ten sposób postawiliśmy KROK SIÓDMY.

Potrzebne jest teraz dalsze działanie, gdyż "wiara bez uczynków jest martwa". Przyjrzyjmy się ÓSMEMU I DZIEWIĄTEMU KROKOWI. Mamy listę osób, które skrzywdziliśmy i którym gotowi jesteśmy zadośćuczynić. Sporządziliśmy ją przy dokonywaniu osobistego obrachunku. Poddaliśmy się drastycznej samoocenie. Teraz udajemy się do naszych współbraci i naprawiamy szkody wyrządzone w przeszłości. Musimy zatrzeć ślady, pozostałe w nas po czasach, kiedy próbowaliśmy układać swe życie polegając wyłącznie na sobie. Jeśli jeszcze brak nam dobrej woli do uczynienia tego módlmy się o nią tak długo, aż ją otrzymamy. Pamiętajmy, że już na początku naszej drogi zdecydowaliśmy się uczynić wszystko co możliwe, aby osiągnąć ostateczne zwycięstwo nad alkoholem. Zapewne zostało w nas jeszcze sporo wątpliwości.

Kiedy patrzymy na listę naszych znajomych i przyjaciół, których skrzywdziliśmy, możemy odczuwać pewien opór i onieśmielenie przed spotkaniem się z nimi na płaszczyźnie duchowej. Ale nie traćmy pewności siebie. Wobec niektórych ludzi nie musimy, ani też nie powinniśmy (przy pierwszym spotkaniu) podkreślać naszego duchowego przeobrażenia. Moglibyśmy ich tylko uprzedzić do siebie. Na razie staramy się uporządkować własne życie. Ale na tym nie koniec. Prawdziwym naszym celem jest przygotowanie się do jak najlepszego służenia Bogu i stanie się użytecznym dla ludzi.

Zbliżenie się do kogoś, kto nadal cierpi z naszego powodu i uświadomienie mu, że robimy to kierując się nową wiarą, rzadko bywa mądrym posunięciem. W gwarze bokserów nazywałoby się to opuszczeniem gardy. Dlaczego mamy narazić się na zarzut fanatyzmu i religijnego nudziarstwa? W ten sposób możemy zniweczyć szansę na późniejsze przekazanie innym naszego pozytywnego nastawienia. Na człowieku, do którego zwróciliśmy się, większe wrażenie zrobi szczera chęć naprawienia zła i nasza dobra wola, niż gadanie o duchowych odkryciach.

Oczywiście, nie możemy traktować tej konstatacji jako wymówki do wstydliwego unikania kwestii wiary i Boga.

Jeśli posłuży to dobremu celowi, bądźmy gotowi do głoszenia naszych przekonań z taktem i rozsądkiem.

Rodzi się pytanie, w jaki sposób nawiązać kontakt z człowiekiem, wobec którego żywiliśmy nienawiść? Być może on skrzywdził nas bardziej, niż my jego. I chociaż usiłujemy zmienić podejście do niego, nadal trudno nam przyznać się do winy. Musimy mieć się na baczności wobec osób, których nie lubimy. Trudniej podejść do wroga, niż do przyjaciela. Ale przełamanie tej niechęci przynosi więcej dobra. Zbliżamy się zatem do owego człowieka z wolą przebaczenia i chęcią pomocy. Przyznajemy się do żywionej uprzednio wrogości i wyrażamy z tego powodu swój żal.

Nigdy i pod żadnym pretekstem nie krytykujemy tej osoby, ani nie wdajemy się z nią w jakiekolwiek spory. Po prostu mówimy, że nigdy nie potrafilibyśmy zlikwidować problemu naszego alkoholizmu bez rozliczenia się z przeszłością. Chcemy oczyścić nasze podwórko ze świadomością, iż jest to podstawa, na której budujemy nowe wartości. Osobie, do której chcemy się zbliżyć, nie dajemy rad sugerujących, jak ma postępować. Zajmujemy się wyłącznie naszymi własnymi problemami. Jeśli nasze podejście będzie uprzejme i szczere, na pewno osiągniemy nasz cel.

W dziewięciu przypadkach na dziesięć zdarzają się rzeczy nieprzewidziane. Czasem człowiek, do którego wyciągamy rękę na zgodę, nagle sam przyznaje się do winy i wieloletnia niechęć znika w ciągu godziny. Rzadko nie udaje się osiągnąć pozytywnego rezultatu. Częściej nasi byli wrogowie chwalą nasze zamierzenia i życzą nam sukcesu. Czasami oferują pomoc. Oczywiście, nie powinno nas zrażać to, że ktoś nam zatrzaśnie drzwi przed nosem. My okazaliśmy dobrą wolę, spełniliśmy nasz obowiązek. Więcej nie mogliśmy zrobić.

Większość alkoholików ma długi. Nie powinniśmy ukrywać się przed wierzycielami. Powiedzmy im, jakie są nasze zamierzenia i nie ukrywajmy naszego problemu, którym jest alkoholizm (zazwyczaj i tak o tym wiedzą). Nie ukrywajmy też faktu, że to alkoholizm wpędził nas w finansowe tarapaty. Szczere podejście do nawet najbardziej bezwzględnego wierzyciela może dać czasem nieoczekiwane rezultaty.

Układając się z wierzycielami w sprawie najbardziej dogodnych spłat, przeprośmy ich za nieprzyjemną sytuację. Przyznajmy, że to alkohol stał się powodem powstania długów.

Za wszelką cenę musimy pozbyć się obawy przed naszymi wierzycielami. Jeśli tego nie uczynimy zapłacimy za to powrotem do alkoholu.

Być może popełniliśmy przestępstwo natury kryminalnej i, jeśli wyznamy całą prawdę, możemy znaleźć się w więzieniu.

Może nie mamy środków finansowych, aby spłacić długi. Wyznaliśmy to już komuś w zaufaniu, ale jesteśmy pewni, że gdyby owe fakty wyszły na jaw, czekałoby nas więzienie lub utrata pracy. Być może mamy na sumieniu tylko drobne wykroczenie, jak nieprawdziwe rozliczenia z diet i delegacji. Większość z nas popełniła coś takiego. Może rozwiedliśmy się i ponownie ożeniliśmy. Może nie płacimy przyznanych byłej żonie alimentów, ona zaś, oburzona naszym postępowaniem, uzyskała nakaz aresztowania. To także typowy rodzaj naszych kłopotów.

Istnieją niezliczone formy naprawiania tego rodzaju sytuacji. Tutaj wskażemy na parę głównych, przewodnich zasad. Pamiętając o tym, że zdecydowaliśmy się uczynić wszystko dla przeobrażenia duchowego, prośmy Boga, aby wskazał nam właściwy kierunek postępowania oraz dał siłę do dalszej drogi. Chcemy nią iść niezależnie od osobistych konsekwencji.

Może się to wiązać z utratą naszego stanowiska czy reputacji, możemy nawet ryzykować więzieniem, ale kierujemy się dobrą wolą. Musimy ją mieć. Nie możemy się cofnąć. Zazwyczaj jednak wchodzą również w grę interesy innych ludzi. Dlatego też nie możemy zachowywać się pochopnie, jak fałszywi męczennicy, którzy niepotrzebnie poświęcają innych, aby uratować siebie z alkoholowego bagna.

Przytoczmy przypadek człowieka, który powtórnie się ożenił i z powodu alkoholizmu oraz zadawnionych urazów nie płacił alimentów poprzedniej żonie. Ta wpadła w furię. Wniosła sprawę do sądu i uzyskała nakaz aresztowania byłego męża. On w międzyczasie przyjął nasz sposób życia, znalazł pracę i z wolna wydostawał się na powierzchnię. Byłoby godnym podziwu heroizmem, gdyby oddał się w ręce sprawiedliwości. Sądzimy, że gdyby zaszła taka konieczność, nasz przyjaciel winien był tak postąpić. Ale z drugiej strony, gdyby znalazł się w więzieniu, nie mógłby wtedy pomóc rodzinie. Poradziliśmy mu zatem, aby napisał do pierwszej żony, przyznał się do winy i poprosił o przebaczenie.

Napisał do niej, a jednocześnie wysłał niewielką kwotę pieniędzy. Poinformował ją o swoich zamiarach na przyszłość, włącznie z gotowością pójścia do więzienia, jeśli ona będzie na to nalegała. Oczywiście, nie zrobiła tego i cała sprawa dawno została pozytywnie załatwiona.

Zanim podejmiemy drastyczne kroki, które dotyczą innych ludzi, spróbujmy zasięgnąć ich opinii. Spróbujmy metody ugodowej. Jeśli się to nie uda, pozostaje nam prosić Boga o pomoc i podejmować takie kroki, nawet drastyczne, jakie są konieczne. W tym miejscu nasuwa się na myśl historia jednego z naszych przyjaciół. W trakcie picia przyjął bez pokwitowania pewną sumę pieniędzy od znienawidzonego konkurenta handlowego. Potem zaprzeczył temu i posługiwał się tym kłamstwem, aby zdyskredytować pożyczkodawcę. Wykorzystał powstałą sytuację, jako środek zniszczenia reputacji owego człowieka. W istocie doprowadził go do ruiny.

Czuł jednak, że popełnił zło nie do naprawienia. Obawiał się, że gdyby wszczął teraz na nowo tę sprawę, mógłby zepsuć reputację swojego obecnego wspólnika w interesach, ściągnąć hańbę na rodzinę i zniszczyć podstawy swojej egzystencji. Czy miał prawo narażać swoich bliskich, którzy byli na jego utrzymaniu? W jaki sposób mógł złożyć publiczne zeznanie oczyszczające swojego rywala? Po naradzie z żoną i wspólnikiem doszedł do wniosku, że lepiej podjąć to ryzyko, niż stanąć wobec Stwórcy z poczuciem winy za oszczerstwo. Uznał, iż ostateczny wynik należy zostawić Bogu, gdyż w przeciwnym razie znów zacznie pić i wszystko i tak będzie stracone. Po raz pierwszy od wielu lat poszedł do kościoła. Po kazaniu spokojnie wstał i złożył publiczne wyjaśnienie. Spotkało się ono z szeroką aprobatą. Nasz przyjaciel jest dzisiaj jednym z najbardziej szanowanych obywateli miasta. Wszystko to wydarzyło się wiele lat temu.

Być może mamy kłopoty domowe. Może na przykład wplątaliśmy się w afery pozamałżeńskie i nie chcemy, aby ktoś się o nich dowiedział. Wątpimy, aby w sprawach tego typu alkoholicy byli gorsi, niż inni ludzie. Picie komplikuje stosunki rodzinne. Po latach życia z alkoholikiem żona staje się znużona, pełna niechęci i zamknięta w sobie. Jakże mogłaby być inna? Mąż czuje się osamotniony i zaczyna użalać się nad sobą. Zaczyna szukać w nocnych klubach i innych podobnych miejscach czegoś więcej niż alkoholu. Być może nawiąże potajemny i podniecający romans z "dziewczyną, która go rozumie".

Być może tak w istocie jest. Ale co potem począć z tą znajomością? Mężczyzna tak uwikłany odczuwa często wyrzuty sumienia, zwłaszcza jeśli jego żona jest dzielną, wierną, kobietą, która przeżyła z nim dosłownie piekło.

Za wszelką cenę musimy jakoś wybrnąć z tej sytuacji. Czy mamy powiedzieć żonie o naszej przygodzie, gdy jesteśmy pewni, że o niczym się dotąd nie dowiedziała? Sądzimy, że nie zawsze. A jeśli żona ma tylko pewne podstawy do podejrzeń, że zachowaliśmy się nielojalnie czy powinniśmy wyjawić jej szczegóły? Bez wątpienia powinniśmy przyznać się do winy. Ale ona może nalegać na ujawnienie wszystkich szczegółów. Może zechce wiedzieć, kim jest ta druga kobieta i gdzie ją można znaleźć?

Uważamy, iż naszym obowiązkiem jest oświadczenie żonie, że nie mamy prawa wciągać innych osób do tej sprawy. Żałujemy tego, co uczyniliśmy i Bóg świadkiem, że to się już nigdy więcej nie powtórzy. Nie możemy zrobić nic ponadto. W tak delikatnych sprawach nie może być sztywnych reguł. Zdarzają się bowiem sytuacje wyjątkowe. Niemniej uważamy sugerowany przez nas sposób postępowania za najlepszy. Nasz program nowego życia jest wzorem nie tylko dla jednej strony, jest dobry zarówno dla męża jak i dla żony. Jeśli mąż potrafi zapomnieć, może uczynić to i żona. Lepiej jest jednak nie ujawniać bez potrzeby nazwiska osoby, na której żona mogłaby wyładować swą zazdrość.

Być może w niektórych przypadkach słuszniejszą drogą jest pełna szczerość. Trudno z zewnątrz oceniać tak intymne sytuacje. Być może oboje zdecydują, że zdrowy rozsądek i wzajemna miłość każą wszystko puścić w niepamięć. Każde z nich może się o to modlić, mając na uwadze przede wszystkim dobro drugiej osoby.

Musimy jednak pamiętać, że w takich przypadkach mamy zawsze do czynienia z najokropniejszym ludzkim uczuciem – zazdrością. Posłużmy się wypróbowaną strategią walki. Dobry dowódca może zdecydować, że zamiast stawić czoło problemowi, lepiej będzie zaatakować go z flanki.

Jeśli nawet nie mamy tego typu kłopotów, to i tak jest dostatecznie dużo do naprawienia we własnym domu. Czasami słyszymy, jak alkoholik mówi, iż jedyną rzeczą, jaką musi zrobić, jest zachowanie trzeźwości. Oczywiście, musi być trzeźwy, bo w przeciwnym przypadku nie będzie miał domu. Jakże jednak jest jeszcze daleki od zadośćuczynienia żonie czy rodzicom, których przez całe lata tak okropnie traktował. Cierpliwość, jaką żony i matki wykazywały wobec alkoholików, przekracza wszelkie wyobrażenie. Gdyby nie one, wielu z nas nie miałoby dziś domu, albo nie byłoby nas na tym świecie.

Alkoholika można przyrównać do huraganu, niszczącego życie innych ludzi. Łamie serca, burzy stosunki rodzinne, rujnuje uczucia. Jego bezwzględne, samolubne nawyki niszczą ognisko domowe. Dlatego sądzimy, że człowiek, który uważa iż tylko wystarczy nie pić nie przemyślał wszystkiego. Zachowuje się jak farmer, który po zniszczeniu domu przez tornado, mówi do swojej żony: "Nie wiem czego, babo, lamencisz! Przecie duć przestało!"

Niewątpliwie, każdy z nas, alkoholików, musi przejść proces odnowy wewnętrznej. Musimy wykazać się inicjatywą. Powtarzanie w kółko, że jest nam przykro i że żałujemy własnych czynów nie zdoła naprawić strat. Musimy razem z najbliższymi szczerze przeanalizować przeszłość z obecnego punktu widzenia, starając się nie krytykować nikogo. Ich przewiny są być może równie jaskrawe, lecz zapewne my ponosimy również częściową za to odpowiedzialność. Oczyśćmy się więc z przewin, wraz z najbliższymi, prosząc Stwórcę w czasie porannych medytacji, aby zechciał wskazać nam drogę oraz umocnił nas w tolerancji, cierpliwości, uprzejmości i miłości.

Życie duchowe to nie teoria. MUSIMY NIM ŻYĆ. Jeśli jednak nasza rodzina nie wyraża zainteresowania naszymi duchowymi zasadami, nie powinniśmy ich do tego nakłaniać, ani tym bardziej o tym mówić. Z czasem zmienią swoje poglądy. Nasze postępki będą dla nich bardziej przekonujące niż słowa. Musimy pamiętać, że przez dziesięć czy dwadzieścia lat naszego pijaństwa każdy miał prawo stać się sceptyczny wobec nas.

Są krzywdy, których nie jesteśmy w stanie w pełni naprawić. Nie zamartwiajmy się z tego powodu. Najistotniejsza jest nasza gotowość do ich naprawiania, gdy tylko będzie to możliwe. Ludziom, z którymi nie możemy się osobiście spotkać, wyślijmy szczery list. Może w niektórych przypadkach lepiej będzie poczekać. Należy jednak unikać zbytniej zwłoki. Powinniśmy zachowywać się rozsądnie, taktownie, rozważnie, z pełną pokorą, ale bez uniżoności czy płaszczenia się. Jesteśmy dziećmi Bożymi i czerpiemy z tego naszą dumę. Nie będziemy pełzać przed nikim.

Jeśli ten etap naszego rozwoju przychodzi nam z wielkim trudem, to już w połowie drogi zadziwią nas osiągnięte rezultaty. Poznamy nową wolność i nowe szczęście. Nie będziemy żałować przeszłości, ani zatrzaskiwać za nią drzwi. Pojmiemy sens słów "pogoda ducha" i zaznamy spokoju. Bez względu na to, jak nisko upadliśmy, dostrzeżemy że i z naszego doświadczenia mogą skorzystać inni. Zniknie uczucie bezużyteczności i pokusa rozczulania się nad sobą. Bardziej niż sobą zainteresujemy się bliźnimi. Zniknie egoizm. Zmieni się cały nasz stosunek do życia. Opuści nas strach przed ludźmi i niepewnością materialną. Znajdziemy intuicyjnie sposób postępowania w sytuacjach, których dotąd nie umieliśmy rozwiązać. Nagle zaczniemy pojmować, że Bóg czyni dla nas to, czego sami dla siebie nie byliśmy w stanie uczynić.

Czy są to obietnice bez pokrycia? Sądzimy, że nie. Urzeczywistniają się czasem szybko, czasem wolniej, ale zawsze materializują się, jeśli nad nimi pracujemy.

Dochodzimy do KROKU DZIESIĄTEGO, który zaleca kontynuowanie osobistego obrachunku i naprawianie wszelkich błędów popełnianych na naszej nowej drodze. Z chwilą, kiedy zbilansowaliśmy naszą przeszłość rozpoczynamy energicznie nowy sposób życia. Wkroczyliśmy w sferę życia duchowego. Naszym następnym zadaniem w tym nowym życiu jest pogłębienie go i wzbogacanie. Nie da się tego osiągnąć w ciągu jednego dnia. To długoplanowe działanie. Strzeżmy się egoizmu, nieuczciwości, urazów, złości oraz strachu. Jeśli owe uczucia pojawią się w nas, prośmy Boga, aby je usunął. Natychmiast też przeanalizujmy te stany z osobą zaufaną i szybko starajmy się naprawić ewentualną krzywdę. Skierujmy następnie nasze myśli na kogoś, kto może potrzebować naszej pomocy. Kierujmy się zasadą miłości i tolerancji.

Przestańmy walczyć z kimkolwiek i czymkolwiek, nawet z alkoholem, jako że odzyskaliśmy już rozsądek i poczucie umiaru. Alkohol przestał nas pociągać. Jeśli zaś ogarnia nas chwilowa pokusa unikamy jej jak ognia. Reagujemy na nią rozsądnie i normalnie. Stwierdzamy, że dzieje się to wręcz automatycznie. Przekonujemy się, że mamy nowy stosunek do alkoholu, który uzyskaliśmy bez świadomego udziału z naszej strony. Został on nam po prostu dany. I jest to właśnie cud! Już nie musimy walczyć z piciem, ani też bronić się przed pokusami.

Czujemy, jakby umieszczono nas na jakimś neutralnym terytorium. Jesteśmy bezpieczni, czujemy się chronieni. Nawet nie ślubowaliśmy wstrzemięźliwości, a nasz problem został rozwiązany. Nie jesteśmy z tego powodu zarozumiali, ale też nie czujemy się zastraszeni. To jest właśnie, przeżywane przez nas doświadczenie duchowe. Będziemy je przeżywać tak długo dopóki zachowamy odpowiedni stan ducha.

Jakże jednak łatwo zaniechać duchowego programu nowego życia! Jak łatwo jest spocząć na laurach! Jeśli tak postąpimy wpadniemy w nowe kłopoty. Alkohol to wyrafinowany wróg. A my nie jesteśmy wyleczeni z alkoholizmu. To, co naprawdę zdobyliśmy, jest codzienną walką o utrzymanie osiągniętego stanu. Każdy dzień zaczynamy z wizją woli Boskiej przed oczami, wszystkie nasze uczynki są jej przejawem. "Objaw, Panie, jak mogę Ci służyć najlepiej. Wola Twoja (nie moja) niech się dzieje". Ta myśl musi nam towarzyszyć stale. Z całych sił ćwiczymy naszą wolę, kierując ją na urzeczywistnienie owej idei. Oto właściwy sposób użycia naszej woli.

Wielokrotnie mówiliśmy już o tym, że potrzeba nam siły, natchnienia i wskazówek od Tego, który jest Wszechwiedzący i Wszechmocny. Jeśli dokładnie przestrzegamy Jego wskazań zaczynamy odczuwać skutki działania Jego Ducha wewnątrz nas. Mamy świadomość działania, które w nas postępuje. Zaczynamy rozwijać ten ważny, szósty zmysł. Musimy jednak zawsze iść do przodu, to zaś oznacza konieczność nowego działania.

KROK JEDENASTY zaleca modlitwę i medytację. W tej sferze nie powinniśmy odczuwać ani wstydu ani skrępowania. Przecież modlitwę i medytację praktykują stale ludzie lepsi od nas. I na nas będzie to miało nadzwyczajny wpływ, gdy właściwie do tej kwestii podejdziemy. Nie jest łatwo precyzyjnie mówić o tym. Sądzimy jednak, że możemy pokusić się o sformułowanie kilku cennych rad.

Kiedy wieczorem przygotowujemy się do nocnego spoczynku zwykle przypominamy sobie wydarzenia mijającego dnia. Czy byliśmy nieprzyjaźni, egoistyczni, nieuczciwi, czy targały nami obawy? Czy jesteśmy komuś winni przeprosiny? Czy zatailiśmy w sobie coś, co powinno być natychmiast przedmiotem dyskusji z zaufaną osobą? Czy to, co zrobiliśmy mogło zostać wykonane lepiej? Czy myśleliśmy wyłącznie o sobie przez większość dnia? Czy znaleźliśmy czas, aby zastanowić się, co moglibyśmy uczynić dla innych? Czy wnieśliśmy coś od siebie dla ogólnego dobra?

Odpowiadając na te pytania nie wpadajmy w niepokój i nie zamartwiajmy się, bo wtedy stajemy się jeszcze mniej użyteczni dla innych. Po przeanalizowaniu wszystkich wydarzeń mijającego dnia prośmy Boga, aby udzielił nam swego przebaczenia oraz, aby wskazał nam drogę poprawy.

Gdy się budzimy pomyślmy o 24 godzinach, które są przed nami. Sporządźmy plan na ten nowy dzień. Najpierw prośmy Boga, aby pokierował naszym myśleniem. Szczególnie zaś, aby uwolnił nas od rozczulania się nad sobą, nieuczciwości i egoizmu. Wówczas będziemy mogli uruchomić nasze rzeczywiste możliwości. Nie bez powodów Bóg obdarował nas rozumem. Nasze życie wewnętrzne znajdzie się na wyższej płaszczyźnie, jeśli nasze myśli zostaną oczyszczone ze złych pobudek.

Myśląc o nadchodzącym dniu możemy być niezdecydowani. Być może nie wiemy, jak postąpić. Prośmy więc Boga o natchnienie, intuicję lub decyzję. Starajmy się odprężyć i nie przejmować się. Nie walczmy. Często będziemy zdziwieni, gdy właściwa odpowiedź nasunie się sama. To, co dotąd było przeczuciem albo chwilowym wrażeniem, stopniowo staje się częścią nowego myślenia.

Ponieważ brak nam niezbędnego doświadczenia i dopiero co nawiązaliśmy świadomy kontakt z Bogiem, nie będziemy – prawdopodobnie – działać cały czas pod wpływem natchnienia. Gdybyśmy ulegli takiemu złudzeniu, zapłacilibyśmy za to podjęciem różnych bezsensownych działań i pomysłów. Niemniej, w miarę upływu czasu, przekonamy się że nasze myślenie odbywa się coraz bardziej pod wpływem natchnienia. Nauczmy się polegać na nim.

Naszą medytację kończymy modlitwą o wskazanie właściwego sposobu rozwiązania wszystkich problemów, które przyniesie nadchodzący dzień. Szczególnie gorąco prosimy o uwolnienie z więzi egoizmu i unikamy próśb, których spełnienie przyniosłoby korzyść tylko nam. Możemy modlić się o nasze sprawy, jeśli będzie to równocześnie pomocne innym. Nie możemy nigdy modlić się o realizację naszych egoistycznych celów. Wielu z nas bezskutecznie tego próbowało. Nie jest trudno dostrzec, dlaczego bez rezultatu.

Gdy warunki temu sprzyjają, zwróćmy się do bliskich lub przyjaciół, aby uczestniczyli w porannej medytacji. Jeśli należymy do wyznania religijnego, które nakazuje poranną modlitwę przestrzegajmy owego nakazu. Jeśli nic nas w tej mierze nie wiąże, wówczas sami wybierzmy i zapamiętajmy zestaw modlitw, których treść podkreśla ducha naszego programu. Jest sporo książek, które mogą nam w tym pomóc. Można również poradzić się duchownych różnych wyznań. Starajmy się szybko docenić pozytywne wartości osób religijnych. Korzystajmy z tego co proponują.

Jeśli w ciągu dnia poczujemy zdenerwowanie lub ogarną na wątpliwości, przerwijmy na chwilę nasze zajęcia. Prośmy o właściwą myśl lub kierunek działania. Każdego dnia wielokrotnie powtarzając z pokorą: "Bądź wola Twoja", uświadamiamy sobie nieustannie, że to nie my jesteśmy reżyserami przedstawienia. W ten sposób zmniejszamy groźbę rozdrażnienia, strachu, złości, zamartwiania się, rozczulania się nad sobą bądź podejmowania pochopnych decyzji. Stajemy się bardziej efektywni. Nie męczymy się tak szybko jak niegdyś, gdy trwoniliśmy bezmyślnie energię, próbując aranżować życie według naszych zachcianek.

Ten program działa – naprawdę działa.

My, alkoholicy, jesteśmy z natury niezdyscyplinowani. Pozwólmy zatem Bogu, aby w sposób, który tu właśnie przedstawiamy utrzymał nas w karności. Ale to nie wszystko. Jest jeszcze wiele do zrobienia, bowiem "wiara bez uczynków jest martwa". Następny rozdział jest całkowicie poświęcony KROKOWI DWUNASTEMU.

Rozdział 7

PRACA Z INNYMI

PRAKTYKA dowodzi, że nic lepiej nie umacnia niezależności od alkoholu, jak intensywna praca z innymi alkoholikami. Ten sposób jest zawsze skuteczny. Nawet wtedy, kiedy inne zawodzą. JEST TO DWUNASTY KROK NASZEGO PROGRAMU. Przekazuj nasze posłanie innym alkoholikom! Możesz im pomóc, gdy nikt inny już nie potrafi. Możesz sobie zapewnić ich zaufanie, podczas gdy innym to się nie udaje. Pamiętaj, że są oni bardzo chorzy.

Praca z innymi wniesie do życia każdego z nas nowe wartości. Zobaczyć, jak ludzie odzyskują zdrowie, jak pomagają innym, jak znika samotność i rozwija się wspólnota, mieć wokół siebie mnóstwo przyjaciół – to przeżycia, których nie wolno stracić. Wiemy, że będziesz chciał to przeżyć. Częste wzajemne kontakty między nami oraz spotkania z nowymi przybyszami do wspólnoty są jasną stroną naszego życia.

Być może nie znasz osobiście żadnego alkoholika, który chciałby zdrowieć. Ale możesz ich łatwo odnaleźć pytając lekarzy, pastorów czy księży. Oni chętnie pomogą ci w poszukiwaniach.

Nie rozpoczynaj pracy wcielając się w rolę apostoła czy reformatora. Ludzie łatwo uprzedzają się. Jeśli ich sprowokujesz – będą ci przeszkadzać. Można wiele nauczyć się od kompetentnych lekarzy i duchownych, ale często pomóc innym alkoholikom możesz jedynie ty, a to z racji twoich osobistych doświadczeń.

Nigdy nie krytykuj. Staraj się współdziałać. Wyłącznym naszym celem jest pomaganie innym. Jeśli znajdziesz kandydata do Wspólnoty Anonimowych Alkoholików – postaraj się dowiedzieć o nim jak najwięcej. Jeśli ów człowiek NIE CHCE przestać pić, nie marnuj czasu na perswazję. Być może, mimo woli, zniszczyłbyś szansę na skuteczniejszą pomoc tej osobie w przyszłości. Rada ta odnosi się również do rodziny alkoholika. Musi ona w imię świadomości, że ma do czynienia z człowiekiem naprawdę chorym zdobyć się na cierpliwość.

Jeśli wszystko wskazuje na to, że ktoś chce przestać pić porozmawiaj z osobą najbardziej z nim związaną. Zwykle będzie to jego żona. Dowiedz się o jego zachowaniu, problemach, o stadium zaawansowania choroby alkoholowej i o jego przekonaniach religijnych. Te informacje potrzebne są, aby móc postawić się w jego sytuacji, aby umieć wyobrazić sobie cudzą pomoc, gdyby role się odwróciły.

Czasami warto zaczekać, aż zacznie on kolejną popijawę. Rodzina może mieć na ten temat odmienne zdanie. Warto jednak zaryzykować czekanie na "ciąg". Chyba, że oznaczałoby to zagrożenie zdrowia. Nie ma sensu zajmować się nim, gdy jest bardzo pijany. Chyba, że zachowuje się tak okropnie, iż jego rodzina potrzebuje twojej pomocy. Poczekaj na koniec popijawy, lub przynajmniej na chwilowe oprzytomnienie. Wtedy ktoś z rodziny lub przyjaciół powinien spytać go, czy chce na zawsze skończyć z piciem i czy jest gotów zrobić wszystko, aby tak się stało.

Jeśli jego odpowiedź będzie twierdząca jesteś osobą, na którą powinien zwrócić uwagę, jako na przykład ozdrowienia z alkoholizmu. Warto mu również napomknąć, iż częścią twojej kuracji jest pomoc innym alkoholikom oraz że chętnie porozmawiałbyś z nim.

Jeśli chory nie życzy sobie tej rozmowy nie należy wywierać na niego nacisku. Również jego rodzina nie powinna histerycznie błagać o zgodę, bądź opowiadać zbyt wiele o tobie.

Trzeba poczekać na zakończenie jego następnego pijackiego ciągu. Podłóż mu tę książkę w taki sposób, aby znalazł ją, gdy przestanie pić. W tej sytuacji nie ma żadnych reguł. Zostawmy prawo do decyzji rodzinie. Ty jedynie nakłoń ich, aby NIE NALEGALI ZBYT NATARCZYWIE, ponieważ taka postawa mogłaby popsuć cały plan.

W zasadzie rodzina pijącego alkoholika nie powinna opowiadać mu twojej historii. Jeśli to możliwe, spotkaj się z tym człowiekiem bez pośrednictwa jego rodziny. Lepsze rezultaty daje dotarcie do niego przez jego lekarza albo zakład leczniczy. Jeśli wymaga on hospitalizacji należy umieścić go w szpitalu, jednak nie na siłę. Chyba, że zachowuje się agresywnie. Lekarz, jeśli wyrazi zgodę, mógłby pacjentowi zasugerować, że istnieje coś w rodzaju rozwiązania. Kiedy stan zdrowia chorego poprawi się, lekarz może zaproponować mu spotkanie z tobą.

Mimo że kontaktowałeś się z jego rodziną, lepiej jest, żeby nie uczestniczyła ona w pierwszym spotkaniu. Bez dodatkowych uczestników nie będzie on odczuwał presji i będzie mógł rozmawiać z tobą bez gderania rodziny. Skontaktuj się z nim, gdy jeszcze nie wyszedł ze stanu lękowego. W stanie depresji może być bardziej podatny na sugestie. Jeśli to możliwe, spotkaj się z nim sam na sam. Najpierw porozmawiaj na tematy ogólne. Po chwili skieruj rozmowę na jakiś etap picia. Powiedz mu tyle o swoich pijackich przyzwyczajeniach, objawach i doświadczeniach, aby zachęcić go do mówienia o sobie.

Pozwól mu mówić, jeśli będzie chciał. W ten sposób będziesz wiedział lepiej, jak z nim postępować. Jeżeli jest niekomunikatywny, przedstaw mu twój "piciorys" do chwili porzucenia alkoholu. Na razie nie mów jednak nic o tym, jak to nastąpiło. Jeśli jest w poważnym nastroju, opowiedz o swoich kłopotach spowodowanych przez alkohol, lecz wystrzegaj się moralizowania i prawienia kazań. Jeśli jest w żartobliwym nastroju, opowiedz mu o zabawnych stronach twoich wypadów. Sprowokuj go, aby opowiedział o swoich.

Kiedy przekona się, że wiesz wszystko o pijackiej grze, przedstaw siebie jako alkoholika. Opowiedz mu jaki byłeś załamany, zanim w końcu dowiedziałeś się, że jesteś chory. Przedstaw mu jak walczyłeś, żeby przestać pić. Opisz mu to psychiczne wypaczenie, które prowadzi do pierwszego kieliszka rozpoczynającego ciąg. Mógłbyś to zrobić tak, jak to przedstawiliśmy w rozdziale o alkoholizmie. Jeśli jest alkoholikiem, od razu zrozumie. Porówna twoją chwiejność umysłu do swoiej.

Jeżeli jesteś przekonany, że masz do czynienia z prawdziwym alkoholikiem, opowiedz o beznadziejności tej choroby. Przedstaw mu z własnego doświadczenia, jak dziwaczny stan umysłu poprzedzający pierwszy kieliszek powstrzymuje normalne działanie woli. Na tym etapie nie wspominaj o niniejszej książce, chyba że ją już widział i chce o niej porozmawiać. Wystrzegaj się nazywania go alkoholikiem. Niech sam wyciągnie odpowiednie wnioski. Jeżeli upiera się, że wciąż potrafi kontrolować picie, zgódź się, że to jest możliwe, o ile nie jest już zbyt uzależniony. Ale podkreśl również, że jeśli jego alkoholizm jest zaawansowany szanse na samodzielne ozdrowienie są znikome. Mów zawsze o alkoholizmie jako o chorobie. Straszliwej chorobie. Mów o stanach ciała i ducha, jakie jej towarzyszą. Niech jego uwaga koncentruje się głównie na twoich osobistych przeżyciach. Wytłumacz mu, że ci którzy nie zdają sobie sprawy ze skutków swojej choroby są straceni.

Lekarze mają rację unikając wyjawiania swym pacjentom alkoholikom całej prawdy, chyba że może ona posłużyć dobremu celowi. Ty jednak możesz mówić mu o beznadziejności alkoholizmu, ponieważ jednocześnie proponujesz rozwiązanie. Wkrótce twój nowy przyjaciel przyzna, że rozpoznaje w sobie wiele cech alkoholika, jeśli nie wszystkie. Gdy na dodatek lekarz potwierdzi jego alkoholizm, tym lepiej. Nawet jeśli twój podopieczny nie do końca przyzna się do swego stanu, to zapewne zaciekawi go, jak ty ozdrowiałeś. Pozwól mu, aby o to zapytał. DOKŁADNIE OPOWIEDZ MU, JAK TO SIĘ STAŁO. Bez skrępowania podkreśl duchową stronę tego procesu. Jeśli twój rozmówca jest agnostykiem lub ateistą, koniecznie połóż nacisk na to, że NIE MUSI SIĘ ZGADZAĆ Z TWOJĄ KONCEPCJĄ BOGA.

Może wybrać swoją własną, jakakolwiek wyda mu się sensowna. NAJWAŻNIEJSZĄ SPRAWĄ JEST, aby był gotów uwierzyć w Siłę Większą od samego siebie i żył zgodnie z duchowymi zasadami.

Rozmawiając z takim człowiekiem posługuj się przy opisywaniu zasad duchowych językiem codziennym. Nie ma sensu rozbudzać w nim uprzedzeń, jakie mógłby żywić wobec pewnych terminów i pojęć teologicznych. Taki język mógłby go również onieśmielać. Nie podnoś kwestii wiary bez względu na to, jakie są twoje przekonania.

Twój podopieczny należy być może do jakiegoś wyznania religijnego, a jego doświadczenie i religijne wykształcenie może być o wiele lepsze od twojego. W takim przypadku problematyczne jest, czy zdołałbyś poszerzyć jego religijny horyzont. Będzie jednak zaciekawiony, dlaczego jego własne przekonania nie były skuteczne, a twoje działają tak dobrze. Może on być dowodem na to, że sama wiara nie wystarczy. Aby wiara była żywa, musi jej towarzyszyć poświęcenie i konstruktywne, altruistyczne działanie. Przekonaj go, że nie jesteś tu po to, aby go pouczać w sprawach religijnych. Przyznaj, że jego wiedza na ten temat jest prawdopodobnie głębsza, ale równocześnie zwróć uwagę, że jakkolwiek głęboka była jego wiara i wiedza, nie potrafił jej zastosować. Gdyby było inaczej, nie piłby. Być może twoja opowieść pozwoli mu zrozumieć, dlaczego nie udało mu się wykorzystać w praktyce zasad, które tak dobrze zna.

Nie reprezentujemy tutaj żadnej konkretnej wiary czy wyznania. Zajmujemy się jedynie ogólnymi zasadami, wspólnymi dla większości wyznań.

Naszkicuj przed nim program działania wyjaśniając, jak dokonałeś samooceny, jak uporządkowałeś swoją przeszłość i dlaczego teraz starasz się mu pomóc. Ważne jest uświadomienie mu, że wzajemna pomoc odgrywa istotną rolę w twoim własnym programie zdrowienia. W rzeczywistości on może ci pomóc bardziej, niż ty jemu. Postaw sprawę jasno, że on nie ma wobec ciebie żadnych zobowiązań, poza pomocą innym alkoholikom, gdy upora się ze swoimi własnymi problemami. Podkreśl jak ważne jest, aby stawiać DOBRO INNYCH LUDZI NA PIERWSZYM MIEJSCU. Wyjaśnij, że nie wywierasz na niego presji. Że nie musi się z tobą ponownie spotykać, jeżeli nie chce. Nawet, gdy nie chce z tobą dłużej rozmawiać, nie czuj się urażony, ponieważ on pomógł ci bardziej, niż ty jemu, jeżeli to, co mu powiedziałeś, było rozsądne, spokojne i pełne wyrozumienia – prawdopodobnie zyskałeś przyjaciela. Być może zasiałeś w nim ziarno niepokoju. Tym lepiej. Im bardziej bezsilny się czuje, tym bardziej będzie skłonny pójść za twoją radą.

Twój rozmówca może podać powody, dla których nie chce realizować wszystkich punktów programu. Może buntować się na myśl o radykalnym porządkowaniu przeszłości, które wymaga dyskusji z innymi ludźmi. Nie polemizuj z takim poglądem. Potwierdź, że kiedyś miałeś podobne odczucia, wątpisz jednak, czy zrobiłbyś jakiekolwiek postępy, gdybyś nie podjął zalecanego działania.

Przy pierwszej wizycie opowiedz mu o Wspólnocie Anonimowych Alkoholików. Jeśli wykaże zainteresowanie, pożycz mu swój egzemplarz tej książki.

Nie nalegaj, jeśli nie chce mówić o sobie. Daj mu czas do namysłu. Pozwól mu skierować rozmowę na tematy, które sam wybierze. Bywa, że osobie takiej zależy na podjęciu działania natychmiast i możesz ulec pokusie, by na to się zgodzić. Niekiedy okazuje się to błędem. Pierwsze napotkane kłopoty zrzucone zostaną na karb twojego rzekomego ponaglania.

Największe sukcesy w pracy z alkoholikami osiągamy wówczas, gdy nie ulegamy zbytniej niecierpliwości. Nigdy nie rozmawiaj z alkoholikiem z wyżyn moralizatorstwa. Przedstaw mu po prostu komplet "narzędzi" służących do rozwoju duchowego. Objaśnij mu, jak ty je w swojej pracy nad sobą stosowałeś. Zaproponuj mu swą przyjaźń i koleżeństwo. Powiedz, że jeśli chce zdrowieć zrobisz wszystko, aby mu pomóc.

Być może proponowane przez ciebie rozwiązanie nie interesuje go. Może spodziewa się, że będziesz dla niego bankiem w razie trudności finansowych albo pielęgniarką po jego popijawach. Jeśli tak, zostaw go samemu sobie, aż nie zmieni zdania, co niewątpliwie nastąpi, gdy osiągnie swe alkoholowe dno. Gdy wreszcie jest szczerze zainteresowany tym, co masz mu do zaoferowania i pragnie ponownego spotkania z tobą, daj mu do przeczytania tę książkę. Po zaznajomieniu się z jej treścią będzie mógł sam zdecydować, czy chce zaakceptować przedstawiony w niej program. W międzyczasie nie powinien być poddawany jakiejkolwiek presji ani przez ciebie, ani przez żonę, ani wreszcie przez przyjaciół. Jeśli dane mu jest odnaleźć Boga, to pragnienie to musi obudzić się w nim samym. Skoro jednak uważa, że może osiągnąć ten sam cel na innej drodze, albo zamierza wybrać inny sposób duchowego podejścia do swego problemu zachęć go, aby postąpił zgodnie z własnym sumieniem.

Nie mamy monopolu na odkrywanie Boga. Znamy jedynie drogę, która przyniosła sukces w naszym przypadku. Podkreśl przy okazji, że my, alkoholicy, mamy wiele wspólnego, i że w imię tego chciałbyś pozostać życzliwy i przyjazny. Na tym poprzestań.

Nie zniechęcaj się, jeśli twój podopieczny nie od razu zareaguje pozytywnie. Postaraj się znaleźć innego alkoholika, który bardziej potrzebuje pomocy. Z całą pewnością znajdziesz kogoś dostatecznie zdesperowanego, kto z całą gotowością zaakceptuje to, co masz do zaoferowania. Uważamy, że jest stratą czasu naleganie na człowieka, który nie może, bądź nie chce z nami współpracować. Zostawiony w spokoju, może wkrótce dojdzie do przekonania, że samodzielnie nie potrafi zdrowieć. Pamiętaj, że poświęcanie zbyt wiele czasu na jeden oporny przypadek oznacza pozbawianie innego alkoholika szansy na życie i szczęście. Jeden z członków naszej wspólnoty poniósł całkowitą porażkę pomagając swoim pierwszym sześciu podopiecznym. Często wspomina, że gdyby kontynuował pracę z nimi, pozbawiłby tym samym szansy wielu innych, którzy dzięki jego pomocy zdrowieli.

Załóżmy, że idziesz już z drugą wizytą do człowieka, któremu pomagasz. Przypuśćmy, że przeczytał on tę książkę i teraz oświadcza, iż gotów jest do drogi wiodącej Dwunastoma Krokami ku ozdrowieniu. Opierając się na własnym w tej mierze doświadczeniu, możesz mu udzielić wielu praktycznych rad. Zapewnij go, że jeśli będzie chciał opowiedzieć swoją historię, będziesz do jego dyspozycji. Nie nalegaj, jeśli zechce zwrócić się z tym do kogoś innego.

Jest całkiem możliwe, że jest bez grosza przy duszy i dachu nad głową. W takiej sytuacji możesz spróbować pomóc mu w znalezieniu pracy, albo wesprzeć go niewielką pożyczką. Nie powinieneś jednak czynić tego ani kosztem twoich wierzycieli, ani też potrzeb twojej rodziny. Być może zechcesz zaoferować mu na krótko miejsce w twym domu. W tej mierze bądź ostrożny. Upewnij się najpierw, czy twój podopieczny będzie mile widziany również przez twą rodzinę, a także czy nie będzie się on starał wykorzystać twoich pieniędzy, znajomości czy schronienia. Jeśli mu to umożliwisz staniesz się mimowolnym sprawcą jego krzywdy. Dopomożesz nie w jego rehabilitacji i zdrowieniu, a wręcz odwrotnie.

Nie unikaj odpowiedzialności. Bądź pewien, że skoro wziąłeś ją na siebie postąpiłeś właściwie. Pomaganie innym, to podstawa twego zdrowienia. Nie wystarcza spełnić dobry uczynek raz na jakiś czas. W razie potrzeby musisz postępować, jak Dobry Samarytanin, codziennie. Taka postawa może wymagać wielu nie przespanych nocy, rezygnacji z rozrywek, odkładania na bok własnych interesów. Pomoc może również oznaczać dzielenie się pieniędzmi i domem, konieczność pocieszania rozgoryczonej żony i krewnych, niezliczone wizyty w komisariatach policji, zakładach leczenia zamkniętego, szpitalach, więzieniach i zakładach psychiatrycznych. Licz się z tym, że twój telefon może dzwonić o każdej porze dnia i nocy. Żona nieraz będzie narzekać, że ją zaniedbujesz. Jakiś pijaczyna zdemolować może twoje meble. Może będziesz musiał poskromić jego agresywność siłą. Może będziesz musiał wezwać lekarza, by go uspokoił zastrzykiem. Może policję albo ambulans. Pomagając innym alkoholikom będziesz od czasu do czasu narażony na takie przypadki.

Nie uważamy za właściwe, aby alkoholicy, którym pomagamy, mieszkali dłużej pod naszym dachem. Nie jest to korzystne zarówno dla nich, jak i dla naszych rodzin.

Jeśli nawet alkoholik nie wykazuje chęci poprawy, nie zamierza przyjąć naszego programu, nie zaniedbuj jego rodziny. Okazuj jej życzliwość oraz przedstaw swój sposób na życie. Gdy rodzina alkoholika zaakceptuje i będzie realizować owe duchowe zasady naszego życia, istnieje większa szansa na zdrowienie głowy rodziny. A nawet jeśli nie przestanie on pić, życie jego rodziny stanie się bardziej znośne.

Alkoholik, który pragnie zdrowieć, potrzebuje trochę zwykłego miłosierdzia. Człowiek, który najpierw – nim przezwycięży pociąg do picia – domaga się pieniędzy i dachu nad głową jest na złej drodze. Jednak niekiedy, w sytuacjach uzasadnionych, robimy co można, by pomóc w podstawowych sprawach elementarnego bytu. Nie uważamy takiej postawy za brak konsekwencji.

Dylemat brzmi: kiedy i co dać? Właściwy wybór decyduje o sukcesie lub porażce. Jeśli bowiem oprzemy swą pracę z alkoholikiem na świadczeniu usług na jego rzecz, będzie on skłonny polegać bardziej na nas, niż na Bogu. Zacznie to i owo wymuszać twierdząc, że dopóki nie zostaną zaspokojone jego potrzeby materialne, nie będzie mógł opanować łaknienia. Jest to oczywisty absurd.

Niektórzy z nas zainkasowali od życia potężne ciosy, nim zrozumieli tę prawdę: praca taka czy inna, żona czy rodzina – to wszystko nie ma wpływu na nasze picie. My po prostu nie przestajemy pić tak długo, dopóki polegamy bardziej na pomocy i opiece innych, niż na Bogu, pojmowanym jako Siła Większa, Wyższa niż nasza własna.

Wbij do głowy każdemu alkoholikowi tę prawdę, iż zdrowieć może niezależnie od czegoś, czy kogoś. Jedynym warunkiem zdrowienia jest ZAUFANIE BOGU I UPORZĄDKOWANIE WŁASNEGO ŻYCIA.

W zakresie problemów domowych w grę może wchodzić rozwód, separacja albo po prostu stan napięcia. Twój podopieczny powinien, w miarę możliwości, najpierw naprawić krzywdy jakie wyrządził swym bliskim. Następnie winien dokładnie przedstawić swym bliskim (jeśli jeszcze ich ma) zasady, według których teraz pragnie żyć i – co najważniejsze – realizować w życiu duchowym.

Alkoholik nie powinien zajmować się błędami, które, być może, popełniła jego rodzina. Musi całkowicie skupić się na praktycznym urzeczywistnianiu swych nowych przekonań duchowych. Jak zarazy unikać musi wszczynania sporów i krytykanctwa. Zdajemy sobie sprawę, że w wielu rodzinach urzeczywistnienie takiej postawy może być niezwykle trudne. Jest to jednak konieczne, inaczej alkoholik nie ma szans ozdrowienia. Jeśli nasz podopieczny wytrwa w niepiciu przez kilka miesięcy, będzie to miało z pewnością, ogromny, pozytywny wpływ na jego rodzinę. Bywa, że nawet najmniej skłonni do kompromisów ludzie odkrywają wspólne płaszczyzny, na podstawie których mogą się porozumieć. Powoli rodzina może zacząć dostrzegać swoje błędy i przyznawać się do nich. Można wtedy podyskutować o tym wspólnie w przyjaznej atmosferze.

Kiedy nasi bliscy zauważą wyraźne zmiany, być może zechcą towarzyszyć nam w drodze ku ozdrowieniu. Taki przełom może we właściwym czasie nastąpić w sposób całkowicie naturalny. Warunkiem jest jednak stałe udowadnianie przez alkoholika, iż jest trzeźwy, rozważny i pomocny – bez względu na to, co robią czy mówią inni ludzie. Oczywiście, nie zawsze zdołamy przeskoczyć ten wysoki próg. Musimy jednak natychmiast starać się naprawić wyrządzane krzywdy. Inaczej zapłacimy wysoką cenę wracając znów do alkoholu.

Jeśli już doszło do rozwodu lub separacji, nie powinniśmy zbytnio spieszyć się z próbą zejścia się z żoną (mężem) na nowo. Powinniśmy być pewni swego ozdrowienia. Nasi byli partnerzy powinni w pełni zrozumieć nasz nowy sposób życia. Jeśli mąż lub żona zamierzają rozpocząć wspólne życie od nowa, to powinno być ono oparte na nowym fundamencie, mocniejszym niż poprzedni. Oznacza to nowe nastawienie i zmianę podejścia z obu stron. Niekiedy lepiej jest dla wszystkich zainteresowanych, jeśli utrzymamy stan separacji. Oczywiście, w tego rodzaju sprawach nie ma i nie może być jednolitych reguł. Obie strony potrafią znakomicie wyczuć, czy i kiedy nadszedł właściwy czas, by się ponownie złączyć.

Często alkoholik twierdzi, że nie jest w stanie zdrowieć, dopóki nie odzyska swej rodziny. To nieprawda. Są przecież takie przypadki, że żona (mąż) – z różnych powodów – nie zechcą już nigdy powrócić. Przypomnij zatem swemu podopiecznemu, że jego zdrowienie nie zależy od ludzi. Jest ono uzależnione wyłącznie od jego stosunku do Boga. Spotkaliśmy ludzi, którzy ozdrowieli, choć ich rodziny wcale do nich nie wróciły. Znamy takich alkoholików, którzy zaczęli pić dlatego, że odzyskali rodzinę zbyt wcześnie.

Zarówno ty, jak i twój podopieczny, musicie na co dzień kroczyć drogą, która zapewnia wam duchowy rozwój. Jeśli nie będziesz ustawał w wysiłkach zdarzą się rzeczy niezwykłe. Spoglądając wstecz zdajemy sobie sprawę, iż oddanie się w ręce Boga spowodowało w naszym życiu wielkie zmiany. Takiej ich skali nie mogliśmy wcześniej ani zaplanować, ani tym bardziej oczekiwać. Postępuj zgodnie ze wskazówkami Siły Wyższej, a wkrótce będziesz żył w nowym, cudownym świecie. I to bez względu na położenie, w jakim obecnie się znajdujesz.

Pracując z alkoholikiem i jego rodziną staraj się nie brać udziału w ich kłótniach. W przeciwnym razie możesz zaprzepaścić szansę przyjścia im z pomocą. Wpajaj rodzinie alkoholika, że twój podopieczny jest człowiekiem bardzo chorym i należy go traktować jako takiego. Staraj się ich przestrzec przed urazami i zazdrością. Rodzina alkoholika musi sobie zdawać sprawę z tego, że jego wady nie znikną z dnia na dzień. Uświadom bliskim alkoholika, że on dopiero wkroczył na nową drogę rozwoju. Niechże powściągną swą niecierpliwość, ciesząc się błogosławionym darem jego dzisiejszej trzeźwości.

Podziel się z rodziną swego podopiecznego doświadczeniem, w jaki sposób ty rozwiązałeś swoje problemy rodzinne, jeśli oczywiście masz tego typu doświadczenia. To będzie właściwszy sposób pomocy niż krytyka. Pamiętaj, że skrytykować można każdą drogę. Również tę, którą ty i twoja żona macie za sobą.

Jeśli osiągniemy odpowiednie nastawienie duchowe, możemy wówczas pozwolić sobie na zachowania, których w stanie alkoholowego rozchwiania musielibyśmy wystrzegać się. Utarło się na przykład przeświadczenie, że nie wolno nam bywać tam, gdzie podaje się alkohol, że nie powinniśmy trzymać alkoholu w domu, że należy unikać towarzystwa pijących przyjaciół, że powinniśmy unikać filmów, w których są sceny picia, że nie wolno nam wchodzić do barów, że nasi przyjaciele, gdy ich odwiedzamy, powinni chować butelki, żeby na tym poprzestać – nie wolno nam myśleć o alkoholu, a innym przypominać nam o tym.

Nasze własne doświadczenie mówi, że wcale tak nie musi być. Przecież z okolicznościami wyliczanymi przykładowo powyżej spotykamy się każdego dnia. Jeżeli alkoholik nie potrafi im stawić czoło, oznacza to, że nie wypracował jeszcze w sobie właściwego nastawienia duchowego wobec swej choroby. Dla takiego człowieka jedyną szansą zachowania trzeźwości byłoby umieszczenie go na biegunie północnym. Ale nawet tam mógłby zjawić się jakiś Eskimos z butelką whisky i zrujnować cały plan "otrzeźwienia". Zapytaj o to którejkolwiek z żon alkoholików wysyłających męża "gdzie pieprz rośnie" w nadziei, że uciekną przed alkoholowym problemem. W naszym przekonaniu jakikolwiek program leczenia z alkoholizmu, który opiera się na izolowaniu alkoholika od pokusy, z góry skazany jest na niepowodzenie. Fizyczna ucieczka od alkoholu może się udać na krótki czas, ale z reguły kończy się ona fatalnym ciągiem picia. Próbowaliśmy i tej metody. Stwierdzamy, że próby dokonania czegoś, co niewykonalne, zawsze kończą się klęską.

Nasza zasada jest taka: JEŚLI MAMY UZASADNIONY POWÓD, aby udać się do miejsca, gdzie ludzie piją alkohol powinniśmy tam pójść. Mamy na myśli takie miejsca i okazje, jak bary, nocne kluby, dansingi, przyjęcia, wesela i zwykłe zabawy. Ktoś mający pewne doświadczenie z alkoholikami może uznać taką radę za kuszenie św. Antoniego i wystawianie osoby uzależnionej na ogniową próbę. Tak jednak nie jest. Zauważ, że radząc w ten sposób poczyniliśmy ważne zastrzeżenie, zgodnie z którym w każdym przypadku alkoholik powinien zadać sobie pytanie: "Czy mam jakiś ważny powód (towarzyski, zawodowy lub osobisty), aby t a m pójść? Może zaś oczekuję od takich spotkań i związanej z nimi atmosfery jakiejś namiastki przyjemności picia? Jeśli zatem masz dostatecznie dobry powód – nie obawiaj się. Możesz iść lub nie iść, wybór należy do ciebie. Zanim dokonasz wyboru, oceń czy twoje duchowe nastawienie stanowi dostateczną obronę przeciw pokusie, czy też próbujesz sam siebie okłamać. Nie myśl o tym, co ci da to spotkanie. Myśl o tym raczej, co ty możesz do niego wnieść. Jeśli nie czujesz się dostatecznie mocny, nie chodź na "niebezpieczne" spotkania. W zamian pracuj nad udzielaniem pomocy innemu alkoholikowi. Po co siedzieć z krzywą miną tam, gdzie inni ludzie piją i wzdychać do "starych, dobrych czasów"?

Jeśli nadarza się okazja, aby się rozerwać, idź i staraj się spotęgować dobry nastrój towarzystwa. Jeśli okazja wynika z obowiązku zawodowego, pójdź i z entuzjazmem zajmij się załatwianiem sprawy, która cię tam zawiodła. Będąc z osobą, która chce coś zjeść w barze, powinieneś jej towarzyszyć. Twoi przyjaciele powinni wiedzieć, że nie muszą zmieniać swoich przyzwyczajeń z powodu twego alkoholizmu. We właściwym czasie i miejscu wytłumacz im dlaczego nie możesz pić. Jeśli zrobisz to z przekonaniem, niewielu z nich będzie cię potem namawiać do picia. Gdy piłeś, powoli odsuwałeś się od życia towarzyskiego. Teraz do niego powracasz. Nie rezygnuj z tej szansy tylko dlatego, że nie możesz pić, tak jak twoi przyjaciele.

Obecne twoje zadanie polega na tym, aby być tam, gdzie możesz się najbardziej przydać innym ludziom. Nigdy zatem nie wahaj się pójść w miejsca, w których możesz być pożyteczny. Nie stroń nawet od najbardziej odpychających miejsc na Ziemi. Mając silną motywację nowego życia, będziesz po opieką Boga, również w godzinie próby.

Wielu z nas trzyma alkohol w domu. Często jest nam potrzebny, aby osłabić skutki ciężkiego kaca u któregoś z naszych nowych podopiecznych. Niektórzy z nas nadal częstują alkoholem swych przyjaciół, oczywiście pod warunkiem, że NIE SĄ ONI ALKOHOLIKAMI. Inni z nas – przeciwnie. Sądzą, że nie powinniśmy nikomu proponować alkoholu. Nie staramy się rozstrzygnąć tego sporu. Sądzimy bowiem, że każda rodzina, biorąca pod uwagę swą unikalną sytuację, powinna podjąć w tej kwestii odpowiednią decyzję.

Starajmy się nie okazywać nietolerancji i potępienia zarówno wobec ludzi pijących, jak i problemu pijaństwa. Nasze doświadczenie dowodzi, iż zajmując taką postawę nie zdołamy nikomu pomóc. Każdy świeżo napotkany alkoholik doszukuje się w nas takiego nastawienia. Doznaje ogromnej ulgi, gdy stwierdza, że my nie zamierzamy "polować na czarownice". Głupota wynikająca z nietolerancji zraża alkoholików, których życie można by uratować. Przyjmując postawę nietolerancji nie jesteśmy również w stanie skutecznie propagować modelów umiarkowanego picia. Któż bowiem z tysięcy pijących zechce rozmawiać o piciu alkoholu z człowiekiem, który odnosi się z odrazą do wszelkich trunków.

Głęboko wierzymy, że nadejdzie czas, gdy Anonimowi Alkoholicy skutecznie potrafią pomóc społeczeństwu w lepszym zrozumieniu złożoności i powagi problemu alkoholowego. Niewiele jednak zrobimy, jeśli naszą działalność będzie cechowała wrogość i zawziętość. Wówczas ludzie pijący, ci którym chcemy pomóc, odrzucą naszą ofertę. W ISTOCIE TO MY SAMI STWORZYLIŚMY NASZE PROBLEMY. FLASZKA BYŁA I JEST TYLKO ICH SYMBOLEM. POZA TYM PRZESTALIŚMY WRESZCIE ZWALCZAĆ KOGOKOLWIEK I COKOLWIEK. MUSIMY W TEN SPOSÓB KONSEKWENTNIE POSTĘPOWAĆ!

Rozdział 8

DO ŻON*

Z małymi wyjątkami książka nasza mówiła dotąd o mężczyznach. Ale to, co dotąd powiedzieliśmy, ma zastosowanie również do kobiet. Coraz intensywniej prowadzimy naszą działalność wśród pijących nałogowo niewiast. Mamy wiele dowodów na to, iż nasz program jest skuteczny zarówno wśród mężczyzn, jak i w odniesieniu do kobiet.

Nałogowe pijaństwo mężczyzny pustoszy życie wielu osób z nami związanych: żony, która drży w obawie przed następnym pijaństwem, matki i ojca alkoholika, którzy z bólem patrzą na proces degradacji ich syna.

W naszej wspólnocie są zarówno żony, krewni i przyjaciele tych alkoholików, którzy rozwiązali problem picia, jak i tych, którzy jeszcze piją.

Chcemy dać żonom Anonimowych Alkoholików możliwość zwrócenia się do żon alkoholików ciągle jeszcze nadmiernie pijących. To, co one mówią, odnosi się do każdej osoby, która jest związana więzami krwi lub uczuciem z alkoholikiem.

Jako żony Anonimowych Alkoholików pragniemy was na wstępie zapewnić, że rozumiemy wasz problem, jak rzadko kto. Pragniemy przeanalizować błędy, jakie my popełniałyśmy. Chcemy was przekonać, że nie ma takich trudności, ani takiego nieszczęścia, których nie można by opanować, przeżyć lub pokonać. Drogi nasze nie były usłane różami, co do tego nie ma wątpliwości. Znamy uczucie zranionej dumy, przygnębienia, rozżalenia nad własnym losem, niezrozumienia i strachu. Obcowanie z tymi uczuciami nie jest ni-

* Rozdział ten został napisany w 1939 roku, kiedy w AA było jeszcze niewiele kobiet. Stąd sugestia, że alkoholikiem w domu jest najprawdopodobniej mąż. Ale wiele zawartych tu propozycji można odnieść do mężczyzn mających partnerki alkoholiczki, bez względu na to, czy jeszcze piją, czy już przejęły program życia AA.

czym miłym. Byłyśmy spychane w stany żałosnego współczucia i zaciekłej złości. Niektóre z nas popadały na przemian z jednej skrajności w drugą. Cały czas towarzyszyła nam nadzieja, że pewnego dnia nasi ukochani na powrót staną się sobą. Nasza lojalność i pragnienie, by nasi mężowie znów podnieśli głowy i byli podobni do prawdziwych mężczyzn, rodziły niejednokrotnie przykre sytuacje. Tak manifestowała się nasza skłonność do poświęceń, wyzbywałyśmy się również resztek egoizmu. Uciekałyśmy się do niezliczonych kłamstw, aby ratować naszą dumę i opinię mężów. Modliłyśmy się, błagałyśmy, byłyśmy cierpliwe, po czym następowały wybuchy wściekłości. Uciekałyśmy z domu. Wpadałyśmy w histerię. Czułyśmy się sterroryzowane. Szukałyśmy współczucia. Nawiązywałyśmy przelotne romanse z innymi mężczyznami.

Często wieczorami nasze domy stawały się polem bitwy. Rano zaś całowałyśmy mężów na znak przeprosin. Nasi przyjaciele radzili nam, abyśmy ich rzuciły raz na zawsze. I robiłyśmy to, by za chwilę wrócić z nową nadzieją. Zawsze z nadzieją. Nasi mężowie składali wiele uroczystych przyrzeczeń, że raz na zawsze skończyli z piciem. Wierzyłyśmy im, jak nikt inny. Potem po kilku dniach, tygodniach czy miesiącach przychodził kolejny nawrót.

W domu rzadko bywali goście, nigdy bowiem nie wiedziałyśmy, kiedy i w jakim stanie pojawi się pan domu. Prawie nie prowadziłyśmy życia towarzyskiego. Byłyśmy skazane na samotność. Gdy nas gdzieś zaproszono, nasi mężowie upijali się ukradkiem do tego stopnia, że rujnowali cały wieczór. Jeśli niekiedy nie pili, ich "poświęcenie" zabijało naszą radość.

Nasza sytuacja materialna nigdy nie była stabilna. Posada męża była wiecznie zagrożona, albo był on często bez jakiejkolwiek pracy. Nawet opancerzony samochód nie byłby w stanie dowieźć do domu nie naruszonej mężowskiej pensji. Nasze konto w banku topniało jak śnieg w czerwcu. Czasami zjawiały się w jego życiu inne kobiety. Jakże bolesne były takie odkrycia. Jakże okrutnie brzmiały oświadczenia mężów, że ktoś inny potrafi zrozumieć ich lepiej.

Czasami mężowie nasi przyprowadzali do domu rozmaitych ludzi: wierzycieli, policjantów, rozeźlonych taksówkarzy, włóczęgów, podejrzanych kumpli, a nawet kobiety. Uważali, że jesteśmy niegościnne. "Złośnica, zrzęda – psuje nam zabawę" to były typowe określenia. Następnego dnia nasi mężowie stawali się sobą, a my znów przebaczałyśmy, starając się zapomnieć.

Robiłyśmy, co tylko było w naszej mocy, aby zachować i podtrzymać miłość naszych dzieci do ojców. Mówiłyśmy maluchom, że ich tata jest chory. Było to bliższe prawdy, niż mogłyśmy wówczas przypuszczać. Bywało, że nasi mężowie bili dzieci, kopali w drzwi, rozbijali cenną porcelanę, czy też wyrywali klawisze z fortepianu. W napadach szału wypadali z domu grożąc, że wynoszą się na stałe do innej kobiety. Z desperacji same upijałyśmy się. Skutek był nieoczekiwany. Raczej to im się podobało.

Niekiedy, na tym etapie, uzyskiwałyśmy rozwód i wraz z dziećmi przenosiłyśmy się do domu naszych rodziców. Wówczas teściowie ostro nas krytykowali zarzucając, że porzucamy swych mężów w nieszczęściu. Z reguły jednak nie opuszczałyśmy naszych domów. Trwałyśmy w nich z pokorą, czy raczej z rezygnacją. W końcu zrozpaczone szukałyśmy pracy zarobkowej, aby zapobiec ostatecznej katastrofie finansowej.

Kiedy pijackie występy mężów stały się coraz częstsze zaczęłyśmy szukać pomocy lekarskiej. Przerażały nas w naszych mężach alarmujące stany psychiczne i fizyczne, obrzydliwe seanse kajania się, depresje oraz poczucie niższości. Chodziłyśmy jak zwierzęta w kieracie – cierpliwie i do ostatniego tchu. Po każdym daremnym wysiłku padałyśmy ze zmęczenia i podnosiłyśmy się, by stanąć na jako tako pewnym gruncie. Większość z nas była świadkami zamykania naszych mężów w zakładach leczenia zamkniętego, szpitalach i więzieniach. Widziałyśmy, jak zapadają w stany delirium i stają się niepoczytalni. Śmierć często czyhała za węgłem.

Żyjąc w takich warunkach musiałyśmy, rzecz jasna, popełniać błędy. Wynikały one często z braku elementarnej wiedzy o alkoholizmie. Czasem podświadomie przeczuwałyśmy, że nasi mężowie są bardzo chorzy. Gdybyśmy wtedy w pełni rozumiały naturę choroby alkoholowej, może nasze zachowanie byłoby inne.

Nie mogłyśmy pojąć jak ludzie, którzy kochają własne żony i dzieci mogą być tak bezmyślni, okrutni i pozbawieni uczuć? Sądziłyśmy, że w ich sercach nie ma miejsca na żadne uczucia. Ale wówczas, gdy byłyśmy przekonane o bezduszności mężów, oni zaskakiwali nas nowymi obietnicami i wybuchami troskliwości. Przez chwilę byli tak kochający, jak dawniej, po to, by raz jeszcze roztrzaskać owo nowe uczucie na kawałki. Gdy pytałyśmy, dlaczego znów zaczęli pić, oni zbywali nas prymitywną wymówką lub nie odpowiadali wcale. Wszystko było tak beznadziejne i bolesne! Czyżbyśmy aż tak bardzo pomyliły się w wyborze partnera życiowego? Gdy pili byli nam zupełnie obcy. Czasem stawali się tak nieodstępni, jakby wyrósł wokół nich wysoki mur.

A jeśli nawet nie kochali swych rodzin, to jak mogli być tak okrutni dla samych siebie? Co stało się z ich rozumem, zdrowym rozsądkiem i siłą woli? Dlaczego nie dostrzegali, że picie oznacza ich ruinę? Dlaczego, gdy już znali niebezpieczeństwa związane z piciem i przyznawali ich realność zaraz potem szli upić się od nowa?

To tylko niektóre z pytań, które zadaje sobie kobieta, mająca męża alkoholika. Mamy nadzieję, że ta książka odpowiedziała już na niektóre z nich.

Zapewne twój mąż żył w owym dziwnym świecie, w którym wszystko jest wykrzywione, zniekształcone przez alkohol. Chyba jednak zauważyłaś nieraz, że człowiek ten w rzeczywistości kocha cię lepszą częścią swojej istoty. Bywa oczywiście, że ludzie się po prostu nie dobiorą, czy raczej źle dobiorą. Ale w istocie w każdym prawie przypadku, gdy wydaje się, że twój zalkoholizowany mąż nie darzy cię żadnym uczuciem, poza obojętnością, wynika to z jego choroby. Alkohol wypacza go i wyprowadza z równowagi. Alkoholicy, którzy przestali pić, są dziś w większości lepszymi mężami i ojcami, niż kiedykolwiek przedtem.

Staraj się nie potępiać swego męża alkoholika bez względu na to, co robi czy mówi. Jest on jeszcze jedną chorą, pozbawioną rozsądku istotą. Jeśli zdołasz, traktuj go tak, jakby miał zapalenie płuc. Gdy cię zirytuje, pamiętaj – on jest bardzo chory.

Od tej proponowanej tu postawy jest jednak ważny wyjątek. Otóż zdajemy sobie sprawę, że w niektórych mężczyznach występuje takie natężenie złej woli, że cierpliwością niczego nie da się zmienić. Alkoholik o takim charakterze może wykorzystać rady zawarte w tej książce w celu sterroryzowania swego otoczenia. Jeśli jesteś przekonana, że w osobowości twego męża występują te właśnie cechy i skłonności, najlepiej będzie, jeśli go opuścisz.

Jaki ma sens dopuszczenie do tego, aby zrujnował twoje życie i życie waszych dzieci? Szczególnie, kiedy już zna sposób na załatwienie swego alkoholowego problemu, tylko nie jest gotów zapłacić zań należnej ceny. Problem, z którym walczysz, mieści się z grubsza w jednej z czterech kategorii:

1. Twój mąż pije nadmiernie. Może jest to picie codzienne lub tylko przy pewnych okazjach. Z pewnością wydaje na alkohol zbyt dużo pieniędzy. Picie zdążyło osłabić go psychicznie i fizycznie, czego on sam jeszcze nie dostrzega. Jest źródłem przykrych nieporozumień również i wśród przyjaciół. Ale on twierdzi, że picie mu nie szkodzi, że potrafi je kontrolować, oraz że kieliszek jest koniecznym składnikiem jego działalności zawodowej. Prawdopodobnie obraziłby się, gdyby nazwano go alkoholikiem. Świat jest pełen takich ludzi. Niektórzy będą dalej pić umiarkowanie. Inni przestaną pić w ogóle. Jeszcze inni zwiększą tempo. Spośród tych ostatnich wielu wkrótce stanie się prawdziwymi alkoholikami.
2. Twój mąż już nie kontroluje picia. Nie jest w stanie go przerwać, nawet gdy bardzo tego chce. Kiedy pije, traci zupełnie nad sobą kontrolę. Przyznaje, iż jest z nim źle. Ale jest pewien, że z czasem zdoła się poprawić. Z twoją pomocą lub z własnej inicjatywy próbował różnych środków, które miały ograniczyć jego picie lub spowodować powstrzymanie się od tego. Powoli zaczęli się już od niego odsuwać przyjaciele. Z powodu picia zaniedbuje pracę. Niekiedy uświadamia sobie, że nie potrafi pić tak, jak inni ludzie i martwi go to. Czasem zaczyna pić od samego rana. Potem popija

przez cały dzień, aby utrzymać na wodzy swoje nerwy. Po wielkich popijawach ma wyrzuty sumienia. Powiada wtedy, że chciałby definitywnie skończyć z piciem. Ale gdy tylko wyleczy kaca, z powrotem sądzi, że następnym razem na pewno uda mu się zachować kontrolę. Sądzimy, że taki człowiek jest poważnie zagrożony. Ma już wiele cech prawdziwego alkoholika. Być może jeszcze jakoś sobie poradzi w pracy zawodowej. Jeszcze wszystkiego nie zniszczył. W naszym gronie mówimy o takim typie, że "on chce chcieć rzucić picie".

3. Alkoholik w tym stadium posunął się wiele dalej niż typ przedstawiony powyżej. Opuścili go przyjaciele, jego życie rodzinne jest bliskie ruiny. Nie potrafi już utrzymać stałej pracy. Być może korzystał z pomocy lekarskiej, albo miały już miejsce jego niekończące się pobyty w zakładach zamkniętych i szpitalach. Przyznaje, że nie potrafi pić tak jak inni, jednak nie pojmuje, dlaczego. Dalej kurczowo trzyma się nadziei, że kiedyś uda mu się pić z umiarem. Być może doszedł już do momentu, gdy rozpaczliwie pragnie przestać pić, ale nie potrafi. Przypadek taki nasuwa wiele dodatkowych pytań. Postaramy się, abyś znała na nie odpowiedzi. Zwłaszcza, że w powyższym przypadku jest pewna nadzieja.
4. Twój mąż doprowadza cię do kompletnej rozpaczy. Co rusz zamykają go w zakładzie odwykowym. Gdy się upije jest agresywny albo wręcz niepoczytalny. Często zaczyna pić już w drodze ze szpitala do domu. Lekarze bezradnie rozkładają ręce i radzą oddać męża do zakładu zamkniętego. Nie wykluczone, że byłaś już przedtem zmuszona go tam ulokować. Obraz, który zarysowaliśmy, jest bardzo ciemny, wręcz ponury. Ale sytuacja nie jest jeszcze beznadziejna. Wielu z naszych mężów zabrnęło równie daleko, a jednak wyzdrowieli.

Powróćmy teraz znów do męża z wariantu nr 1. Wbrew pozorom, bardzo często nie można sobie z nim poradzić. Problem polega na tym, że picie sprawia mu radość. Alkohol podnieca jego wyobraźnię. Atmosfera staje się cieplejsza przy kieliszku. Być może i ty sama lubisz z nim wypić, jeśli nie przekracza umiaru. Zapewne spędzaliście razem miłe wieczory gawędząc i popijając przy kominku. Być może oboje lubicie przyjęcia. Jakże byłyby one nudne bez alkoholu! Również my, żony alkoholików, dobrze bawiłyśmy się na takich spotkaniach towarzyskich. Niektóre z nas (ale nie wszystkie) uważają, że alkohol spożywany z umiarem ma swoje zalety.

Pierwszym warunkiem osiągnięcia sukcesu jest opanowanie gniewu. Nawet w sytuacji krańcowej, gdy mąż twój staje się nie do zniesienia i musisz na jakiś czas go opuścić. Staraj się to uczynić, w miarę możliwości, bez rozgoryczenia. Cierpliwość i opanowanie to cechy, które są w tej sytuacji konieczne. Nasza kolejna rada brzmi: nigdy nie mów mężowi, co powinien zrobić ze swoim piciem. Jeśli dojdzie do wniosku, że jesteś zrzędą i zanudzasz go, twoje szanse na uzyskanie czegokolwiek spadną do zera. W dodatku twoje zachowanie będzie stanowiło dla niego nowy pretekst do picia. Przy okazji zarzuci ci, że go nie rozumiesz i zostaniesz skazana na samotne spędzanie wieczorów. A twój mąż z pewnością poszuka sobie kogoś, kto go pocieszy – niekoniecznie musi to być mężczyzna.

Wytrwale staraj się o to, aby picie męża nie zepsuło twoich stosunków z waszymi dziećmi i przyjaciółmi. Oni przecież potrzebują twojej pomocy i towarzystwa. Pamiętaj przy tym, że możesz prowadzić pełne i pożyteczne życie, mimo iż twój mąż pije. Znamy kobiety, które pomimo tej sytuacji są pełne energii, a nawet szczęśliwe. Nie stawiaj na jedną kartę zreformowania swego męża, bo być może, niezależnie od twoich wysiłków, jest to zadanie niewykonalne.

Wiemy, jak trudno czasami postępować według tych rad. Jeśli jednak uda się ich przestrzegać oszczędzisz sobie wielu zmartwień. Należy założyć, że z czasem twój mąż zacznie zauważać i doceniać twój rozsądek i cierpliwość. To może stać się podstawą do odbycia przyjacielskiej rozmowy o jego problemie alkoholowym. Postaraj się, aby on pierwszy zaczął o tym mówić. Uważaj, aby nie przejawiać krytycyzmu podczas tej dyskusji. Natomiast spróbuj postawić się w jego położeniu. Zrób wszystko, by go przekonać, że pragniesz pomagać, a nie ganić.

W trakcie rozmowy spróbuj zasugerować mężowi, by przeczytał tę książkę lub przynajmniej rozdział o alkoholizmie. Powiedz mu, że być może martwisz się o niego na zapas i może przesadzasz w ocenie jego stanu, ale niemniej sądzisz, iż powinien uzyskać wyczerpujące informacje o istniejącym zagrożeniu.

Pokaż, że wierzysz w jego siłę woli i zdolność kontrolowania swoich czynów. Powiedz mu, że nie masz zamiaru być jędzą, martwisz się jedynie o jego zdrowie. W ten sposób uda ci się może zainteresować go problemem alkoholizmu. Z całą pewnością macie w kręgu swoich znajomych kilku alkoholików. Może warto byłoby skontaktować się z nimi. Wykorzystaj fakt, że ci, którzy sami dużo piją, bardzo lubią pomagać tym, którzy ich zdaniem, mają jeszcze większe kłopoty z powodu picia. Być może i twój mąż wyrazi chęć porozmawiania z którymś z nich.

Jeśli postulowane tu podejście nie wywoła zainteresowania twego męża, trzeba na razie odłożyć tę sprawę. Wszelako po takiej przyjacielskiej rozmowie zechce on zapewne wrócić kiedyś do tego tematu. Będzie to wymagało cierpliwego czekania. Ale – wierz nam – warto! W międzyczasie spróbuj pomóc żonie innego alkoholika. Jesteśmy przekonane, że jeśli spróbujesz stosować proponowane tu zasady, być może mąż ograniczy picie, a nawet przestanie pić w ogóle.

Załóżmy teraz, że twój mąż jest podobny do człowieka przedstawionego w punkcie drugim. W takim przypadku zalecamy stosowanie takich samych zasad, jak w wariancie 1. Po kolejnej popijawie zapytaj jednak męża wprost, czy rzeczywiście chciałby raz na zawsze skończyć z piciem. Nie proś go, aby uczynił to dla ciebie lub w imię kogoś innego. Spytaj, czy chciałby przestać pić z uwagi na siebie samego. Istnieje prawdopodobieństwo, że odpowiedź będzie twierdząca.

Pokaż mu wtedy tę książkę i opowiedz, czego się z niej dowiedziałaś o alkoholizmie. Wyjaśnij mu, że autorami książki są alkoholicy, którzy znają ten problem z osobistego doświadczenia. Przytocz kilka interesujących historii, o których przeczytałaś. Jeśli przypuszczasz, że kwestie natury duchowej mogą męża żenować poproś go, aby przeczytał wyłącznie rozdział o alkoholizmie. Być może zainteresuje go on na tyle, że postanowi kontynuować lekturę. Jeśli twój mąż okaże się pełen entuzjazmu, wtedy twoja z nim współpraca nabierze jeszcze większego znaczenia. Jeśli zaś po lekturze nadal będzie obojętny i nadal będzie utrzymywał, że nie jest alkoholikiem zostaw go w spokoju.

Nie zmuszaj go do przyswajania naszego programu. Wystarczy, że w jego świadomości zastało posiane ziarno. Teraz wie, że tysiące podobnych do niego ludzi ozdrowiało. Lecz nie przypominaj mu o tym fenomenie zaraz po pijaństwie, gdyż tylko go rozzłościsz. Prędzej czy później zastaniesz swego męża przy lekturze tej książki. Zaczekaj do momentu, kiedy powtarzające się alkoholowe "wpadki" przekonają go, że musi coś z tym zrobić. Ale pamiętaj: im bardziej będziesz go ponaglać, tym bardziej opóźni to proces jego zdrowienia.

Jeśli twój mąż jest na etapie wariantu trzeciego masz szczęście. Ponieważ jesteś pewna, że twój mąż chce przestać pić, możesz pójść do niego z tą książką z uczuciem jakbyś natrafiła na łut szczęścia. Nie jest zupełnie oczywiste, że udzieli mu się twój entuzjazm, zapewne jednak zechce przeczytać tę książkę i zastosować zaproponowany w niej program. Jeśli nie uczyni tego od razu, to prawdopodobnie nie będziesz musiała zbyt długo czekać na pozytywną reakcję. I znowu radzimy – nie ponaglaj go. Pozwól mu, by sam podjął decyzję. Mimo jeszcze kilku następnych pijaństw traktuj go przyjaźnie. Rozmawiaj z nim zarówno o tej książce, jak i o jego stanie tylko wtedy, gdy on poruszy ten temat. Niekiedy będzie zgrabniej, jeśli tę książkę poleci mężowi ktoś spoza rodziny. Ktoś obcy może skuteczniej, nie ryzykując wrogości, skłonić męża, by zaczął coś z sobą robić. Jeśli twój mąż jest – poza problemem picia – zupełnie normalnym człowiekiem, masz duże szanse na sukces w walce o jego zdrowienie.

Przyjmijmy teraz, że przypadek twego męża mieści się w grupie czwartej. Narzuca się przypuszczenie, że jest to przypadek beznadziejny. Ale wcale tak nie jest! Wielu Anonimowych Alkoholików zaszło już tak daleko i zostało spisanych na straty. Ich klęska zdawała się być totalna. Wbrew wszystkiemu, tacy ludzie, w godny podziwu sposób, powracali całkowicie do zdrowia.

Ale są również tragiczne wyjątki. Niektórzy ludzie są tak bardzo opanowani przez chorobę alkoholową, że po prostu już nie mogą przestać pić, nie mogą zatrzymać się na drodze samozniszczenia. Często zdarza się, że alkoholikowi towarzyszą dolegliwości. Dobry lekarz czy psychiatra jest w stanie określić, na ile zagrażają one zdrowiu. W każdym razie postaraj się, aby twój mąż przeczytał tę książkę. Nie można wykluczyć nawet entuzjastycznej jego reakcji. Jeśli twój mąż przebywa w zamkniętym zakładzie odwykowym, ale przekona ciebie i swego lekarza, iż pragnie podjąć i realizować program AA – dajcie mu szansę, chyba że zdaniem lekarza jego stan jest zbyt poważny.

Przekazujemy te rady z wielkim, wynikającym z naszych doświadczeń, przekonaniem. Przez całe lata pracowałyśmy z alkoholikami zamkniętymi w zakładach odwykowych. Od chwili pojawienia się tej książki dzięki działalności AA tysiącom alkoholików udało się raz na zawsze pożegnać zakłady psychiatryczne czy więzienia. Potęga Boga sięga daleko!

Być może twoja sytuacja jest jeszcze innego rodzaju. Może twój mąż przebywa na wolności, a powinien znajdować się w zakładzie zamkniętym. Niektórzy ludzie nie chcą lub nie potrafią walczyć z alkoholizmem. Kiedy stają się niebezpieczni dla otoczenia, najlepszym wyjściem byłoby oddanie ich do zakładu, ale oczywiście zawsze po konsultacji z lekarzem. Żony i dzieci takich ludzi znoszą niewysłowione cierpienia, ale on sam czuje się chyba jeszcze gorzej. Czasami jednak musisz zacząć swe życie na nowo. Znamy kobiety, które podjęły ten wysiłek. Łatwiej im urzeczywistnić ten plan, jeśli zaakceptowały idee proponowane przez program AA duchowego odrodzenia.

Gdy twój mąż pije nadmiernie, prawdopodobnie przejmujesz się negatywnymi opiniami innych ludzi, starasz się unikać wszelkich spotkań z przyjaciółmi. Coraz bardziej zamykasz się w sobie i masz wrażenie, że wszyscy znajomi mówią tylko o tym, co dzieje się w waszym domu. Unikasz rozmów na temat alkoholu nawet ze swymi rodzicami. Zupełnie nie wiesz, jak to wszystko powinnaś wytłumaczyć dzieciom. Kiedy z twym mężem jest źle stajesz się przerażonym odludkiem drżącym z obawy, by przypadkiem nie zadzwonił telefon.

Jesteśmy zdania, że twój wstyd jest w znacznej mierze nie uzasadniony. Najlepszym wyjściem byłoby dyskretne poinformowanie przyjaciół o istocie choroby twego męża, bez wdawania się w szczegóły. Bądź ostrożna jednak tak, byś nie dotknęła lub nie skrzywdziła swego męża.

Gdy wyjaśnisz przyjaciołom, że twój mąż jest chory, stworzysz wokół niego nową, korzystniejszą atmosferę. Mur, który odgradzał cię od przyjaciół zniknie, a jego miejsce zajmie pełne zrozumienia współczucie. Nie będziesz już więcej musiała wstydzić się i ciągle przepraszać za "słaby charakter" twego męża (któremu można wiele rzeczy zarzucić, tylko nie słaby charakter). W sferze życia towarzyskiego możesz zdziałać cuda nowo nabytą prostolinijnością, pogodnym usposobieniem oraz brakiem nadmiernego przewrażliwienia.

Analogiczne zasady postępowania stosuj również w stosunku do dzieci. W ich sporach z ojcem, gdy ten jest pijany lub agresywny, staraj się nie stawać po żadnej stronie. Chyba, że dzieci byłyby w niebezpieczeństwie – wówczas musisz wziąć je w obronę. Wszystkie wysiłki skoncentruj na polepszanie ogólnej atmosfery w domu. Wzajemne zrozumienie, to jedyny sposób prowadzący do zmniejszenia ogromnego napięcia istniejącego w rodzinie każdego alkoholika.

Najprawdopodobniej wielokrotnie czułaś się w obowiązku informować przyjaciół albo jego pracodawcę o chorobie męża podczas, gdy on w rzeczywistości był pijany. Jeśli tylko możesz, unikaj takich sytuacji. Pozwól mu tłumaczyć się samemu, nie staraj się go chronić kosztem kłamstw wobec innych ludzi. Szczególnie wtedy, gdy mają prawo wiedzieć, co dzieje się z twoim mężem. Spróbuj przedyskutować tę kwestię z mężem, gdy będzie trzeźwy. Spytaj, jak masz postąpić następnym razem w podobnej sytuacji, jednocześnie starając się unikać wymówek z powodu ostatniego przykrego incydentu. Prawie ciągle ogarnia cię paraliżująca myśl, co będzie jak twój mąż straci pracę. Zadręczasz się, wyobrażając sobie upokorzenia i trudności, przez które musisz przejść razem z dziećmi. Życie może ci przynieść i takie doświadczenia. A może to się już nawet kilkakrotnie zdarzyło? Gdyby miało nastąpić raz jeszcze, postaraj się spojrzeć na sytuację w innym świetle. Dostrzegane początkowo jako tragedia, może stać się wręcz błogosławieństwem. Być może tym razem utrata pracy spowoduje opamiętanie męża, zrodzi decyzję o całkowitym zaprzestaniu picia. Teraz już jesteś przekonana, że może przestać pić, jeśli będzie tego mocno pragnął. Po pewnym czasie owa pozorna klęska może okazać się zbawienna, ponieważ otworzy twemu mężowi drogę wiodącą do Boga.

Wspominałyśmy już poprzednio o zaletach życia, które przebiega według zasad duchowych. Skoro Bóg może rozwiązać stary jak świat problem alkoholizmu jest również w Jego mocy dopomożenie żonom alkoholików. Same przekonałyśmy się o tym wielokrotnie. Przyznajemy, że i my – jak wielu innych ludzi – hodowałyśmy przerośniętą dumę, z upodobaniem użalałyśmy się nad sobą, grzeszyłyśmy próżnością. Słowem – miałyśmy wiele cech, które prowadzą do egocentryzmu.

Nie byłyśmy wolne od egoizmu i nieuczciwości. Z chwilą gdy nasi mężowie zaczęli żyć według nowych zasad duchowych i my zapragnęłyśmy tego samego.

Na początku niektóre z nas uważały, że nie potrzebują tego rodzaju pomocy. Myślałyśmy, że na ogół jesteśmy całkiem dobrymi kobietami, zdolnymi do czegoś jeszcze lepszego, gdyby tylko nasi mężowie przestali pić. Trochę to naiwne wyobrażać sobie, że jesteśmy tak doskonałe, że możemy obyć się bez pomocy Boskiej. Obecnie staramy się stosować owe zasady duchowe w każdej dziedzinie naszego życia. Czujemy wewnętrznie, że ten program znakomicie rozwiązuje nasze problemy. To cudowne uczucie być uwolnioną od strachu, zmartwień i zranionych uczuć. Zachęcamy was do przyjęcia naszego programu, ponieważ nic tak nie może pomóc mężom alkoholikom, jak radykalna zmiana waszej postawy wobec nich. Bóg wskaże drogę. Jeśli możesz, podążaj nią wspólnie z twoim mężem.

Jeżeli razem znajdziecie rozwiązanie problemu alkoholizmu będziecie z pewnością szczęśliwą parą. Jednakże nie sądźcie, że wszystkie wasze problemy znikną od razu. Ziarno rzucone w nową glebę dopiero zakiełkowało. W waszym nowym, szczęśliwym życiu będą zdarzały się zarówno wzloty, jak i upadki. Wiele starych problemów ciąży jeszcze na waszym obecnym życiu. Tak, jak być powinno.

Wasza wiara i szczerość będą poddawane próbom. Uczycie się niejako od nowa żyć; próby są ważną częścią życiowej edukacji. Popełniacie błędy. To naturalne. Jeśli będziecie uczciwe, nic was nie załamie. Przeciwnie, potraficie wyciągnąć z nich pozytywne wnioski. Wasze nowe, lepsze życie zrodzi się jako synteza wspólnych doświadczeń. Będziecie potykać się z powodu emocji – rozdrażnienia, zranionych uczuć, złości i życiowych urazów. Zapewne nieraz twój mąż postąpi nierozsądnie. Ty zaś nie będziesz umiała powstrzymać się od surowej przygany. Mała chmura na firmamencie waszego życia może powodować burzę – gwałtowną kłótnię. Takie sceny domowe są niezwykle niebezpieczne, zwłaszcza dla twego męża. Jako żona alkoholika, musisz robić wszystko, by do nich nie dochodziło. A jeśli już się zdarzą powinnaś kontrolować ich natężenie. Nigdy nie zapominaj, że uczucia złości i urazy stanowią dla alkoholika śmiertelne zagrożenie. Oczywiście nie twierdzimy, że musisz zawsze zgadzać się z mężem. Masz prawo do własnego zdania. Radzimy jedynie, abyś nie krytykowała go nadmiernie oraz nie wdawała się w sprzeczki powodowane złością.

Zapewne oboje z mężem zauważycie, że znacznie łatwiej radzić sobie z trudnymi problemami niż dojść do porozumienia w sprawach błahych. Gdy dojdzie do kolejnej, pełnej emocji dyskusji na jakikolwiek temat, jedno z was powinno się zdobyć na wypowiedziane z uśmiechem zdanie: "Ta dyskusja staje się niebezpieczna, przepraszam za zdenerwowanie. Odłóżmy ten temat na później". Jeśli twój mąż stara się żyć według nowych zasad duchowych, to na pewno będzie czynił ze swej strony wszystko, by uniknąć nieporozumień i sporów. Zdaje sobie sprawę z tego, że winien ci jest więcej niż tylko zachowanie abstynencji. Pragnie ci wiele wynagrodzić i naprawić wszystko. Jednak nie oczekuj zbyt wiele. Wiedz, że jego sposób myślenia i postępowania jest rezultatem wieloletnich przyzwyczajeń. Twoim hasłem powinna być cierpliwość, tolerancja, wyrozumiałość i miłość. Okaż swemu mężowi te uczucia, a on je wkrótce odwzajemni. Kierujmy się zasadą: ŻYJ I DAJ ŻYĆ INNYM. Jeżeli oboje wykażecie chęć wyeliminowania swych wad, to nie będzie okazji i pokus, by wzajemnie się krytykować. My, kobiety, mamy niejako zakodowany w świadomości obraz idealnego mężczyzny naszego życia. Pragniemy, aby nasi mężowie odpowiadali temu wzorcowi. Jest całkiem naturalne, iż wierzymy, że gdy tylko zniknie problem alkoholu, nasz ideał się ucieleśnia. Tak się jednak prawdopodobnie nie stanie. Przecież on, podobnie zresztą jak i ty, dopiero zaczyna swą drogę. Bądź cierpliwa.

W świadomości żon pokutuje rozgoryczenie, że ich miłość i lojalność nie były w stanie wyzwolić mężów z alkoholizmu. Trudno żonom alkoholików pogodzić się z myślą, że treść tej książki i pomoc innego alkoholika przyniosły w ciągu kilku tygodni rezultat, o który bezskutecznie walczyły całe lata. W obliczu takich myśli trzeba byśmy przyznały, że alkoholizm jest chorobą, na którą my nie miałyśmy żadnego lekarstwa. Twój mąż zapewne i tak kiedyś przyzna, że to właśnie twoje przywiązanie i opieka spowodowały, że dokonał się w nim zwrot natury duchowej. Gdyby nie twoja obecność stoczyłby się na dno już dawno. Jeśli zatem gnębi cię chandra i uczucie zniecierpliwienia staraj się opanować emocje i spróbuj dostrzec dobre strony twego obecnego życia. Przede wszystkim rodzina jest w całości, alkohol przestał być problemem, ty i twój mąż budujecie przyszłość, o której jeszcze niedawno nie śmielibyście nawet marzyć.

Zwróćmy uwagę na możliwość wystąpienia jeszcze jednego zadrażnienia. Otóż współpraca twego męża z innymi alkoholikami może zrodzić w tobie uczucie zazdrości. Od tak dawna byłaś spragniona jego towarzystwa. Teraz, gdy nie pije, spędza długie godziny z innymi ludźmi i ich rodzinami, a nie z tobą. A w twoim przekonaniu mąż powinien należeć wyłącznie do ciebie. Otóż jest niepodważalnym faktem, że mąż, aby zachować trzeźwość powinien pracować z innymi alkoholikami. Bywa, że praca ta zaabsorbuje go w takim stopniu, iż zaniedba ciebie. W waszym domu pojawi się sporo nie znanych ci ludzi. Niektórych trudno będzie tolerować. Mąż będzie tak głęboko zainteresowany ich problemami, że może częściowo ignorować twoje kłopoty. Jeśli będziesz męczyć go z tego powodu pretensjami, czy też egzekwować większe zainteresowanie dla twoich spraw niczego nie osiągniesz. Popełnisz wielki błąd starając się ograniczyć pracę męża z innymi alkoholikami i usiłując gasić jego w tej mierze entuzjazm. Powinnaś, w miarę możliwości, włączyć się do jego pracy. Spróbuj zainteresować się problemami żon alkoholików. One potrzebują rady i przyjaźni kogoś takiego jak ty. Kobiety, która przeszła przez to samo piekło.

Najprawdopodobniej żyliście z mężem przez całe lata samotnie. Wiadomo, że picie męża powoduje izolację towarzyską, która dotyczy również żony. Dlatego bez wątpienia, równie mocno jak twój mąż, pragniesz się czymś ważnym na nowo zainteresować. Szukasz istotnego celu, dla którego warto żyć. Jeśli zamiast narzekać, będziesz współpracować z mężem, zauważysz, że jego entuzjazm i zaangażowanie w sprawy innych przybierze właściwe rozmiary. Oboje dojrzycie nowy sens życia przez skupienie się na sprawach innych ludzi. Powinniście bowiem myśleć o tym, co możecie wnieść dla wspólnego dobra, zamiast ile da się wynieść z tego dla siebie. Życie stanie się dla was pełniejsze, stare zasady postępowania zostaną zastąpione nowymi, lepszymi.

Nie można wykluczyć i takiego scenariusza: twój mąż wejdzie na drogę nowego życia, wszystko będzie się pięknie układać i nagle... wróci do domu pijany. Nie powinnaś wpadać z powodu tego incydentu w panikę, jeśli jesteś głęboko przekonana, że on rzeczywiście pragnie rzucić picie. Lepiej żeby do takiego wydarzenia nie doszło, ale epizody tego rodzaju zdarzają się alkoholikom. W większości przypadków nie kończą się one katastrofą. Ważne, by twój mąż wyciągnął wniosek, iż musi zwielokrotnić swą odporność duchową, jeśli chce w ogóle przeżyć. Nie musisz wytykać mu jego słabości, on sam wie o tym najlepiej. Staraj się raczej go pocieszyć i próbować mu pomóc.

Każdy najmniejszy objaw powątpiewania lub braku tolerancji z twojej strony może zmniejszyć szanse na ozdrowienie męża. Gdy ogarnie go słabość pretekstem do picia może być przeświadczenie, że ty z niechęcią odnosisz się do jego nowych przyjaciół alkoholików.

Nigdy, przenigdy nie organizuj życia mężowi pod kątem chronienia przed pokusą wypicia. Próby sterowania jego sprawami zostaną natychmiast zauważone i na pewno źle odebrane. Pozwól mu być zupełnie wolnym człowiekiem. Musisz mieć świadomość, że robi to, co chce. To bardzo ważne. Jeśli się znów upije nie obwiniaj siebie. Problem bowiem sprowadza się do pytania: czy Bóg już zlikwidował w nim przymus picia, czy też jeszcze tego nie uczynił. Jeśli nie, warto się tego dowiedzieć od razu. Ten fakt pomoże wam dotrzeć do podstaw. Jeśli chcecie uniknąć powtórnych incydentów, zostawcie ten problem w rękach Boga, podobnie jak wszelkie inne wasze życiowe trudności.

Zdajemy sobie sprawę, że udzieliłyśmy wam wielu wskazówek i rad. Mogłyście to odebrać jako rodzaj kazania. Jest nam przykro, jeśli rzeczywiście odniosłyście takie wrażenie, gdyż i my nie lubimy być przez nikogo pouczane. Lecz, wierzcie nam, wszystko to wynika z naszych doświadczeń, gorzkich, często bardzo gorzkich. Nasze doświadczenia rodziły się w bólu. Pragniemy wam je przekazać po to, byście uniknęły niepotrzebnych błędów i kłopotów*.

Kobietom, które dotąd są poza naszą wspólnotą, tym, które jednak wkrótce mogą znaleźć się w naszym gronie, mówimy: "Powodzenia! Niech was Bóg błogosławi".

---

* Wspólnota rodzin alkoholików o nazwie Al-Anon powstała w 13 lat po napisaniu powyższego rozdziału. Al-Anon jest całkowicie niezależny od Wspólnoty Anonimowych Alkoholików, niemniej zapożyczył ogólne zasady programu AA jako wskazówki postępowania dla mężów, żon, krewnych, przyjaciół i innych osób bliskich alkoholikowi. Rozdział powyższy, choć adresowany do żon, daje pewne pojęcie o trudnościach, jakie są udziałem takich osób. Wspólnota o nazwie Alateen, dla nastoletnich dzieci alkoholików, jest częścią Al-Anonu (...).

Rozdział 9

WIZJA RODZINY PRZEOBRAŻONEJ

KOBIETY skupione w naszej wspólnocie sformułowały pewne wskazówki dla żon, sugerujące właściwy sposób postępowania w okresie, gdy mąż usiłuje powrócić do zdrowia. Czasem można było odnieść wrażenie, iż celem żon jest bezwzględna ochrona trzeźwiejącego alkoholika i umieszczenie go na piedestale. Oczywiście nie jest to prawda. Rozpoczęcie nowego, opartego na zasadach duchowych, życia domaga się zgoła innego podejścia.

Wszyscy członkowie rodziny alkoholika powinni spotkać się na wspólnej płaszczyźnie tolerancji, zrozumienia i miłości. Znalezienie owej płaszczyzny może nastąpić tylko w drodze wzajemnych ustępstw.

Zarówno alkoholik, jak jego żona, dzieci i teściowie mają ustalony, subiektywny pogląd na kwestię, jaki powinien być optymalny stosunek między rodziną a alkoholikiem. Przy tym każda z wymienionych osób uważa, że jej stanowisko powinno być respektowane najbardziej. Uznanym faktem jest, że im bardziej któryś z członków rodziny dąży do podporządkowania sobie innych, tym większą niechęć i gwałtowniejszy sprzeciw budzi swą postawą. Sytuacja taka rodzi tylko niezgodę i nieszczęście.

Powstaje tu pytanie, co jest źródłem tych, skądinąd nagminnych, sytuacji. Czyż nie powstają one dlatego, że każdy z członków rodziny ma ambicje przywódcze? Czy nie jest tak, że każdy ma swoją własną wizję rodziny, jej idealny model przed oczami? Pragnie, niekiedy podświadomie, najpierw uszczknąć coś dla siebie, a dopiero potem – ewentualnie – wnieść co nieco od siebie do życia rodzinnego.

Zaprzestanie picia to dopiero pierwszy krok oddalający nas od pełnego napięcia życia. To pierwszy krok ku normalności. Pewien lekarz powiedział: "Lata przeżyte z alkoholikiem na pewno uczynią z jego żony i dzieci neurotyków.

Cała rodzina alkoholika jest do pewnego stopnia chora". Wszyscy członkowie rodziny winni od samego początku mieć świadomość, że droga, która się rozpoczęła, na pewno nie będzie usłana różami. Każdy krok będzie sprawiał ból. Pojawią się silne pokusy, aby pójść no skróty, aby spróbować bocznych dróżek, na których łatwo jednak zabłądzić.

Postaramy się opowiedzieć wam, na jakie typowe przeszkody może natknąć się rodzina alkoholika. Spróbujemy wskazać, jak uniknąć błądzenia i przeszkód, a gdy się one przydarzą, jak wyciągnąć wnioski i zrobić z nich dobry użytek. Rodzina alkoholika tęskni za powrotem do szczęścia. Marzy o spokoju i poczuciu bezpieczeństwa. Pamięta czasy, kiedy mąż i ojciec był człowiekiem uczciwym i rozważnym, kiedy wiodło im się dobrze. Porównuje swe obecne życie z tym dawnym. Kiedy to porównanie wypada na niekorzyść dnia dzisiejszego, wszyscy okazują się nieszczęśliwi.

Wraz z początkiem nowego życia powoli wzrasta zaufanie rodziny do męża i ojca. Rodzina jest przekonana, że wrócą stare, dobre czasy. Niekiedy wręcz żądają, aby niemal natychmiast je wyczarował. Co więcej, członkowie rodziny wierzą, że Bóg powinien im wręcz zrekompensować złe dni przeżyte z alkoholikiem. Jakby zapomnieli, że głowa domu przez całe lata rujnowała domowe finanse, uczucia, ludzką przyjaźń, zdrowie swoje i innych. Trzeba, by zrozumieli, że odbudowa z ruiny wymaga długiego czasu.

Ojciec ma poczucie winy za to, co się stało. Poprawienie sytuacji materialnej rodziny będzie najprawdopodobniej wymagało wielu lat wytężonej pracy. Gdy podejmuje ten wysiłek, nie należy robić mu wyrzutów z powodu przeszłości. Być może, mimo wytężonej pracy, już nigdy nie zapewni rodzinie poprzedniego dostatku. Rozsądna rodzina będzie ceniła go bardziej za to kim stara się być, niż za to co usiłuje mieć.

Członkowie rodziny powinni być przygotowani na to, że od czasu do czasu będą ich prześladować widma przeszłości, gdyż w "piciorysie" każdego alkoholika wiele jest zarówno śmiesznych, jak i poniżających, haniebnych i tragicznych epizodów. W pierwszym odruchu pragniemy całkowicie o nich zapomnieć, wykreślić je z pamięci. Niektórzy próbują urzeczywistniać zasadę, w myśl której kluczem do osiągnięcia szczęścia jest zatrzaśnięcie drzwi za przeszłością. My sądzimy, iż jest to sposób myślenia nader egoistyczny. Kłóci się on z zasadami duchowymi naszego nowego życia.

Henry Ford kiedyś słusznie zauważył, że doświadczenie stanowi w życiu człowieka najwyższą wartość. Jest to prawda, jeśli ktoś ma wolę obrócenia przeszłości na korzyść. Wzrastamy poprzez stawianie czoła trudnościom, prostowanie błędów i przekuwania ich w zyski. Tak oto przeszłość alkoholika staje się, nieco paradoksalnie, główną i często jedyną wartością jego rodziny.

Ta bolesna przeszłość może być niewyczerpaną wartością dla innych rodzin borykających się ze swoim problemem. Uważamy, że każda rodzina, która uwolniła się od swego problemu ma dług wobec tych rodzin, które się z nim borykają. Jeśli nadarzy się okazja każdy jej członek powinien być gotów przywołać dawne błędy, nieważne jak bolesne i jak głęboko ukryte. Dzielenie się własnym doświadczeniem z tymi, którzy cierpią, przekazywanie im sposobów skutecznej pomocy, ma szczególną wartość w naszym życiu. Trzymaj się kurczowo myśli, że W RĘKACH BOGA CIEMNA PRZESZŁOŚĆ JEST NAJWIĘKSZĄ WARTOŚCIĄ, JAKĄ POSIADASZ. Ona jest kluczem do życia szczęśliwego innych. Korzystając z jej doświadczeń możesz odwrócić od innych widmo śmierci i nieszczęścia.

Odgrzebywanie starych historii i grzebanie w przeszłości to źródło nowych nieszczęść w rodzinie. Bywało, że w okresie picia alkoholik lub jego żona byli uwikłani w jakieś przygody miłosne. W pierwszym odruchu duchowego doświadczenia przebaczyli sobie wzajemnie i bardzo się do siebie zbliżyli. Cud pełnego pojednania leżał w zasięgu ich ręki. I wtedy pod byle jakim pretekstem zaczęli nawzajem wywlekać stare sprawy i walczyć tymi "argumentami" ze sobą. Mężowie i żony byli niekiedy zmuszeni odseparować się na pewien czas, dopóki nie odnieśli oboje zwycięstwa nad swoją zranioną dumą. W większości przypadków udało się nam, alkoholikom, przejść przez tę ciężką próbę bez "wpadki". Ale nie wszystkim się to udało. Dlatego sądzimy, iż nie należy analizować przeszłości w kategoriach pretensji i uraz. Jeśli mamy mówić o przeszłości, to po to, by był z niej pożytek na przyszłość.

Są w naszych rodzinach wstydliwe sprawy, które zachowujemy w sekrecie jak przysłowiowego trupa w wannie. Każdy z nas wie o wielu kłopotliwych sprawach. Taka sytuacja w powszednim życiu może być przyczyną niezmiernych szkód, może powodować skandaliczne plotki, zabawę na cudzy koszt i skłonność do wykorzystywania intymnych sekretów dla własnych korzyści. Wśród nas takie sytuacje zdarzają się rzadko. Mówimy bardzo wiele o sobie nawzajem, ale takie rozmowy staramy się zawsze łagodzić w duchu miłości i tolerancji.

Naszą kolejną ściśle przestrzeganą zasadą jest nie opowiadanie o osobistych przeżyciach innych ludzi, chyba że za ich zgodą. Uważamy, iż najlepiej ograniczyć się do przekazywania własnych doświadczeń, do mówienia o sobie. Jeśli ktoś krytykuje siebie, śmiejąc się z własnych wad to może życzliwie innym pomagać, zaś krytykowanie i ośmieszanie ich wywołuje z reguły odwrotny skutek. Zwłaszcza rodziny alkoholików powinny zachować pod tym względem ostrożność i delikatność pamiętając, że jedna złośliwa i nie przemyślana uwaga może rozpętać piekielną awanturę. My, alkoholicy, jesteśmy bowiem ludźmi drażliwymi. Zapewne upłynie sporo czasu zanim wyzwolimy się z tej poważnej ułomności.

Wielu alkoholików to entuzjaści. Ich naturalnym sposobem bycia jest wpadanie z jednej skrajności w drugą. Rozpoczynając proces zdrowienia, stawiając pierwsze kroki na drodze nowego życia decydują się z reguły na jeden z dwóch wariantów postępowania: albo zaciekle walczą o szybki sukces zawodowy albo też są tak zafascynowani drogą AA, że nie mogą i nie chcą myśleć o niczym innym. Obie te sytuacje powodują problemy w rodzinie. Mieliśmy wiele takich doświadczeń.

Uważamy, że jest to niebezpieczne jeśli alkoholik całkowicie poświęci się zarabianiu pieniędzy. Początkowo rodzina będzie mile zaskoczona widząc, że definitywnie kończą się ich troski finansowe. Potem jednak członkowie rodziny uświadamiają sobie, że są zaniedbywani. Ojciec jest w ciągu dnia ciężko zapracowany, wieczorem zaś notorycznie zmęczony. W niewielkim stopniu interesuje się dziećmi, gdy mu się o tym mówi denerwuje się. Jeśli nawet nie irytuje się, to pozostaje znużony i obojętny. Nie zaś jak tego oczekiwali bliscy, czuły i opiekuńczy. Również żona skarży się, że jest zaniedbywana. Słowem wszyscy w rodzinie czują się zawiedzeni i dają mu to odczuć. Z tych pretensji i narzekań wyrasta powoli mur. Ojciec nadal dokłada starań, aby nadrobić utracony czas. Zabiega o sukcesy w pracy i dobrą opinię. Zdaje mu się, że z powodzeniem.

Żona i dzieci są jednak innego zdania. Noszą w sobie poczucie krzywdy i zaniedbania z czasów pijackiej przeszłości i teraz oczekują od niego więcej niż jest w stanie im dać. Oczekują, żeby się nimi zajął, żeby wróciły miłe, przyjemne dni z czasów zanim on zaczął pić i żeby okazał skruchę z powodu tego co oni wycierpieli.

Ojciec jednak nie potrafi zmienić swojego postępowania. Niechęci narastają, a nawiązanie z nim kontaktu staje się coraz trudniejsze. Niekiedy z byle głupstwa następuje gwałtowny wybuch. Rodzina zdaje się być tym zaskoczona, zaczyna go krytykować, wytykając niedociągnięcia w realizowaniu duchowego programu AA.

Takich sytuacji należy za wszelką cenę unikać. Wina leży po obu stronach, choć każdy ma jakieś racje na swą obronę. Kłótnie do niczego nie prowadzą, jedynie pogarszają i tak złą atmosferę. Rodzina powinna uświadomić sobie, że ojciec, aczkolwiek przeszedł cudowną metamorfozę, nadal jest alkoholikiem. Członkowie rodziny winni być wdzięczni Bogu za to, że głowa rodziny przestała pić i znowu należy do świata. Powinni skoncentrować się na postępach, jakie czyni, ciągle mieć na uwadze, że to picie spowodowało spustoszenie, którego usunięcie i naprawa może trwać długo. Jeśli rodzina uzna i pojmie ten fakt, wówczas przejdzie do porządku dziennego nad stanami jego przejściowej apatii, rozdrażnienia czy depresji. Znikną one powoli w klimacie tolerancji, miłości i duchowego zrozumienia.

Z kolei głowa rodziny powinna pamiętać, że to głównie on sam ponosi winę za stan, w jakim znalazła się jego rodzina.

Zapewne życia mu nie starczy na pełną naprawę krzywd wyrządzonych najbliższym. Alkoholik musi również dostrzegać niebezpieczeństwo, które wiąże się z dążeniem do finansowego sukcesu za wszelką cenę. Wielu z nas odzyskało równowagę finansową, ale wiemy, że PIENIĘDZY NIE NALEŻY STAWIAĆ NA PIERWSZYM MIEJSCU. POSTĘP DUCHOWY ZAWSZE IDZIE PRZED DOBROBYTEM MATERIALNYM, NIGDY ODWROTNIE. Ponieważ rodzina alkoholika w czasie okresu picia ucierpiała najbardziej, byłoby wskazane, aby teraz nie szczędził dla niej sił. Jeśli nie okaże wielkoduszności i prawdziwej miłości pod własnym dachem, zapewne nie zajdzie daleko. Bywają trudne we współżyciu i żony, i rodziny. W znacznym jednak stopniu ich zachowanie jest usprawiedliwione długim alkoholizmem ojca.

Gdyby każdy członek takiej skłóconej, konfliktowej rodziny spróbował dokonać najpierw analizy własnych błędów, mogłoby to stanowić drogę do bardziej konstruktywnej rozmowy bez wybuchowych argumentów, użalania się nad sobą, samousprawiedliwień i nieprzyjaznej krytyki. Z czasem matka i dzieci zauważają, że wymagają od ojca zbyt wiele.

Ojciec zapewne przyzna, że daje im mniej niż powinien. Być może owa samoocena pozwoli wszystkim przyjąć dewizę: LEPIEJ DAWAĆ NIŻ BRAĆ.

Rozważmy inny przykład. Alkoholik przeżył głębokie duchowe przeobrażenie. Zdawać by się mogło, że w ciągu nocy stał się innym człowiekiem. Nagle staje się fanatykiem religijnym. Nie jest w stanie skupić się na niczym innym. Gdy jego abstynencja staje się faktem oczywistym, rodzina zaczyna spoglądać na swego "odnowionego" ojca najpierw z niepokojem, następnie z irytacją. Jedynym tematem rozmowy z nim są sprawy duchowe. Niekiedy wręcz żąda od rodziny podobnej gorliwości religijnej. Albo też, wpadając w drugą skrajność, wykazuje zastanawiającą wobec nich obojętność utrzymując, że jest ponad przyziemnymi sprawami. Może posunąć się nawet do zarzucenia żonie, osobie głęboko i od dawna religijnej, iż nie ma ona pojęcia o wierze. Będzie jej radził, by póki jeszcze nie jest za późno, starała się przyjąć ten rodzaj duchowych przekonań, który on reprezentuje.

Taka postawa ojca rodziny może wywołać nieprzychylne nastawienie. Matka i dzieci mogą wpaść w zazdrość, że przelał swoje uczucia na Boga, zapominając o nich. Żywiąc wdzięczność za to, że ojciec przestał pić, trudniej jest zaakceptować fakt, że to Bóg sprawił cud, gdy ich własne wysiłki spełzły na niczym. Łatwiej natomiast zapomnieć, że jego stan był już poza zasięgiem ludzkich możliwości. Ciągle nie mogą pojąć, dlaczego ich miłość i poświęcenie nie zdołały go uzdrowić. Skoro, w istocie, chce on naprawić dawne krzywdy, to dlaczego interesuje go wszystko inne na świecie, oprócz własnej rodziny? Jak rozumieć jego sformułowanie: "Bóg się zatroszczy o was?" Domownicy zaczynają podejrzewać, że ojciec jest sfiksowany na tym punkcie.

On jednak nie jest tak niezrównoważony, jak mogliby sądzić jego bliscy. Przyznajmy, że wielu z nas przeżyło okres podobnej euforii. Z upodobaniem zanurzaliśmy się w otchłanie życia duchowego. Byliśmy jak poszukiwacze złota, którzy w pogoni za drogocennym kruszcem nie zauważyli, że kończy się im żywność. Znajdowaliśmy się w stanie bezgranicznej radości z powodu wyzwolenia się od życia będącego wielkim pasmem frustracji. Ojciec rodziny sądzi, że znalazł coś cenniejszego niż złoto. Może też sądzi, że powinien cały skarb zachować dla siebie. Zauważy wkrótce, że zasoby są nieograniczone. NAJWIĘKSZE KORZYŚCI ODNIESIE WÓWCZAS, GDY BĘDZIE EKSPLOATOWAŁ OWO ZŁOŻE PRZEZ CAŁE ŻYCIE, ROZDAJĄC SWÓJ "UROBEK" INNYM, POTRZEBUJĄCYM LUDZIOM.

Przy życzliwej współpracy rodziny alkoholik rychło pojmie, że brakuje mu właściwej hierarchii wartości. Zauważy on, iż jego życie duchowe jest jakby spaczone, niepełne. W przypadku przeciętnego człowieka, a takim przecież jest, życie duchowe, w którym nie ma dość miejsca na rodzinę nie może być doskonałe. Jeśli z kolei rodzina zrozumie i zaakceptuje fakt, że obecne zachowanie ojca i męża jest typowe dla tego etapu jego rozwoju, to prawdopodobnie w przyszłości wszystko ułoży się dobrze. W domu, gdzie panuje atmosfera współczucia i wzajemnego zrozumienia, owe ojcowskie dziwactwa i skrajności zapewne szybko przeminą.

Inaczej ułożą się sprawy, jeśli rodzina skoncentruje się na potępianiu i krytykowaniu alkoholika. Ojciec będzie żył w głębokim przekonaniu, że dostatecznie długo w sporach rodzinnych nie miał racji. Teraz nareszcie, sprzymierzony z Bogiem, ma szansę, aby zająć w swej rodzinie nadrzędną, należną mu pozycję. Rodzina może, wbrew zamiarom, przyczynić się do utrwalenia w ojcu jego błędnego mniemania o sobie, jeśli w dalszym ciągu zajmować będzie wobec alkoholika postawę konsekwentnego krytycyzmu. Ojciec alkoholik będzie coraz bardziej zamykał się w sobie, zamiast starać się budować normalne stosunki z najbliższymi. Dokona tego wyboru w przeświadczeniu, że ma do tego moralne prawo.

Rodzina powinna ustąpić, nawet gdy nie pojmuje nowych praktyk życia duchowego, którym oddaje się obecnie ojciec. Jeśli nieco zaniedbuje rodzinę i wykazuje nie dość odpowiedzialności w odniesieniu do jej potrzeb trzeba się z tym pogodzić, gdy jest to koszt pomocy świadczonej przez ojca na rzecz innych alkoholików. W pierwszym okresie rekonwalescencji praca z innymi alkoholikami jest najlepszą, najpewniejszą gwarancją zachowania abstynencji.

Być może pewne przejawy działalności ojca rodziny będą nas bulwersowały i budziły sprzeciw. Niemniej sądzimy, że podążając nową drogą wkrótce znajdzie się na solidniejszym gruncie i wybrał lepsze i solidniejsze podstawy niż człowiek, który nad rozwój duchowy przedkłada cele zarobkowe i interesy finansowe. Nowa droga obrana przez ojca stwarza o wiele mniejsze ryzyko powrotu do picia. A o to przecież przede wszystkim chodzi. Jest to priorytet!

Wielu z nas spędziło sporo czasu w sztucznym świecie pseudoduchowego życia. W końcu sami dostrzegliśmy, że to dziecinada. Świat marzeń i miraży zastąpiliśmy wielkim poczuciem celu oraz towarzyszącą mu świadomością roli Boga w naszym życiu. Doszliśmy do przekonania, że według Boskiego życzenia będąc myślami wysoko razem z Nim, jednocześnie musimy mocno stąpać po ziemi. Po niej bowiem odbywają swą doczesną wędrówkę nasi bliźni. Tutaj też winniśmy wykonywać swoją pracę. Taka jest rzeczywistość, która nas otacza. Nasze doświadczenie mówi, że głębokie i duchowe życie może być równocześnie pożyteczne i szczęśliwe.

Poddajmy jeszcze jedną sugestię. Otóż rodzina alkoholika powinna starać się poznać zasady, w oparciu o które buduje on swe życie. I to niezależnie od tego, czy je podziela, czy też nie. Z reguły bliscy potrafią docenić te proste zasady, mimo że ojciec ma ciągle pewne trudności ze stosowaniem ich na co dzień. Największej pomocy alkoholikowi usiłującemu żyć według reguł duchowych może udzielić jego żona, pod warunkiem, że pozna i zaakceptuje ten rozsądny duchowy program i sama zacznie go stosować w codziennym życiu.

Alkoholizm ojca i męża może spowodować jeszcze inne głębokie zmiany w życiu domowym. Ojciec, przez lata całe odurzony alkoholem, nie był w stanie pełnić funkcji głowy rodziny. Rolę tę wzięła na siebie żona – matka rodziny. Sprostała odważnie tej odpowiedzialności. Siłą rzeczy zmuszona była traktować męża jak chore i krnąbrne dziecko. Mąż nawet gdyby chciał, nie mógł odzyskać swej pozycji w rodzinie, ponieważ cała jego energia była skierowana na alkohol. Ona planowała życie rodziny i kierowała nią. Ojciec, gdy nie pił, podporządkowywał się tym rządom. W ten oto sposób matka rodziny, chcąc nie chcąc, przyzwyczaiła się do wypełniania roli uważanej powszechnie za męską. Mąż, wracając na nowo do życia, stara się usilnie zostać ponownie głową rodziny. Sytuacja ta rodzi nowe konflikty i kłopoty. Można je zażegnać przyjaźnie tylko w ten sposób, że każda ze stron przeanalizuje uczciwie swe skłonności i samokrytycznie je skoryguje.

Picie ojca izolowało domowników od świata zewnętrznego. Ojciec rodziny od lat nie uczestniczył w życiu społecznym i towarzyskim, nie istniał dla niego sport czy inne zainteresowania. Kiedy jego zapomniane pasje i hobby ożywają, rodzina często patrzy na ten wybuch aktywności z zazdrością. Jest zaborcza, pragnie mieć w stosunku do ojca wyłączne prawo własności i nie zamierza się dzielić jego czasem z innymi. Zamiast starać się rozwijać swoje zainteresowania, matka i dzieci żądają od niego, aby stale przebywał w domu, w ten sposób naprawiając niejako stare, niegdyś wyrządzone im krzywdy.

Od samego początku mąż i żona powinni liczyć się z tym, że każde z nich będzie musiało pójść na ustępstwa w takiej, czy innej sprawie. Kompromis jest konieczny, jeśli rodzina ma odegrać ważną, pozytywną rolę w nowym życiu męża i ojca. Ojciec rodziny, chcąc utrzymać abstynencję powinien poświęcać wiele czasu na pomoc innym alkoholikom, ale i tu konieczny jest umiar. Będzie zapewne zawierał nowe znajomości z ludźmi, którzy nie znają problemu alkoholowego. Trzeba nauczyć się uwzględniać i ich wymagania. Być może członkowie rodziny zaczną się udzielać w pracy społecznej. Rodzina, która nie była dotąd religijna, może zechce teraz uczęszczać do kościoła.

Alkoholicy, szydzący często z ludzi religijnych, w okresie trzeźwienia potrzebują kontaktu z nimi. Przeżywając duchowe doświadczenia alkoholik łatwo może stwierdzić, że ma dużo wspólnego z ludźmi głęboko wierzącymi, mimo wielu poszczególnych różnic poglądowych. Jeśli nie uwikła się w dysputy religijne, zapewne zyska nowych przyjaciół, z którymi kontakt będzie i przyjemny, i wysoce pożyteczny. W tej atmosferze duchowej alkoholik i jego rodzina mogą promieniować jasnym światłem optymizmu w nowym otoczeniu. Mogą być źródłem nowej nadziei i siły dla osób duchownych, jako przykłady całkowitego poświęcenia ideałom pomocy innym. Oczywiście nasze uwagi są tylko sugestiami, jak można postępować. Nie ma w nich nic z przymusu. Nie możemy podejmować decyzji za innych ludzi, każdy musi kierować się własnym sumieniem.

Mówiliśmy dotąd o sprawach poważnych, niekiedy tragicznych. Poznaliśmy alkohol od najgorszej strony. Ale przecież w naszej świadomości tkwią nie tylko ponure, smutne myśli i wspomnienia. Gdyby tylko tak było potencjalni członkowie wspólnoty, nie dostrzegając w nas radości ani optymizmu, omijaliby nasz ruch z daleka. Podkreślamy z całym przekonaniem, że należy się cieszyć życiem. Staramy się nie popadać w cynizm. Nie mamy zamiaru dźwigać kłopotów całego świata na naszych barkach. Gdy widzimy, jak ktoś grzęźnie w bagnie alkoholizmu, staramy się udzielić mu pierwszej pomocy. Oferujemy mu wszystko, czym dysponujemy. Kierując się jego dobrem przypominamy sobie, i niemal ponownie przeżywamy, naszą ponurą przeszłość. Zachowajmy jednak w tym umiar. Ci z nas, którzy próbowali udźwignąć cały ciężar kłopotów innych ludzi wkrótce czuli się nimi okrutnie przytłoczeni.

Jesteśmy przekonani, że naszymi sprzymierzeńcami są pogoda ducha i uśmiech. Ludzie spoza naszej wspólnoty są niekiedy zaskoczeni, gdy wybuchamy śmiechem, opowiadając sobie jakiś tragiczny epizod z przeszłości. Czemu jednak nie mielibyśmy się śmiać? Przecież ozdrowieliśmy. Otrzymaliśmy również niezbędną siłę, aby nieść pomoc innym ludziom.

Wiadomo, że ludzie chorzy rzadko się śmieją. A więc uczmy się weselić i bawić, gdy tylko nadarza się po temu okazja czy to w gronie rodziny czy też poza nią. Jesteśmy przekonani, że Bóg pragnie, abyśmy czuli się wolni, szczęśliwi i radośni. Nie podzielamy stanowiska, że Ziemia jest padołem cierpień i łez choć wielu z nas tak się ona w przeszłości jawiła. Sami byliśmy sprawcami takiej wizji. Bóg jej przecież nie stworzył. Unikaj zatem świadomego sprowadzania na siebie nieszczęść. Jeśli zaś one nadejdą zaufaj Bogu, z radością wykorzystaj tę okazję do zademonstrowania wiary w Boską wszechmoc.

A teraz parę zdań o zdrowiu. Organizm zniszczony przez alkohol nie zregeneruje się przez jedną noc. Tak samo "pijany" sposób myślenia i depresja nie znikną w mgnieniu oka. Wierzymy, że duchowy model życia to najlepsze lekarstwo na nasze rozliczne i różnorodne bóle. Ludzie, którzy ozdrowieli z alkoholizmu są przykładami cudownych wręcz przemian również w sferze psychicznej. Trudno ukryć podziw nad poprawą naszego stanu fizycznego. Rzadko który z nas, alkoholików, nosi na sobie nieusuwalne ślady nałogu.

Nie oznacza to byśmy lekceważyli stan naszego zdrowia. Na szczęście jest na świecie wielu dobrych lekarzy, psychologów, specjalistów z różnych dziedzin medycyny. Nie wahaj się zasięgnąć u nich rady odnośnie stanu twego zdrowia. Wielu z nich z zamiłowaniem wykonuje swój zawód pragnąc, abyśmy mogli cieszyć się zdrowiem fizycznym i psychicznym. Pamiętamy, że chociaż Bóg uczynił z nami cud, powinniśmy korzystać z pomocy dobrego internisty czy psychiatry. Często owa pomoc jest niezbędna, zarówno w początkowym okresie abstynencji, jak i później.

Jeden z lekarzy, który miał okazję zapoznania się z treścią tej książki jeszcze w maszynopisie, wyraził opinię, że dobre rezultaty daje często obecność słodyczy w diecie pacjenta alkoholika. Oczywiście, w każdym indywidualnym przypadku decydować musi lekarz. W myśl tej opinii alkoholik powinien mieć przy sobie zawsze czekoladę. Jej skonsumowanie przyczyni się do szybkiego zregenerowania energii w okresie wyczerpania fizycznego. Ów lekarz dodał, że pojawiające się nagle w nocy łaknienie alkoholu można zahamować przez zjedzenie zwykłego cukierka. Wielu z nas zauważyło w okresie abstynencji wzmożony apetyt na słodycze. Trzeba go zaspokajać. Daje to dobre rezultaty.

Teraz słowo o życiu seksualnym. Dla niektórych mężczyzn alkohol jest afrodyzjakiem, powodującym nadaktywność seksualną. Niekiedy małżonki zauważają, że mąż po zerwaniu z piciem wykazuje oznaki impotencji. Może to prowadzić do stanów absurdalnego przygnębienia, zwłaszcza gdy nie rozumie się przyczyn takiej reakcji organizmu alkoholika. Niektórzy z nas przeszli przez tego rodzaju doświadczenie. Przeżyliśmy je, by po upływie kilku miesięcy stwierdzić, że nasze współżycie seksualne układa się teraz lepiej niż kiedykolwiek. Jeśli jednak owa pozytywna zmiana nie nastąpi, nie wahaj się zasięgnąć opinii lekarza czy psychologa. Nie znamy przypadków, w których ten problem nie znalazłby pomyślnego rozwiązania.

Niepijącemu już alkoholikowi trudno ponownie nawiązać przyjazne stosunki z dziećmi. Pijaństwo ojca odbiło się wyraźnie na wrażliwej psychice dzieci. Chociaż nie wyrażają tego w słowach, mogą serdecznie nienawidzić go za krzywdy, które wyrządził im i matce. Dzieci potrafią być zawzięte i nawet cyniczne. Niekiedy zdaje się, jakby nie były zdolne przebaczyć i zapomnieć, nawet gdy matka już od dawna zaakceptowała nowy sposób życia i myślenia ojca.

Po jakimś czasie dzieci zauważą jednak, że ojciec stał się innym, nowym człowiekiem. Dadzą to tacie odczuć we właściwy dla dzieci sposób. Można je wtedy zaprosić do porannej medytacji i codziennych dyskusji. Wezmą w nich udział chętnie i ze zrozumieniem. Od tego momentu zacznie się szybki postęp. Ponowne pojednanie ojca z dziećmi przyniesie zgoła cudowne rezultaty.

Bez względu na to, czy rodzina alkoholika przyjmie nasz duchowy program, czy też odrzuci go, dla alkoholika nie ma alternatywy. Aby zdrowieć, musi pójść drogą duchowego rozwoju. Członkowie rodziny powinni wierzyć, ponad wszelkie wątpliwości, że idzie on we właściwym kierunku. Powinni uwierzyć w cud, gdyż są jego naocznymi świadkami.

Oto charakterystyczny przykład. Jeden z naszych przyjaciół pije dużo kawy i jest nałogowym palaczem tytoniu. Bywa, że przekroczy miarkę w obu nałogach. Żona, chcąc mu pomóc, poczęła go strofować. Mąż przyznał, że w istocie rzeczy ma ona rację, ale jednocześnie szczerze oznajmił, że nie ma zamiaru ograniczyć stosowania owych używek. Ponieważ żona w głębi duszy przekonana jest o "grzeszności" picia kawy i palenia papierosów, usiłowała wpłynąć na męża dokuczliwym gderaniem. Jej nietolerancja doprowadziła go w końcu do wściekłości. W rezultacie po prostu się upił.

Oczywiście, nasz przyjaciel nie miał racji. Przyznał to później, gdy przyjął nasz program duchowego rozwoju. Jest teraz jednym z najbardziej aktywnych członków Wspólnoty Anonimowych Alkoholików. Nadal pije kawę i pali papierosy, ale nikt z jego najbliższych, tym bardziej żona, nie wtrąca się już do tego. Żona poniewczasie zrozumiała, że niepotrzebnie stworzyła sztuczny problem wówczas, gdy mąż starał się wyjść z bezporównania poważniejszego nałogu, z alkoholizmu. W podobnych sytuacjach proponujemy wam stosowanie trzech haseł.

Oto one:

WSZYSTKO W SWOIM CZASIE (zacznij od najważniejszego).

ŻYJ I DAJ ŻYĆ (innym).

PROSTĄ DROGĄ NAJLEPIEJ (i prostą drogą zwykle najłatwiej).

Rozdział 10

DO PRACODAWCÓW

SPOŚRÓD wielu pracodawców doby współczesnej wybraliśmy człowieka, który większość życia spędził w świecie wielkich interesów, a obecnie jest członkiem naszej wspólnoty. Oddajemy mu głos.

"Byłem kiedyś zastępcą dyrektora firmy, zatrudniającej 6600 pracowników. Pewnego dnia moja sekretarka oznajmiła mi, że pan B. pragnie koniecznie widzieć się ze mą. Nie chciałem z nim rozmawiać, ostrzegałem go już poprzednio, dając mu jeszcze ostatnią szansę. Ów człowiek w ciągu następnych dwóch dni dzwonił do mnie z miasta Hartford. Był tak pijany, że z trudnością mówił. Oznajmiłem mu, iż sprawę z nim uważam za definitywnie skończoną.

Niedługo potem moja sekretarka oświadczyła, że telefonuje brat pana B. Pragnie mi on przekazać jakąś wiadomość. Spodziewałem się usłyszeć nową prośbę o przebaczenie, ale w słuchawce zabrzmiały te oto słowa: Chciałem jedynie zawiadomić pana, że w zeszłą sobotę Paul skoczył z okna hotelu w Hartford. Pozostawił wiadomość, że uważał pana za najlepszego zwierzchnika oraz, że nie ponosi pan żadnej winy za to, co się stało.

Innym razem, gdy otworzyłem list leżący na moim biurku, wypadł z niego wycinek z gazety. Był to nekrolog o śmierci jednego z moich najlepszych przedstawicieli handlowych, jakich kiedykolwiek miałem. Po dwóch tygodniach picia popełnił samobójstwo strzelając sobie w otwarte usta. Sześć tygodni wcześniej zwolniłem go za pijaństwo w pracy.

Jeszcze jeden przykład. W słuchawce telefonu odezwał się kobiecy głos, ledwie słyszalny z dalekiej Virgini. Pytała czy ubezpieczenie na życie dla jej męża jest nadal ważne. Cztery dni wcześniej powiesił się on w szopie na drewno. I jego musiałem poprzednio zwolnić za pijaństwo, chociaż był doskonałym, gorliwym pracownikiem, jednym z najlepszych organizatorów, jakich znałem.

Oto trzech wyjątkowych ludzi straconych dla świata, niejako z mojego powodu, gdyż wówczas nie pojmowałem alkoholizmu, tak, jak dziś tę chorobę rozumiem. O ironio – sam wkrótce stałem się alkoholikiem! I gdyby nie pomoc pewnej rozumiejącej alkoholizm osoby, sam poszedłbym w ślady osób opisanych wyżej. Mój upadek kosztował firmę tysiące dolarów, gdyż przygotowanie fachowca do sprawowania kierowniczego stanowiska jest bardzo drogie. Straty tego rodzaju są w istocie niewymierne. Brak zrozumienia zjawiska alkoholizmu powoduje w każdym przedsiębiorstwie dotkliwe straty, które są przecież do uniknięcia".

Dziś każdy nowocześnie myślący pracodawca czuje się moralnie odpowiedzialny za niesienie skutecznej pomocy dla pracowników i stara się wywiązać z tej odpowiedzialności. Jest skądinąd zrozumiałe, że ta postawa nie zawsze ma zastosowanie wobec alkoholików. Alkoholik często jawi się pracodawcy jako człowiek nierozumny. Ale ze względu czy to na jego specjalne uzdolnienia, czy to na osobiste przywiązanie do alkoholika pracodawca toleruje jego obecność w firmie, często ponad granice rozsądku. W takich przypadkach pracodawcom trudno zarzucić brak cierpliwości i tolerancji. Wykorzystywaliśmy często owe najlepsze cechy naszych pracodawców. Nie wolno nam ich teraz winić za to, że w końcu stracili cierpliwość.

Oto kolejny, typowy przykład:

Pewien urzędnik w dużej instytucji bankowej wiedział, że przestałem pić. Pewnego dnia opowiedział mi, iż jeden z dyrektorów tego banku jest bez wątpienia alkoholikiem. W czasie jego opowieści nabrałem przekonania, że mogę się temu nieszczęśnikowi przydać. Przez dwie godziny charakteryzowałem memu rozmówcy chorobę alkoholową. Jak tylko mogłem najlepiej opisywałem jej objawy i skutki. Ów urzędnik skomentował mój wykład następująco: "To, co pan powiedział jest bardzo ciekawe. Ale sądzę, że on skończył już z piciem. Właśnie bowiem wrócił z trzymiesięcznego urlopu na kurację odwykową. Wygląda dobrze. Dyrekcja banku, aby zakończyć sprawę, zawiadomiła go, iż daje mu ostatnią szansę". Odpowiedziałem na to, że jeśli ten człowiek będzie postępował jak typowy alkoholik, pójdzie na większą pijatykę, niż kiedykolwiek przedtem. Wiedziałem, że jest to nieuniknione i zastanawiałem się, czy bank nie wyrządza mu krzywdy. Dlaczego nie chcą skontaktować go z kimś z nas? Mogłaby to być dla niego szansa. Zaznaczyłem, że sam nie piję od trzech lat, choć mam kłopoty, z powodu których dziewięciu na dziesięciu ludzi upiłoby się na umór. Czyż nie mógłby przynajmniej posłuchać mojej opowieści?

Byłem rozczarowany. Opadły mi ręce, ponieważ spostrzegłem, że nie udało mi się przekonać owego urzędnika. Po prostu nie mógł przyjąć do wiadomości, że jego kolega cierpi na poważną chorobę. Pozostało mi tylko czekać.

Wkrótce ten człowiek miał "wpadkę" i został wyrzucony z pracy. Skontaktowaliśmy się wtedy z nim. Bez oporów zaakceptował nasze zasady i program samopomocy. Bez wątpienia jest na dobrej drodze do zdrowienia. Według mnie, ten przypadek ilustruje brak zrozumienia istoty alkoholizmu i nieznajomość roli, jaką pracodawcy mogliby odegrać w ratowaniu swoich pracowników.

Jeśli pragniesz pomóc, dobrze byłoby, gdybyś nie przyrównywał własnych sposobów picia bądź abstynencji. Niezależnie od tego czy pijesz dużo, umiarkowanie, czy wcale, możesz mieć pewne ugruntowane opinie, a nawet uprzedzenia. Ci, którzy piją umiarkowanie, mogą wykazywać mniej cierpliwości dla alkoholika niż całkowity abstynent. Pijąc okazjonalnie i znając własne reakcje możesz być pewien wielu rzeczy, które – w przypadku alkoholika – wyglądają po prostu inaczej. Jako człowiek pijący umiarkowanie, możesz pić lub nie. Kontrolujesz picie wedle swojej woli. Wieczorem możesz sobie popić, rano wstać, otrząsnąć się i iść do pracy. Dla ciebie alkohol nie jest prawdziwym problemem. Nie możesz zrozumieć, dlaczego miałby nim być dla kogokolwiek, oprócz głupców i ludzi bez charakteru.

Jeśli masz do czynienia z alkoholikiem, możesz się naturalnie irytować, że człowiek potrafi być tak słaby, głupi i nieodpowiedzialny. Nawet jeśli zrozumiesz tę chorobę lepiej takie odczucie może cię nadal ogarniać.

Przypatrz się bliżej alkoholikowi pracującemu w twojej firmie – jest to często pouczające. Czyż nie jest on zwykle błyskotliwy, bystry, pełen wyobraźni i dający się lubić? Gdy jest trzeźwy, czyż nie przykłada się do pracy i nie ma do niej smykałki? Gdyby nie pił, czy nie warto by go zatrzymać dla tych zalet? Czyż nie wymaga takiego samego traktowania jak inni chorzy pracownicy? Czy warto go uratować? Jeśli zdecydujesz, że tak – z pobudek ludzkich czy zawodowych, bądź jednych i drugich, mogą ci pomóc następujące sugestie:

Czy możesz pozbyć się uczucia, że masz do czynienia wyłącznie z nałogiem, uporem i słabą wolą? Jeśli sprawia ci to trudność, przeczytaj ponownie rozdziały drugi i trzeci, które dokładnie omawiają chorobę alkoholową. Ty, jako człowiek interesu, chcesz znać przyczyny zanim zauważysz skutek. Jeśli uznasz, że twój pracownik jest chory, czy możesz mu przebaczyć winy? Czy jego dawne szaleństwa można puścić w niepamięć? Czy można uznać, że padł ofiarą spaczonego myślenia spowodowanego bezpośrednio oddziaływaniem alkoholu na jego mózg?

Dobrze pamiętam szok, jakiego doznałem, kiedy sławny lekarz z Chicago mówił mi o przypadkach, w których ciśnienie płynu mózgowordzeniowego dosłownie rozerwało mózg. Nic dziwnego, że alkoholik jest niezwykle irracjonalny. Jakiż ma być z takim schorzeniem mózgu? Pijący okazjonalnie nie mają takich dolegliwości, ani też nie potrafią zrozumieć "błądzenia" alkoholika.

Alkoholik prawdopodobnie próbuje ukryć wiele przewinień, czasami poważnych lub obrzydliwych. Być może trudno ci będzie zrozumieć, jak taki pozornie nieprzeciętny facet mógł się tak uwikłać. Bez względu na to, jak ciężkie są te przewinienia, można je z reguły przypisać nienormalnemu działaniu alkoholu na jego umysł. Alkoholik, niekiedy człowiek wyjątkowej uczciwości gdy nie pije, w okresie picia lub zaleczania kaca potrafi robić niewiarygodne rzeczy. Owe szaleństwa mają prawie zawsze charakter przejściowy. Nie chcemy przez to powiedzieć, że wszyscy alkoholicy, kiedy nie piją, są ludźmi uczciwymi i godnymi zaufania. Tak nie jest. Alkoholicy również, jak inni, bywają oszustami. Niektórzy potrafią cynicznie wykorzystywać dobroć, uprzejmość i pomoc innych ludzi.

Jeśli jesteś pewny, że alkoholik nie chce przestać pić, zwolnij go z pracy. Im szybciej to zrobisz, tym lepiej. Trzymając go w firmie wcale nie wyświadczasz mu przysługi. Wręcz przeciwnie, właśnie wyrzucenie takiej osoby z pracy może być dla niej błogosławieństwem. To może być ten ostateczny wstrząs, którego on potrzebuje. Z własnego doświadczenia wiem, że nic co zrobiłaby dla mnie moja firma nie powstrzymałoby mnie od picia. Trzymałbym się kurczowo swojego stanowiska, dopóki nie uświadomiłbym sobie powagi swojej sytuacji. Gdyby zwolniono mnie od razu i zaoferowano pomoc zawartą w tej książce, powróciłbym do firmy po sześciu miesiącach jako zdrowy człowiek. Są wśród nas ludzie, którzy chcą przestać pić. Dla nich warto się potrudzić. W stosunku do takich opłaca się być wyrozumiały.

Może znasz takiego człowieka. Chce przestać pić, a ty chcesz mu pomóc, choćby tylko dla dobra firmy. Wiesz już więcej o alkoholizmie. Rozumiesz, że ten człowiek jest psychicznie i fizycznie chory. Skłonny jesteś przymknąć oko na jego poprzednie wyskoki. Przypuśćmy, że postąpisz z nim tak – powiedz mu, że wiesz o jego piciu i że musi się ono skończyć. Nadmień, że doceniasz jego zdolności, chciałbyś go zatrzymać, ale nie możesz, jeśli nie rzuci alkoholu. Zdecydowana postawa w tym względzie pomogła wielu z nas.

Następnie zapewnij go, że nie masz zamiaru go pouczać, moralizować lub potępiać. Jeśli tak w przeszłości było, to wynikało to z niezrozumienia. Powiedz, że nie żywisz do niego urazy. Delikatnie napomknij, iż wiesz, że alkoholizm jest chorobą i myślisz, że jest on ciężko, nieuleczalnie chory. Zapytaj, czy chce zdrowieć. Pytasz, ponieważ wiesz, że wielu wykolejonych i wyniszczonych alkoholików nie chce. Jaka jest jego decyzja?

Jeżeli powie, że chce spróbować upewnij się, czy naprawdę ma taki zamiar, czy też w duchu myśli, że cię przechytrzy i że po odpoczynku i leczeniu od czasu do czasu ujdzie mu parę kieliszków. Uważamy, że w tym względzie trzeba go dokładnie wybadać i upewnić się, że nie oszukuje ani siebie ani ciebie.

Czy wspomnisz o tej książce, czy też nie, pozostawiamy to twojemu uznaniu. Jeśli gra na zwłokę i nadal myśli, że kiedyś będzie mógł pić, choćby piwo, możesz go równie dobrze zwolnić po najbliższej popijawie, która prawie na pewno nastąpi. Wbij mu to dobrze do głowy. Albo masz do czynienia z człowiekiem, który chce i ma szanse zdrowieć, albo nie! Jeżeli nie, po cóż tracić dla niego czas? Zwykle jest to najlepszy sposób postępowania, choć może się on wydawać bezwzględny.

Upewniwszy się, że człowiek ów chce zdrowieć i zrobi wszystko, aby tak się stało, możesz mu zaproponować określony program działania. Dla większości alkoholików, którzy piją lub właśnie wydostają się z picia, pożądana, a nawet konieczna jest ogólna pomoc lekarska. O jej formie musi zadecydować lekarz. Niezależnie od wyboru metody, organizm i mózg pacjenta muszą być dokładnie oczyszczone z alkoholu.

Pod kontrolą doświadczonego lekarza proces ten nie trwa zazwyczaj długo i nie jest zbyt kosztowny. Twój podopieczny poczuje się lepiej osiągając stan, w którym zdoła na nowo przytomnie myśleć i przestanie czuć łaknienie. Jeśli propozycja leczenia medycznego wyjdzie od ciebie, licz się z tym, że być może będziesz musiał pokryć koszty.

Nasza rada: w przyszłości odciągnij je z zarobków pacjenta.

ALKOHOLIK POWINIEN CZUĆ SIĘ ODPOWIEDZIALNY ZA KOSZTY SWEGO POWROTU DO ZDROWIA. Taka świadomość jest dla niego korzystna. Jeśli pracownik zgadza się na kurację, uprzedź go, że zabiegi medyczne stanowią tylko niewielką część szeroko zakrojonego programu. I choć do jego dyspozycji są najlepsi lekarze, to jednak wynik leczenia zależy od zmiany jego świadomości, której tylko on sam może dokonać. Przezwyciężenie picia wymaga bowiem przebudowy sposobu myślenia i zmiany postawy. Wszyscy w AA uznaliśmy sprawę naszego zdrowienia za naczelną. Bez osiągnięcia tego nadrzędnego celu niechybnie stracilibyśmy i domy i pracę.

Odpowiedz sobie na pytanie, czy pomagając alkoholikowi równocześnie wierzysz, że jest on zdolny do poprawy?

Czy on z kolei może ci ufać, że będziesz dyskretny i bez jego zgody nie poinformujesz nikogo ani o jego pijackich wyczynach ani o leczeniu? Byłoby też wskazane, aby długo i serdecznie pogawędzić z nim, gdy powróci już z kuracji odwykowej.

Wróćmy do tematu naszej książki. Zawiera ona komplet rad, które mogą być przydatne dla pracownika pragnącego powrócić do zdrowia. Może niektóre z naszych sugestii wydadzą ci się zupełnie nowe. Być może nie do końca będziesz aprobował nasze podejście. Zważ, że w żadnym przypadku nie uzurpujemy sobie prawa do ostatniego słowa w dziedzinie alkoholizmu. Twierdzimy jedynie, że o ile nam wiadomo, proponowany tu program dał dobre rezultaty. A głównie przecież chodzi o pomyślny rezultat, nie zaś o to, kto ma absolutną rację. Nie jest też najważniejsze, by to się spodobało od razu twemu pracownikowi, ważne, by poznał posępną prawdę o alkoholizmie. To mu nie zaszkodzi, nawet gdyby nie przyjął naszego sposobu postępowania. Proponujemy też, aby z treścią tej książki zapoznał się również lekarz, pod którego opieką medyczną znajduje się twój pracownik.

Pacjent powinien przeczytać tę książkę, wówczas, gdy tylko jest w stanie. Jeśli czytając będzie jeszcze w stanie silnej depresji, może lepiej zrozumie istotę swojej choroby. Mamy nadzieję, że również lekarz szczerze przedstawi mu jego sytuację zdrowotną, jakakolwiek by ona nie była.

Proponując choremu lekturę tej książki nie nalegajmy, aby koniecznie, "od zaraz", realizował zawarte w niej rady. Alkoholik musi sam podjąć w tej sprawie decyzję. Zakładamy, że zmiana twojej wobec niego postawy i treść tej książki spełnią swoje zadanie. W niektórych przypadkach tak będzie, w innych nie. Myślimy jednak, że jeśli będziesz wytrwały, zostaniesz sowicie wynagrodzony. Ponieważ nasza działalność ma coraz większy zasięg i jest nas coraz więcej, istnieje szansa na to, że twoi pracownicy mogą nawiązać z niektórymi z nas osobiste kontakty. Póki co, jesteśmy pewni, że wiele można osiągnąć przy pomocy lektury samej książki.

Po powrocie pracownika z kuracji poświęć czas na rozmowę z nim. Zapytaj go, czy sądzi, że znalazł odpowiedź na swój problem. Jeżeli będzie z tobą rozmawiał swobodnie o swoich dylematach, wiedząc że go rozumiesz i bez skrępowania powie ci wszystko, co chce, prawdopodobnie jest gotowy do rozpoczęcia realizacji naszego programu. Teraz nasuwa się jeszcze jedno pytanie: czy jako pracodawca jesteś w stanie spokojnie wysłuchać nawet szokujących wyznań twego podopiecznego? Może on na przykład ujawnić, że w twojej firmie fałszował rachunki, albo że planował pozbawić cię najlepszych klientów. W istocie może wyznać wiele szokujących spraw, skoro zaakceptował nasz program, który wymaga absolutnej uczciwości. Czy potrafisz puścić w niepamięć jego wyznania? Czy będzie cię stać, by to i owo spisać "na straty" i zacząć współpracę z nim od nowa? Jeśli jest winien pieniądze, postaw warunki, na przykład rozkładając dług na raty.

Jeśli wtajemniczy cię w swe sprawy domowe, spróbuj i w tej dziedzinie pomóc. Czy będziesz w stanie spokojnie wysłuchać jego otwartego wyznania o stosunkach panujących w firmie? Czy nie wzburzy cię, gdy posunie się do krytykowania współpracowników?

Jeśli pozwolisz mu na zupełnie szczerą wypowiedź, bądź pewien, że zyskasz jego dozgonną lojalność.

Pamiętajmy, że największymi wrogami alkoholików są takie uczucia, jak gniew, zawiść, zazdrość, przygnębienie i stres. W świecie interesów zawsze istnieje coś w rodzaju rywalizacji i – co za tym idzie – obecność intryg biurowych.

Nam, alkoholikom, wydaje się czasem, że inni ludzie próbują ciągnąć nas w dół. Najczęściej wcale tak nie jest. Czasem jednak nasze picie zostanie wykorzystane w celu zdegradowania naszej pozycji w firmie. Nasuwa się tu przykład pewnego złośliwego człowieka, który zawsze robił "nieszkodliwe" żarciki o wyczynach alkoholików. W ten sposób podstępnie rozpowszechniał plotki. W innym przypadku gdy alkoholika posłano do szpitala na leczenie, o sprawie wiedziało parę osób, ale niedługo huczało o tym w całym przedsiębiorstwie. To naturalnie zmniejszyło jego szanse na powrót do zdrowia. Wielokrotnie pracodawca mógłby ochronić ofiarę przed takimi plotkami. Pracodawca nie powinien nikogo faworyzować, na ogół jednak jest w stanie obronić człowieka przed zbędnymi prowokacjami i niesprawiedliwą krytyką.

Alkoholicy są z reguły ludźmi energicznymi. Pracują i bawią się z jednakowym oddaniem. Perfekcjonizm i maksymalizm leżą w ich charakterze. Osłabiony fizycznie i stojący wobec konieczności fizycznego i psychicznego przystosowania się do życia bez alkoholu, twój pracownik może wpaść w przesadę. Być może będziesz musiał ostudzić jego zapał do pracy po szesnaście godzin na dobę. Może co jakiś czas będzie potrzebował zachęty do zajęcia się rozrywką. Może pragnie działać na rzecz innych alkoholików, co mu będzie "przeszkadzać" w pracy, przynajmniej na początku. Przyda się w tej sytuacji trochę wielkoduszności z twojej strony. Praca z innymi alkoholikami jest konieczna, aby zachował on trzeźwość.

Gdy twój pracownik wytrzymał kilka miesięcy bez picia, może wykorzystasz go do pracy z innymi zatrudnionymi u ciebie ludźmi, którzy nadużywają alkoholu. Oczywiście pod warunkiem, że wyrazi zgodę. Alkoholik, który zdrowieje, a zajmuje niższe stanowisko w pracy, może porozmawiać z człowiekiem na wyższym szczeblu. Mając teraz zupełnie inne oparcie w życiu, nie wykorzysta tej sytuacji w niewłaściwych celach.

Możesz zaufać twojemu pracownikowi. Lata doświadczeń z kłamstwami alkoholików budzą naturalnie twoje podejrzenia. Gdy zdarzy się, że jego żona zatelefonuje mówiąc, że mąż jest chory, możesz pochopnie wywnioskować, że jest znów pijany. Jeśli jest pijany, ale nadal próbuje zdrowieć, powie ci o tym nawet wtedy, gdy oznaczałoby to utratę pracy. On wie, że musi być uczciwy, jeśli w ogóle chce żyć. Będzie wdzięczny, jeśli się dowie, że nie zaprzątasz sobie nim głowy, że nie jesteś podejrzliwy i nie próbujesz zorganizować mu życia tak, aby chronić go od pokusy picia. Jeśli sumiennie realizuje program można go posłać w delegację bez obaw.

W przypadku "wpadki", choćby jednej, będziesz musiał zdecydować czy go zwolnić, czy też nie. Jeśli jesteś pewien, że nie traktuje sprawy poważnie, bez wątpienia powinieneś go zwolnić. Przeciwnie, jeśli masz dowody, że stara się jak może daj mu jeszcze jedną szansę. Nie masz jednak obowiązku zatrzymać go bo twoje zobowiązania wobec niego już się skończyły.

Jest jeszcze jedna rzecz, którą może mógłbyś i chciałbyś zrobić. Jeśli masz dużą firmę, poleć tę książkę personelowi kierowniczemu. Daj im do zrozumienia, że nie masz wrogiego stosunku do alkoholików. Kierownicy i brygadziści są niekiedy w trudnej sytuacji. Ich podwładni, to często ich przyjaciele. A więc z takich czy innych względów kryją tych ludzi, mając nadzieję, że sprawy przybiorą lepszy obrót. Ryzykując często własną posadą próbują pomóc alkoholikom, których już dawno powinno się zwolnić, by dać im szansę powrotu do zdrowia. Po przeczytaniu tej książki szef może pójść do takiego człowieka i powiedzieć mniej więcej tak: "Słuchaj, chcesz przestać pić czy nie? Za każdym razem gdy się upijesz, stawiasz mnie w przykrej sytuacji, co nie jest w porządku wobec mnie i firmy. Dowiedziałem się czegoś o alkoholizmie. Jeśli jesteś alkoholikiem, jesteś chorym człowiekiem i działasz jak chory. Firma chce ci pomóc zdrowieć i jeśli cię to interesuje jest wyjście. Jeśli się zgodzisz, zapomnimy o twojej przeszłości i nikt się nie dowie o twojej kuracji. Lecz jeśli nie chcesz przestać pić, myślę, że powinieneś się zwolnić".

Kierownik lub brygadzista może również nie zgodzić się z treścią naszej książki. Nie wolno mu jednak okazywać tego alkoholikowi. Przynajmniej zrozumie problem i nie da się dłużej zwodzić zwykłymi obietnicami. Będzie umiał zająć zdecydowane i sprawiedliwe stanowisko wobec takiego człowieka. Nie będzie miał więcej powodów, aby kryć pracownika alkoholika.

Konkluzja jest taka: nikt nie powinien być zwolniony z pracy z tego powodu, że jest alkoholikiem. Jeśli alkoholik chce przestać pić, powinno się dać mu szansę. Jeśli nie może lub nie chce przestać, należy go zwolnić. Wyjątków, które nie mieszczą się w tej alternatywie, jest niewiele. A więc dajemy szansę tym, którzy chcą. Pozbądźmy się tych, którzy nie mają zamiaru się zmienić.

Alkoholizm może wyrządzać twojej firmie znaczne szkody, powodować stratę czasu, ludzi i dobrej renomy. Mamy nadzieję, że nasze rady pomogą ci załatwić poważne problemy. Sądzimy, że mamy rację nalegając, abyś skończył z marnotrawstwem i dał szansę wartościowemu człowiekowi.

Pewnego dnia zwróciliśmy się do wicedyrektora dużego koncernu przemysłowego. Powiedział on : "Ogromnie się cieszę, panowie, że przestaliście pić. Dewizą naszego przedsiębiorstwa jest, by nie wtrącać się do spraw osobistych i zwyczajów naszych pracowników. Jeśli ktoś pije tyle, że praca na tym cierpi, wyrzucamy go. Nie widzę więc, jak moglibyście nam pomóc, skoro problem alkoholizmu u nas nie istnieje". To samo przedsiębiorstwo wydaje co roku miliony na badania naukowe. Ich koszty produkcji wyliczone są co do centa. Zapewniają pracownikom różne możliwości rekreacji. Ubezpieczają ich. Dbają o dobro pracowników zarówno z humanitarnego punktu widzenia, jak i z punktu widzenia interesów firmy. Ale alkoholizm? Po prostu nie przyjmują do wiadomości, że może u nich istnieć. Być może jest to typowa postawa. Nas, którzy znamy dość dobrze świat interesów, przynajmniej z punku widzenia alkoholików, rozśmieszyło szczere wyznanie tego pana. Byłby zaszokowany, gdyby wiedział ile kosztuje jego firmę co roku alkoholizm. Prawdopodobnie zatrudnia wielu prawdziwych lub potencjalnych alkoholików. Sądzimy, że dyrektorzy wielkich przedsiębiorstw nie mają pojęcia, jak poważny jest ten problem. Nawet jeśli sądzisz, że w twoim przedsiębiorstwie nie istnieje problem alkoholizmu, może opłaciłoby się to sprawdzić. Zainteresuje cię to, co odkryjesz.

Oczywiście, rozdział ten odnosi się do alkoholików, ludzi chorych, wręcz obłąkanych. To, co mówił ów wicedyrektor, dotyczyło ludzi pijących okazjonalnie. Jeśli o nich chodzi, jego dewiza jest niewątpliwie właściwa. Nie odróżniał on jednak ludzi tego typu od alkoholików.

Nie sugerujemy, aby pracownikowi alkoholikowi należało poświęcić zbyt wiele czasu i uwagi. Nie powinien być faworyzowany. Człowiek, który naprawdę chce zdrowieć nie będzie nawet tego chciał. Nie będzie się narzucał. Jest daleki od tego. Będzie ciężko pracował i dziękował do grobowej deski.

Jestem obecnie właścicielem małego przedsiębiorstwa. Zatrudniam dwóch alkoholików, którzy są tak wydajni jak pięciu innych sprzedawców. Co w tym dziwnego? Przyjęli nasz program i zostali ocaleni od śmierci. Każda chwila, którą poświęciłem, by przywrócić im zdrowie, sprawiła mi ogromną satysfakcję.

Rozdział 11

WIZJA DLA CIEBIE

DLA większości ludzi normalnych picie oznacza radość, wiąże się z życiem towarzyskim i pobudza barwną wyobraźnię. Rodzi beztroskę, przyjacielską zażyłość i uczucie, że życie jest piękne. Nie dla nas! Nie takie stany towarzyszą nam w ostatnich dniach intensywnego picia. Znikają owe przyjemności. Pozostały już tylko wspomnieniami. Nigdy nie potrafiliśmy wskrzesić tych wspaniałych chwil z przeszłości. Pozostała uparta tęsknota, by cieszyć się życiem tak jak kiedyś i rozpaczliwa obsesja, że jakiś nowy cud samokontroli umożliwi nam to. Zawsze była potem jeszcze jedna próba. I jeszcze jedna porażka.

Im mniej okazywano nam tolerancji, tym bardziej uciekaliśmy od społeczeństwa, od życia. Kiedy zapanował nad nami Alkohol – Król i staliśmy się zalęknionymi poddanymi w jego szalonym królestwie, opadła na nas chłodna mgła – samotność. Owa mgła gęstniała, potężniała. Niektórzy z nas szukali melin i innych plugawych miejsc w nadziei znalezienia tam towarzystwa, zrozumienia i aprobaty. Chwilami się to udawało, osiągaliśmy chwilowe zapomnienie. Potem przychodziło przebudzenie i straszne ocknięcie się twarzą w twarz z ohydnymi czterema jeźdźcami Apokalipsy – Strachem, Chaosem, Frustracją, Rozpaczą. Alkoholik czytający te słowa z pewnością zrozumie, o czym piszemy.

Niekiedy alkoholik, gdy jest chwilowo "suchy" wyznaje: "Wcale mi nie brakuje picia. Czuję się lepiej. Pracuję lepiej. Przyjemniej spędzam czas". Jako zdrowiejący alkoholicy uśmiechamy się, słysząc te słowa. Wiemy, że nasz przyjaciel zachowuje się jak chłopak, który gwiżdże w ciemności, aby dodać sobie animuszu. Oszukuje samego siebie. W duchu dałby wszystko za wypicie kilku kieliszków, gdyby tylko mu to uszło płazem. Za chwilę znów próbuje starej gry, bo nie jest szczęśliwy z powodu swojej abstynencji. Nie wyobraża sobie życia bez alkoholu. Pewnego dnia nie będzie umiał wyobrazić sobie życia ani z alkoholem, ani bez niego. Wtedy dopiero, jak mało kto, pozna co to jest samotność. Wówczas uświadomi sobie, że znalazł się na skraju przepaści. Będzie życzył sobie już tylko śmierci.

Otóż my, alkoholicy, staramy się właśnie takim ludziom wskazać wyjście z matni. Niektórzy z nich, w zasadzie podzielając nasze poglądy, mówili: "Tak, oczywiście, chciałbym zacząć wszystko od nowa. Ale czy muszę być skazany na życie, w którym będzie nudno, ponuro i wręcz głupio? Czy muszę udawać, jak inni – tak zwani porządni ludzie – że to jest prawdziwe życie, które mnie zadowala? Wiem, że muszę rzucić alkohol. Rozumiem, że od tego trzeba zacząć. Ale jak to zrobić? I co proponujecie zamiast picia?"

Na takie pytania odpowiadamy mniej więcej tak: zamiast alkoholu oferujemy wam nie jego namiastkę, substytut, ale znacznie więcej! Proponujemy wam wejście do Wspólnoty Anonimowych Alkoholików. We wspólnocie tej uwolnisz się od trosk, zmartwień i nudy. Na nowo obudzi się twoja wyobraźnia. Życie nabierze nowego sensu. Przed sobą masz najbardziej owocne lata swego życia. We wspólnocie znaleźliśmy braterstwo, troskliwą pomoc. I ty znajdziesz w AA to, czego najbardziej potrzebujesz. Niektórzy z was z niedowierzaniem pytają: Jak to możliwe? Jak to? I zaraz potem: Gdzie szukać ludzi, o których mówicie?

Nowych przyjaciół możesz spotkać w swoim własnym otoczeniu. W zasięgu twej ręki umierają pozbawieni wszelkiej pomocy alkoholicy. Giną w beznadziei, jak ludzie na tonącym okręcie. Jeśli mieszkasz w dużym mieście są w nim tysiące takich ludzi. Dobrze i źle sytuowanych, stojących na różnych szczeblach drabiny społecznej, bogatych i biednych. Wszyscy oni są przyszłymi członkami Wspólnoty Anonimowych Alkoholików. Wśród nich znajdziesz przyjaciół na całe życie. Połączą cię z nimi nowe i wręcz cudowne więzi, bowiem razem umkniecie od klęski i rozpoczniecie – ramię w ramię – wspaniałą podróż. Wówczas pojmiesz, co to znaczy dawać siebie innym. Dawać po to, by mogli przetrwać i zacząć żyć od nowa. Zdołasz zrozumieć całą głębię przykazania "kochaj bliźniego swego, jak siebie samego".

Trudno doprawdy w to uwierzyć, ale w istocie alkoholicy mogą stać się na nowo ludźmi szczęśliwymi, poważanymi i użytecznymi społecznie. Czyż można wydobyć się z tak wielkiej nędzy, beznadziejności, zmienić tak złą opinię o sobie? Odpowiadamy: skoro stało się to z nami może udać się i tobie.

Jeśli będziesz pragnął tego ponad wszystko, wykorzystasz nasze doświadczenie, to jesteśmy pewni, że tak się stanie. Żyjemy w epoce cudów. Nasze własne ozdrowienie jest tego przykładem.

Mamy nadzieję, że jeśli koło ratunkowe tej książki spuścimy na wszechświatowy ocean alkoholizmu, wówczas pogrążeni w beznadziei alkoholicy uchwycą się go, aby skorzystać z naszych rad. Jesteśmy pewni, że wielu z nich stanie na nogi i rozpocznie nową drogę. Skontaktują się z następnymi chorymi i Wspólnota Anonimowych Alkoholików powstanie w każdym mieście, w każdej osadzie. W ten sposób powstaną przystanie dla tych, którzy muszą znaleźć drogę wyjścia z ciemnego tunelu.

Z rozdziału "Praca z innymi" dowiedziałeś się, jak nawiązujemy kontakt i pomagamy zdrowieć innym. Przypuśćmy, że dzięki tobie kilka rodzin podjęło nowy sposób życia. Zapewne będziesz chciał wiedzieć więcej o tym, jak postępować dalej. By dać ci przedsmak twojej przyszłości przedstawimy rozwój naszej wspólnoty.

Oto jej dzieje w największym skrócie:

Dawno temu, w 1935 roku, jeden z nas odbył podróż do pewnego miasta na zachodzie Stanów. Z zawodowego punktu widzenia podróż ta nie udała się. Gdyby zakończyła się sukcesem stanąłby finansowo na nogi. Była to wtedy dla niego sprawa zasadniczej wagi. Przedsięwzięcie kompletnie się jednak nie powiodło i sprawa zakończyła się w sądzie. Nasz bohater przeżył wstrząs. Rozczarowaniu towarzyszył bunt wewnętrzny.

Gorzko rozczarowany znalazł się w obcym mieście, ośmieszony i prawie bez grosza. Wciąż słaby fizycznie i niepijący od paru zaledwie miesięcy zrozumiał groźbę swojej sytuacji. Tak bardzo chciał z kimś porozmawiać, ale z kim?

Pewnego ponurego popołudnia przemierzał korytarz hotelowy zastanawiając się, jak i z czego zapłacić rachunek.

W kącie holu stała gablota z informacjami o działalności miejscowych Kościołów. W drugim końcu korytarza znajdowało się wejście prowadzące do atrakcyjnego baru, pełnego bawiących się ludzi. Tam mógłby znaleźć towarzystwo i odprężenie. Bez wypicia kilku kieliszków nie miałby odwagi nawiązać znajomości i byłby skazany na spędzenie weekendu samotnie.

Oczywiście, nasz przyjaciel wiedział, że nie powinien pić alkoholu. Ale przecież – pomyślał – dlaczegóż nie posiedzieć w barze przy butelce wody sodowej? Czyż w końcu nie zachowuje abstynencji już blisko sześć miesięcy? Może... nawet mógłbym – rozważał – zaryzykować wypicie, powiedzmy, trzech kieliszków. Tylko tyle – nie więcej! Nagle ogarnął go strach. Poczuł, że znalazł się na kruchym lodzie. Znów odezwało się w nim stare szaleństwo, popychające do wypicia tego pierwszego kieliszka.

Wzdrygnął się i zawrócił do gabloty z informacjami o Kościołach. Z baru dochodziły dźwięki muzyki i wesoły gwar. Gdybym tam wszedł – rozważał – co z moją odpowiedzialnością zarówno za rodzinę, jak innych alkoholików – ludzi, którym grozi śmierć, nieświadomych, że mogą zdrowieć. W tym mieście jest ich na pewno wielu. Postanowił zadzwonić do któregoś z księży. Poczuł, że wraca mu rozsądek. Dziękując za to Bogu, wybrał – na chybił trafił – numer telefonu do jednego z kościołów. Wszedł do budki telefonicznej i podniósł słuchawkę.

Rozmowa z duchownym ujawniła możliwość nawiązania kontaktu z pewnym człowiekiem, mieszkańcem miasta.

Był to ktoś bardzo zdolny i w przeszłości szanowany. Pogrążony w alkoholowym szaleństwie i rozpaczy zbliżał się do skraju przepaści. Jego życie przedstawiało typowy obraz: zapuszczony dom, chora żona, zaniedbane dzieci, zaległe rachunki – słowem katastrofa tuż za progiem. Ów człowiek pragnął wyzwolić się z alkoholizmu, ale nie wiedział jak. Wypróbował wszystkie znane mu sposoby. Był boleśnie świadomy tego, że jest w jakiś sposób nienormalny, wszelako nie rozumiał, co znaczy być alkoholikiem*.

---

* Mowa tu o pierwszym spotkaniu Billa z doktorem Bobem. Ludzie ci zostali następnie współzałożycielami AA (przyp. tłum.)

Kiedy nasz przyjaciel opowiedział temu człowiekowi o własnych doświadczeniach, przyznał, że cała jego siła woli nie jest w stanie zapobiec – na dłuższy czas – piciu. Zgodził się, że bezwzględnie potrzebuje jakiejś nowej duchowej motywacji. Ale zarazem cena, którą musiałby zapłacić za ten program duchowego rozwoju wydawała mu się zbyt wysoka. Wyznał swemu gościowi, iż żył w nieustannym strachu, aby nikt z ludzi, na których opinii mu zależało, nie dowiedział się o jego alkoholizmie.

Ulegał oczywiście, tej znanej alkoholikom obsesji – tylko nieliczni ludzie wiedzą o tym, że ma on problemy z piciem. Nie miał zamiaru w idiotyczny sposób narażać swej kariery zawodowej, przysparzać zmartwień rodzinie, przyznać się do swych kłopotów przed ludźmi, od których zależał jego byt materialny. Jestem gotów – twierdził – zrobić wszystko, tylko nie to.

Jednak to, co mu powiedział nasz przyjaciel, zaintrygowało go. Wywiązała się pożyteczna rozmowa w domu owego człowieka. Po kilku tygodniach, gdy wydawało mu się, iż znakomicie panuje nad sytuacją, przyszło załamanie. Wpadł w potężny ciąg picia. Było to pijaństwo straszliwsze od wszystkich poprzednich, podczas którego dopiero zrozumiał, że pomóc mu może tylko Bóg.

Któregoś dnia postanowił ostatecznie "wziąć byka za rogi" i poinformować wreszcie o swych kłopotach tych, na których opinii najbardziej mu zależało. Ku swemu zdziwieniu został przyjęty życzliwie. Przy okazji okazało się, że wielu znajomych dobrze wiedziało o jego problemie.

Potem wsiadł do samochodu i zaczął odwiedzać tych, którym kiedyś wyrządził krzywdę. Czynił to z wielką obawą, ponieważ w jego sytuacji zawodowej mogło to oznaczać całkowitą ruinę. O północy wrócił do domu. Był wyczerpany, ale zadowolony. Od tego dnia nie wypił ani kieliszka alkoholu.

Obecnie jest osobą wielce szanowaną w swym środowisku. W ciągu czterech lat trzeźwości naprawił złą reputację, na którą zapracował przez trzydzieści lat picia.

Nasi dwaj przyjaciele nie mieli jednak łatwego życia. Obaj musieli pokonać inne trudności i nieustannie uważać na swój stan psychiczny. Pewnego dnia zadzwonili do przełożonej pielęgniarek w miejscowym szpitalu z pytaniem, czy przebywa na oddziale jakiś "prawdziwy" alkoholik. Odpowiedziała: "Tak mamy tutaj takiego; właśnie pobił kilka pielęgniarek, bo po pijanemu zupełnie traci głowę. Gdy trzeźwieje, jest wspaniałym człowiekiem, ale przebywa w szpitalu już ósmy raz w ciągu sześciu miesięcy. Kiedyś był znanym w mieście prawnikiem. A dzisiaj... Musieliśmy go związać pasami"*. Z opisu pielęgniarki wynikało, że ów człowiek nie rokował zbyt wielkich nadziei na wydobycie się z alkoholizmu. Tym bardziej, że wówczas nie umiano jeszcze w pełni zrozumieć czynnika duchowego w procesie zdrowienia. Mimo wszelkich obaw nasz przyjaciel powiedział do pielęgniarki: "Proszę – jeśli to możliwe – o umieszczenie go w oddzielnym pokoju. Przyjdziemy go odwiedzić".

Dwa dni później wspomniany pacjent i przyszły członek Wspólnoty AA, szklanym wzrokiem gapił się na dwóch nieznajomych ludzi, którzy stali przy jego łóżku. Spytał: "Kim panowie jesteście? Dlaczego przeniesiono mnie do oddzielnego pokoju? Zawsze przedtem byłem na ogólnej sali". Jeden z gości powiedział: "Zamierzamy ci pomóc zdrowieć z alkoholizmu". Twarz chorego wyrażała stan zupełnej rezygnacji. Powiedział: "Wasz wysiłek jest bezcelowy. Jestem skazany na zagładę. Ostatnio trzykrotnie upiłem się po drodze do domu, gdy tylko wypisano mnie z tego szpitala. Boję się wręcz wyjścia poza szpitalne drzwi. Zupełnie siebie nie rozumiem".

Następnie obaj goście przez godzinę opowiadali mu o swych doświadczeniach z alkoholem. Chory raz po raz przerywał im wtrącając: "To tak, jak ja...! To zupełnie tak, jak u mnie. W ten sposób właśnie piję". Chory dowiedział się od przybyszów o tym, że cierpi na ostre zatrucie alkoholowe, które wyniszcza zarówno ciało, jak i mózg. Uświadomili mu, jak działa umysł alkoholika w chwilach poprzedzających wypicie pierwszego kieliszka. Chory znów przytak-

* Mowa tu o odwiedzinach Billa i doktora Boba u przyszłego trzeciego członka Wspólnoty AA. Doprowadziło to później do powstania pierwszej grupy AA w Akron w stanie Ohio w 1935 r.

nął: "Tak, to dokładnie obraz mojego myślenia. Dobrze znacie się na tym, o czym mówicie. Ale doprawdy nie wiem, co z tego może wynikać dla mnie? Wy, panowie, jesteście "kimś", ja też kiedyś coś znaczyłem, ale teraz jestem nikim. Z tego, co od was usłyszałem wnoszę bardziej niż kiedykolwiek, że nie potrafię już przestać pić".

Usłyszawszy to, obaj goście parsknęli śmiechem. Chory zareagował: "Do licha, nie widzę w tym nic śmiesznego". Obaj przyjaciele opowiedzieli mu potem o swoim doświadczeniu duchowym oraz o programie, który realizują. Znów im przerwał: "Kiedyś mocno wierzyłem w Kościół, ale cóż tu może pomóc Kościół? Rano na kacu modliłem się do Boga, przysięgając Mu, że nigdy więcej nie wezmę kropli alkoholu do ust, a o dziewiątej byłem już «ugotowany»".

Następnego dnia jego nastawienie nieco się zmieniło. Przemyślał wszystko, co mu powiedzieli goście. "Być może macie rację – powiedział – Bóg w istocie powinien być w stanie zrobić wszystko". Po chwili dodał: "Ale prawdę mówiąc, nic nie uczynił dla mnie, gdy sam usiłowałem walczyć z nałogiem".

Trzeciego dnia chory prawnik oddał swój los w ręce Stwórcy i stwierdził, że jest gotów zrobić wszystko co trzeba, by ozdrowieć. Niebawem odwiedziła go żona, nie mając odwagi robić sobie nowych nadziei, ale zauważyła jakąś zmianę w zachowaniu męża. W chorym dokonywała się duchowa przemiana.

Tego dnia po południu chory ubrał się i – jako wolny człowiek – opuścił szpital. Wkrótce zaangażował się w kampanię wyborczą. Wygłaszał przemówienia, często brał udział w różnych zebraniach trwających niekiedy całe noce. Przegrał wybory tylko nieznacznie. Ale odnalazł Boga, a znajdując Go odnalazł siebie.

Działo się to w czerwcu 1935 roku. Od tego czasu nie wypił kropli alkoholu. Wkrótce stał się szanowanym, pożytecznym członkiem społeczeństwa. Pomógł w zdrowieniu wielu innym alkoholikom. Znalazł swe miejsce w Kościele, w którym tak długo był nieobecny.

W ten sposób liczba niepijących alkoholików w mieście wzrosła do trzech. Wszyscy oni czuli potrzebę przekazania innym tego, w co sami uwierzyli, gdyż w przeciwnym razie znów groziłoby im utonięcie. Po kilku nieudanych próbach znalezienia innych alkoholików zjawił się wreszcie kandydat na czwartego członka ich grupy. Skierował go do nich znajomy, który usłyszał gdzieś o ich pożytecznej misji. Nowy okazał się być beztroskim młodym "narwańcem". Jego rodzice nie mogli zorientować się czy chce zdecydowanie przestać pić. Jako głęboko religijni ludzie byli bardzo zmartwieni faktem, że ich syn gwałtownie odżegnał się od Kościoła. Cierpiał on bardzo z powodu swego pijaństwa, ale zdawało się, że już nic się nie da dla niego zrobić. Zgodził się jednak pójść na kurację do szpitala. Został umieszczony w tym samym pokoju, który niedawno opuścił znany już nam prawnik. Trzej mężczyźni postanowili odwiedzić go. Gdy wyjaśnili mu cel swej wizyty, chory powiedział: "Sposób, w jaki przedstawiacie tę całą duchową sprawę, zdaje się być sensowny. Gotów jestem przyłączyć się do was. Może jednak moi rodzice mieli rację". W ten sposób nasza wspólnota powiększyła się o kolejnego członka.

Przez cały ten czas człowiek z hotelu, o którym opowiedzieliśmy na początku, przebywał w mieście. Pozostał w nim około trzech miesięcy. Potem powrócił do swego domu. Na miejscu pozostali prawnik i ów młody "narwaniec". Ci dwaj ludzie odkryli, że w ich życiu zaczyna się dziać coś zupełnie nowego.

Chociaż obaj wiedzieli, że jeśli chcą zachować trzeźwość muszą pomagać innym to jednak nie ten motyw wysunął się w ich życiu na pierwszy plan. Górowało nad nim poczucie szczęścia, które znaleźli w poświęceniu się dla innych ludzi. Swoje domy, skromne zasoby finansowe i wolny czas z radością dzielili z cierpiącymi współbraćmi. W dzień czy w nocy gotowi byli umieścić chorego alkoholika w szpitalu i zaopiekować się nim później. Wspólnota powiększała się. Przeżyli również sporo przygnębiających niepowodzeń. W takich przypadkach starali się przede wszystkim pomóc rodzinom alkoholików, namawiając je do przyjęcia duchowego sposobu życia, który przyniesie ulgę w ich zmartwieniach i cierpieniach.

Po półtorarocznej pracy tym trzem ludziom udało się pozyskać do współpracy kolejnych siedmiu alkoholików.

Widywali się często. Nie było prawie wieczoru, żeby w czyimś domu nie odbyło się małe spotkanie mężczyzn i kobiet, uszczęśliwionych wyzwoleniem się od nałogu i bezustannie rozmyślających nad tym, jak udostępnić ich odkrycie komuś nowemu. Ponadto, mieli zwyczaj wyznaczać jeden wieczór w tygodniu na spotkanie, w którym mógł wziąć udział każdy zainteresowany ich sposobem życia. Oprócz rozwoju wspólnoty i celów towarzyskich, zasadniczą sprawą było zaoferowanie nowym ludziom czasu i miejsca, w którym mogliby mówić o swoich problemach.

Ludzie spoza wspólnoty zaczęli przejawiać zainteresowanie nią. Pewne małżeństwo oddało swój duży dom do dyspozycji tej przedziwnej zbieraniny. Para ta było wprost zafascynowana programem. Wiele zrozpaczonych żon odwiedziło ten dom, by znaleźć w nim miłujące i rozumiejące towarzystwo kobiet, znających te problemy, by usłyszeć z ust ozdrowieńców, co się z nimi stało. Przychodziły po radę, w jaki sposób ich krnąbrne "połowy" mogą zostać umieszczone w szpitalu i jak należy do nich podejść przy następnej "wpadce". Wielu mężów, wciąż oszołomionych swymi szpitalnymi przeżyciami, przekraczając próg tego domu znalazło wolność. Wielu alkoholików znalazło odpowiedzi na dręczące ich dylematy. Ulegli wesołemu nastrojowi wspólnoty, która śmiejąc się z własnych, rozumiała nieszczęścia innych. Kapitulowali całkowicie po usłyszeniu historii kogoś – w pokoju na pięterku – kto miał dokładnie takie same przeżycia i trudności. Wyraz twarzy kobiet, coś nieuchwytnego w oczach mężczyzn, stymulująca i elektryzująca atmosfera tego miejsca przekonały ich, że nareszcie znaleźli przystań.

Praktyczne podejście do ich problemów, brak jakiejkolwiek nietolerancji, bezpośredniość, prawdziwa demokracja i zadziwiająca wyrozumiałość tych ludzi robiła na nich nieodparte wrażenie. Razem z żonami opuszczali ten dom upojeni myślą o tym, czego mogli teraz dokonać dla swych znajomych i ich rodzin. Wiedzieli, że mają teraz mnóstwo nowych przyjaciół. Wydawało im się, że znali tych ludzi od lat. Ujrzeli cuda, które przytrafiły się innym i których sami mieli doświadczyć. Ukazała im się wielka prawda – ich Miłujący i Wszechmocny Stwórca.

Dom ów z trudem mieści obecnie swych gości. Ich liczba wynosi z reguły sześćdziesiąt do osiemdziesięciu osób na tydzień. Przyciąga on alkoholików z bliska i z daleka. Rodziny podróżują samochodami wiele mil, aby wziąć udział w spotkaniach. W miejscowości odległej o trzydzieści mil jest Wspólnota AA licząca piętnastu członków. Sądzimy, że pewnego dnia może osiągnąć kilkaset osób, jako że jest to wielkie miasto.*

Życie Wspólnoty Anonimowych Alkoholików, to coś więcej niż uczęszczanie na spotkania i odwiedzanie szpitali. Porządkowanie zagmatwanego życia, łagodzenie sporów rodzinnych, odbudowywanie więzi między dziećmi a rodzicami, pożyczanie pieniędzy, pomoc wzajemna przy załatwianiu pracy to sprawy będące na porządku dziennym. Nikt nie upadł zbyt nisko, ani nie ma tak złej sławy, by nie zostać przyjęty serdecznie pod warunkiem, że chce się szczerze poprawić. Nie istnieją dla nas ani różnice społeczne, ani niskie uczucia rywalizacji czy zazdrości. Jesteśmy rozbitkami z tego samego okrętu, odrodzeni i zjednoczeni pod władzą jednego Boga. Nasze serca i umysły nastawione są na dobro innych. Sprawy, do których zwykle inni przywiązują wielką wagę, nie mają dla nas istotnego znaczenia. Jakże mogłoby być inaczej?

W podobnych warunkach te same zjawiska i procesy zaczęły występować w wielu miastach na wschodzie Stanów Zjednoczonych. W jednym z tych miast znajduje się znany w całym kraju szpital dla alkoholików i narkomanów. Przed sześciu laty jeden z członków naszej wspólnoty był pacjentem tej lecznicy. Wielu z nas, Anonimowych Alkoholików odczuwało po raz pierwszy w budynku tego szpitala obecność Boskiej Wszechmocy. Jesteśmy wdzięczni lekarzowi, który mimo że mógłby narazić swoją zawodową opinię, otwarcie przyznał, iż wierzy w słuszność i skuteczność programu i metody AA.

Co kilka dni ów lekarz sugerował przyjęcie naszego programu któremuś ze swoich pacjentów. Zrozumiawszy doskonale naszą ideę, potrafił on trafnie wybrać tych chorych alkoholików, którzy byli gotowi do przyjęcia naszego programu i w najpełniejszy sposób pragnęli go urzeczywistniać.

---

* Pisane w 1939 roku.

Wielu z nas, byłych pacjentów tego lekarza, przyjeżdża teraz do szpitala, aby pomagać zdrowieć innym alkoholikom.

W owym mieście odbywają się nieformalne spotkania AA, gromadzące rosnącą liczbę członków naszej wspólnoty. Rodzą się tam trwałe przyjaźnie, istnieje również wielka chęć niesienia pomocy, jak wśród naszych przyjaciół skupionych w grupach na zachodzie kraju. Podróżujemy zatem ze wschodu na zachód i odwrotnie. Ta wymiana idei i czynów ma – naszym zdaniem – wielką przyszłość.

Mamy nadzieję, że pewnego dnia każdy alkoholik, który uda się w podróż znajdzie Wspólnotę Anonimowych Alkoholików, wszędzie tam, dokąd dotrze. W pewnej mierze jest to już rzeczywistością. Niektórzy z nas są podróżującymi stale przedstawicielami handlowymi. Małe grupki po dwie, trzy lub pięć osób powstały w innych miejscowościach przez kontakty z większymi ośrodkami. Ci z nas, którzy podróżują, odwiedzają ich tak często, jak tylko mogą. To pozwala nam pomagać innym, a tym samym uniknąć pewnych niebezpiecznych "pokus", o których każdy podróżujący człowiek może sporo powiedzieć.

Tak więc wspólnota rozwija się i ty również możesz się rozwijać wewnętrznie. Nawet gdybyś był sam – tylko z tą książką w dłoni. Mamy nadzieję, że zawiera ona wszystko, czego potrzebujesz. Przynajmniej na początek.

Wiemy co myślisz. Mówisz sobie: "Jestem roztrzęsiony i samotny. Nie potrafiłbym tego dokonać". Ależ możesz. Zapominasz, że odkryłeś właśnie źródło siły potężniejszej niż ty sam i w oparciu o nią osiągnięcie tego, co nam się udało jest tylko kwestią chęci, cierpliwości i wytrwałości.

Znamy pewnego członka AA, który zamieszkał w dużym mieście. Po kilku tygodniach pobytu odkrył, że mieszka tam więcej alkoholików, niż w jakimkolwiek innym miejscu. (Było to parę dni przed napisaniem tej książki, 1939 r.). Władze miejskie były tym zjawiskiem bardzo zaniepokojone. Po skontaktowaniu się ze znanym psychiatrą, do którego obowiązków należało zajmowanie się zdrowiem psychicznym mieszkańców, okazało się że lekarz był również zatroskany i skłonny przyjąć jakąkolwiek skuteczną metodę, aby opanować sytuację. Zapytał więc co nasz przyjaciel mu proponuje.

Nasz przyjaciel rozpoczął opowieść. Mówił tak przekonująco, że lekarz zgodził się wypróbować naszą metodę wśród swoich pacjentów i innych alkoholików z kliniki. Ustalono też z naczelnym psychiatrą wielkiego szpitala miejskiego, iż wybierze on jeszcze paru innych pacjentów (z pokaźnej grupy nieszczęśników, którzy przewijają się przez jego zakład).

Tak więc nasz przyjaciel będzie miał wkrótce mnóstwo nowych przyjaciół. Niektórzy z nich ugrzęzną i być może nigdy się nie podniosą, ale jeśli nasze doświadczenia są miarodajne to ponad połowa tych, z którymi się skontaktował zostanie członkami Wspólnoty Anonimowych Alkoholików. Kiedy kilku ludzi w tym mieście odnajdzie siebie i odkryje radość pomagania innym, aby na nowo stawili czoło życiu, nie będzie temu procesowi końca, dopóki każdy w mieście nie otrzyma szansy zdrowienia – jeśli tylko chce i potrafi.

Możesz jeszcze powiedzieć: "Ale ja nie będę miał szczęścia spotkać tego, kto napisał tę książkę". Nie bądźmy tacy pewni. Bóg zadecyduje o tym, a więc musisz pamiętać, że twoje prawdziwe oparcie jest tylko w Nim. On wskaże ci, jak powołać do życia wspólnotę, której pragniesz*.

Książka nasza zawiera wyłącznie sugestie.

Zdajemy sobie sprawę, że wiemy niewiele. Bóg będzie coraz pełniej wyjawiał Swoją wolę – tobie i nam. Pytaj Go podczas porannej medytacji, co możesz zrobić każdego dnia dla kogoś, kto jeszcze jest chory. Jeśli twoje sprawy są uporządkowane, otrzymasz odpowiedź. Oczywiście, nie możesz podzielić się czymś, czego sam jeszcze nie masz. Bacz na to, aby twoja więź z Bogiem była właściwa, a tobie i wielu, wielu innym przydarzą się wielkie rzeczy. Dla nas jest to Wielka Prawda.

Oddaj się Bogu, takiemu jak Go sam pojmujesz. Wyznaj Bogu i współbraciom swoje winy. Uporządkuj swoją przeszłość. Dziel się tym, co odkrywasz, i dołącz do nas.

---

* Anonimowi Alkoholicy będą bardzo zadowoleni, gdy skontaktujesz się z nimi. Fundacja BSK AA, 00-950 Warszawa 1, skr. poczt. 243, tel. (0-22) 828-04-94

Będziemy z tobą we Wspólnocie Ducha i z pewnością spotkasz niektórych z nas na Drodze Szczęśliwego Przeznaczenia.

Niech Bóg cię błogosławi i prowadzi. Zatem – do zobaczenia.

HISTORIE OSOBISTE
Pionierzy AA

KOSZMAR DOKTORA BOBA

Współzałożyciel AA. Narodziny naszego ruchu datują się od 10 czerwca 1935 roku – pierwszego dnia stałej trzeźwości doktora Boba. Do czasu swojej śmierci w 1950 roku przekazał on posłanie AA ponad pięciu tysiącom alkoholików, mężczyznom i kobietom. Świadczył im pomoc lekarską nie myśląc o zapłacie. W tym szlachetnym dziele pomagała mu siostra Ignacja ze szpitala św. Tomasza w Akron w stanie Ohio – wierna przyjaciółka naszej wspólnoty.

URODZIŁEM się w małym, liczącym 7 tysięcy mieszkańców mieście w Nowej Anglii. Ogólny poziom moralności był tam, jak pamiętam, znacznie wyższy od przeciętnej. W sąsiedztwie nie sprzedawano piwa ani innych napojów alkoholowych; wyjątek stanowił państwowy sklep, gdzie można było kupić pół litra, jeśli udało się przekonać sprzedawcę, że się naprawdę tego potrzebowało. Jeśli nie, ewentualny nabywca zmuszony był opuścić sklep z pustymi rękami, bez tego, co (jak się później przekonałem) było wspaniałym panaceum na wszystkie ludzkie nieszczęścia. Na ludzi, którzy zamawiali dostawę napojów alkoholowych z Bostonu czy Nowego Jorku, większość porządnych obywateli miasteczka patrzyła podejrzliwie i z dezaprobatą. Miasteczko posiadało natomiast wiele kościołów i szkół, w których pobierałem pierwsze nauki.

Mój ojciec był poważnym prawnikiem. Zarówno on, jak i matka byli bardzo zaangażowani w sprawy Kościoła. Oboje odznaczali się inteligencją znacznie wyższą od przeciętnej. Na swoje nieszczęście byłem jedynakiem, co prawdopodobnie zrodziło egoizm, który odegrał tak ważną rolę w doprowadzeniu mnie do alkoholizmu.

Od dzieciństwa, aż przez szkołę średnią musiałem regularnie chodzić do kościoła, oprócz tego do szkółki niedzielnej oraz na wieczorne nabożeństwa, czasami nawet na wieczorne modlitwy co środę. Skutek był taki, że postanowiłem nigdy już nie przekroczyć progów kościoła, z chwilą, gdy tylko uwolnię się od rodzicielskiej władzy. Wytrwałem w tym postanowieniu następne czterdzieści lat, z wyjątkiem sytuacji, gdy unikanie kościoła mogłoby zagrozić moim interesom.

Po szkole średniej spędziłem cztery lata w jednym z najlepszych uniwersytetów kraju, gdzie picie bywało ulubionym zajęciem ponadobowiązkowym. Wyglądało na to, że prawie wszyscy to robili. Ja piłem coraz więcej – czerpałem z tego mnóstwo uciechy, nie martwiąc się o zdrowie czy pieniądze. Po wczorajszym pijaństwie potrafiłem wrócić do normy szybciej niż większość moich towarzyszy, dla których przekleństwem (lub – być może – błogosławieństwem) był ciężki kac. Nigdy, przenigdy nie miałem bólu głowy. Fakt ten skłania mnie do podejrzenia, że byłem alkoholikiem od samego początku. Całe moje życie koncentrowało się na robieniu tego, na co miałem ochotę, bez liczenia się z prawami czy przywilejami innych. W miarę upływu lat mój egoizm stawał się coraz bardziej dominujący. W oczach moich kompanów ukończyłem studia z wyróżnieniem. Opinia dziekana była nieco odmienna.

Następne trzy lata spędziłem w Bostonie, Chicago i w Montrealu pracując dla dużego koncernu przemysłowego i sprzedając wyposażenie dla kolejnictwa: różnego rodzaju silniki spalinowe i ciężki sprzęt. Podczas tych lat piłem tyle, na ile pozwalała mi kieszeń, nadal bez poważniejszych konsekwencji, choć zaczynałem już czasami odczuwać poranną "trzęsionkę". W czasie tych trzech lat opuściłem z powodu picia tylko pół dnia pracy. Moim następnym krokiem było podjęcie studiów medycznych w jednym z największych uniwersytetów w kraju. Kontynuowałem tam picie ze znacznie większą gorliwością niż poprzednio. Ponieważ mogłem wypić ogromne ilości piwa, zostałem wybrany członkiem jednego z bractw pijackich i wkrótce stałem się jego przywódcą duchowym. Rano zamiast iść na wykłady, często wracałem do akademika. Bałem się, że z powodu roztrzęsienia pijackiego zrobię z siebie widowisko w czasie, gdy zostanę wywołany do odpowiedzi .

Szło mi coraz gorzej. Wiosną, na drugim roku studiów stwierdziłem, po długim okresie picia, że nie będę w stanie ukończyć studiów. Spakowałem więc walizkę i pojechałem na południe, gdzie gościłem miesiąc na farmie przyjaciela. Kiedy nieco przyszedłem do siebie stwierdziłem, że porzucenie uczelni było bardzo nierozsądne i że lepiej kontynuować studia. Kiedy wróciłem na uniwersytet okazało się, że władze wydziału miały określone zdanie na mój temat. Po wielu dyskusjach pozwolono mi jednak przystąpić do egzaminów, które zdałem pomyślnie. Dziekan dał mi jednak do zrozumienia, że moja obecność nie jest mile widziana.

Po wielu przykrych dyskusjach zaliczyłem wreszcie rok i przeniosłem się na inny znany uniwersytet, gdzie jesienią zacząłem trzeci rok studiów. Moje picie doszło tam do tego stopnia, że przerażeni koledzy zdecydowali się zawiadomić mojego ojca, który nie bacząc na długą podróż przyjechał starając się przywrócić mnie do porządku. Nie przyniosło to żadnego skutku, ponieważ piłem dalej i to o wiele więcej wysokoprocentowych napojów niż w poprzednich latach.

Przystąpienie do egzaminów końcowych poprzedziła szczególnie wielka popijawa. Na egzaminie pisemnym ręka drżała mi tak, że nie mogłem utrzymać ołówka. Oddałem trzy zupełnie puste kartki. Znalazłem się – oczywiście – "na dywaniku". Rezultat był taki, że musiałem powtarzać dwa semestry – i jeśli chciałem ukończyć studia – pozostać absolutnie trzeźwy. Dokonałem tego, udowadniając władzom wydziału, że zarówno pod względem zachowania, jak i nauki moje wyniki są zadowalające.

Prowadziłem się tak dobrze, że udało mi się zdobyć godny pozazdroszczenia etat lekarza – z możliwością zamieszkania w szpitalu – w jednym z miast na zachodzie Stanów. Spędziłem tam dwa lata. Byłem tak zajęty, że prawie w ogóle nie wychodziłem ze szpitala, w związku z tym nie zdołałem popaść w żadne kłopoty.

Po upływie dwóch lat praktyki otworzyłem prywatny gabinet w mieście. Miałem trochę pieniędzy, dużo czasu i poważne kłopoty z żołądkiem. Wkrótce odkryłem, że kilka kieliszków przynosi mi ulgę, przynajmniej na parę godzin. W tej sytuacji powrót do nałogu nie był trudny. W tym czasie zacząłem picie drogo okupywać zdrowiem. W nadziei poprawy korzystałem kilkakrotnie z miejscowych sanatoriów zamkniętych.

Byłem między młotem a kowadłem, ponieważ – jeśli nie piłem – żołądek zadawał mi męki, a jeśli piłem nerwy robiły to samo. Po trzech latach takiego życia znalazłem się w miejscowym szpitalu rzekomo szukając pomocy, ale równocześnie nakłaniając moich przyjaciół, żeby przeszmuglowali mi ćwiartkę od czasu do czasu. Jeśli nie, kradłem alkohol gdzieś w budynku. Stan mój gwałtownie się pogorszył. W końcu ojciec przysłał po mnie lekarza z rodzinnego miasteczka, który zabrał mnie ze szpitala i przewiózł do domu. Przeleżałem prawie dwa miesiące w łóżku zanim odważyłem się wyjść na spacer. Pokręciłem się po mieście jeszcze kilka miesięcy, po czym wróciłem do siebie, aby podjąć na nowo praktykę lekarską. Sądzę, że musiałem porządnie się przestraszyć tym, co się ze mną stało. Wziąłem też do serca ostrzeżenie lekarza, w każdym razie nie tknąłem alkoholu, dopóki w kraju nie wprowadzono prohibicji.

Z chwilą wprowadzenia osiemnastej poprawki do konstytucji* poczułem się zupełnie bezpieczny. Ludzie próbowali się zaopatrzyć na zapas kupując tyle butelek lub skrzynek alkoholu na ile pozwalała im kieszeń, która – wiadomo – nie jest bez dna. Dlatego nie robiło większej różnicy, czy wypiłem trochę, czy nie. Wówczas nie zdawałem sobie sprawy, że nam, lekarzom rząd umożliwił nieograniczony dostęp do alkoholu, ani też nie podejrzewałem, że na horyzoncie pojawią się przemytnicy alkoholu. Z początku piłem umiarkowanie, ale w stosunkowo krótkim czasie powróciłem do starych nawyków, które w przeszłości kończyły się tak tragicznie.

W ciągu następnych kilku lat rozwinęły się we mnie dwie fobie; jedną był strach przed bezsennością, a drugą obawa, że zabraknie mi alkoholu. Logika wskazywała, że jeżeli nie zarobię pieniędzy po trzeźwemu, kiedyś zabraknie ich na alkohol. Dlatego przeważnie nie wypijałem rannego drinka na kaca, a w zamian za to szpikowałem się środkami uspokaja-

---

* Ustawy o prohobicji (przyp. tłum)

jącymi, żeby uspokoić roztrzęsione nerwy. Czasem jednak ulegałem pokusie rannego pragnienia, a wtedy upływało zaledwie trochę czasu, gdy byłem całkowicie niezdolny do pracy. Zmniejszało to szansę przemycenia czegoś wieczorem do domu, co z kolei oznaczało bezsenną noc, po której następował koszmarny ranek. W ciągu następnych piętnastu lat miałem na tyle rozsądku, aby nie pokazywać się w szpitalu, jeśli piłem, ani nie przyjmować w tym stanie pacjentów. Od czasu do czasu zaszywałem się w jednym z klubów, których byłem członkiem, a niekiedy miałem zwyczaj meldować się w hotelu pod fikcyjnym nazwiskiem. Ale przyjaciele zwykle mnie znajdowali. Szedłem posłusznie do domu pod warunkiem, że nie będzie żadnych wymówek.

Kiedy moja żona planowała popołudniowe wyjście, kupowałem duży zapas alkoholu, szmuglowałem go do domu i chowałem gdzie popadło: w skrzynce na węgiel, zsypie, nad framugą drzwi, w piwnicy, na belkach lub w innych dziurach. Używałem do tego celu również starych kufrów i skrzyń, starego pojemnika na puszki, a nawet pojemnika na popiół. Przezornie nigdy nie używałem rezerwuaru w ubikacji ponieważ wydawało się to zbyt oczywiste. Nie bez racji – odkryłem później, że moja żona często go sprawdzała. Zwykłem też wkładać ośmio lub dwunastouncjowe buteleczki alkoholu w futrzaną rękawiczkę i wystawiać ją na werandę z tyłu domu, gdy zimowe dni były dość zimne. Mój nielegalny dostawca zostawiał alkohol na tylnych schodach, skąd mogłem go brać przy każdej sposobności. Czasami przynosiłem alkohol w kieszeniach, ale były one sprawdzane, więc ten sposób był zbyt ryzykowny.

Nie będę się rozwodził nad opisem wszystkich moich szpitalnych czy sanatoryjnych doświadczeń.

W tym czasie nasi przyjaciele, w większym lub mniejszym stopniu odsunęli się od nas. Nie byliśmy zapraszani, ponieważ było pewne, że zawsze się upiję. Z tego samego powodu żona nie miała odwagi zapraszać kogokolwiek. Strach przed bezsennością powodował, że upijałem się co wieczór, ale w ciągu dnia – przynajmniej do czwartej – musiałem być trzeźwy po to, żeby kupić alkohol na następną noc. Trwało to, z paroma przerwami, przez siedemnaście lat.

Był to naprawdę koszmar: zarabianie pieniędzy, kupowanie alkoholu, przemycanie go do domu, upijanie się, poranna trzęsionka, duże dawki środków uspokajających, aby móc zarobić więcej pieniędzy i tak dalej w kółko, aż do obrzydzenia. Często obiecywałem żonie, przyjaciołom, dzieciom, że nie będę pił. Szczere obietnice w momencie ich składania, ale rzadko dotrzymywane do końca dnia.

Dla tych, którzy lubią eksperymenty, powinienem wspomnieć o eksperymencie z piwem. Kiedy przywrócono sprzedaż piwa, pomyślałem, że jestem uratowany. Piwa mogłem pić, ile chciałem. Było nieszkodliwe. Przecież nikt nie upijał się piwem! A więc za zgodą mojej dobrej żony zaopatrzyłem piwnicę dostatnio. Niewiele czasu upłynęło, gdy zacząłem wypijać półtorej skrzynki piwa dziennie. W ciągu dwóch miesięcy przytyłem trzynaście kilo, wyglądałem jak wieprz, miałem zadyszkę i czułem się podle. Potem przyszło mi do głowy, że skoro już cały cuchnąłem piwem nikt nie pozna, co piłem. Wobec tego zacząłem wzmacniać piwo czystym alkoholem. Rezultat był, oczywiście, fatalny. I tak skończył się eksperyment z piwem.

W czasie, kiedy eksperymentowałem z piwem znalazłem się przypadkowo w otoczeniu ludzi, którzy imponowali mi zrównoważeniem, zdrowiem i zadowoleniem z życia. Potrafili wypowiadać się bez skrępowania, czego ja nigdy nie umiałem, czuli się swobodnie w każdej sytuacji i cieszyli się dobrym zdrowiem. A co więcej wyglądali na szczęśliwych. Ja zaś ciągle skrępowany i nieśmiały, z mocno nadszarpniętym zdrowiem byłem naprawdę godny pożałowania. Czułem, że oni posiadali coś, czego mnie brakowało. To "coś" – jak się przekonałem – miało charakter duchowy i choć nie pociągało mnie, wiedziałem, że nie zaszkodzi spróbować. Przez następne dwa i pół roku poświęciłem tej sprawie wiele czasu i uwagi. Niemniej co wieczór upijałem się. Szukałem natomiast każdej okazji, aby poczytać lub porozmawiać z kimś na ten temat. Moja żona zainteresowała się tym "czymś" poważnie, chociaż ja nigdy nie przypuszczałem, że może to być rozwiązanie moich przypadłości. Nie mam pojęcia, w jaki sposób moja żona przez te wszystkie lata zachowała wiarę i odwagę, ale tak było. Gdyby nie ona umarłbym już dawno. Z jakichś powodów my, alkoholicy, mamy dar wybierania sobie najlepszych kobiet na świecie. Nie potrafię też wyjaśnić, dlaczego znoszą one tortury, które im zadajemy.

Pewnego sobotniego popołudnia znajoma żony zadzwoniła z prośbą, abym poznał jednego z jej przyjaciół, który mógłby mi pomóc. Było to w przededniu Dnia Matki. Wróciłem wtedy do domu zalany, niosąc wielki kwiat w doniczce. Postawiłem go na stole, poszedłem na górę i zasnąłem zamroczony. Następnego dnia znajoma zadzwoniła znowu. Z czystej uprzejmości, mimo że czułem się fatalnie, zgodziłem się pójść, wymuszając na żonie obietnicę, że nie zostaniemy dłużej niż piętnaście minut.

Byliśmy tam punktualnie o piątej, a kiedy wychodziliśmy, zrobiło się już po jedenastej. Później odbyłem ze spotkanym człowiekiem kilka krótkich rozmów i nagle przestałem pić. Ten "suchy" okres trwał około trzech tygodni. Aż do momentu, gdy pojechałem do Atlantic City, aby wziąć udział w kilkudniowej konferencji pewnego krajowego stowarzyszenia, którego byłem członkiem. Wypiłem całą whisky, jaką mieli w pociągu i kupiłem kilka ćwiartek w drodze do hotelu. To było w niedzielę. Tej nocy upiłem się kompletnie. W poniedziałek pozostałem trzeźwy aż do kolacji i wtedy ponownie zacząłem się upijać. W barze wypiłem tyle, na ile starczyło mi śmiałości, a później poszedłem do mego pokoju dokończyć dzieła. We wtorek, dobrze zorganizowawszy sobie przedpołudnie, zacząłem pić od rana. W celu uniknięcia całkowitej kompromitacji musiałem wymeldować się z hotelu. W drodze na dworzec dokupiłem jeszcze wódki. Musiałem trochę poczekać na pociąg. Od tego momentu, aż do chwili, kiedy obudziłem się w domu moich przyjaciół w pobliskim mieście, nie pamiętam nic. Oni to zawiadomili moją żonę, która przysłała mojego nowego przyjaciela, żeby zabrał mnie do domu. On też położył mnie do łóżka, dał mi tego wieczoru kilka kieliszków, a następnego ranka butelkę piwa. Było to 10 czerwca 1935 roku i był to mój ostatni kieliszek. W momencie, gdy piszę te słowa minęły od tamtego czasu blisko cztery lata. Pytanie, które się oczywiście nasuwa brzmi: "Co ten człowiek zrobił lub powiedział innego, niż wszyscy pozostali?" Gwoli przypomnienia, przeczytałem mnóstwo i rozmawiałem z każdym, kto wiedział lub sądził, że wie cokolwiek na temat alkoholizmu. To był jednak człowiek, który sam doświadczył wielu lat koszmarnego picia, który przeszedł przez wszystkie stadia nałogowego alkoholizmu i który został uleczony sposobami, jakie ja sam starałem się stosować, to znaczy drogą odrodzenia duchowego. Przekazał mi informacje na temat alkoholizmu, co było niewątpliwie pomocne. Ale znacznie ważniejszy był fakt, że był on pierwszym człowiekiem, z którym kiedykolwiek rozmawiałem, a który znał z własnego doświadczenia to, co miał do powiedzenia na temat alkoholizmu. Innymi słowy mówił on moim językiem. Znał wszystkie odpowiedzi z pewnością nie dlatego, że wyszukał je w książkach.

To najcudowniejsze szczęście uwolnić się od straszliwej klątwy, którą byłem dotknięty. Jestem zdrowy, odzyskałem szacunek dla siebie i poważanie kolegów. Moje życie rodzinne układa się idealnie, a zawodowe tak dobrze, jak tylko można by się spodziewać w naszych niepewnych czasach. Poświęcam dużo czasu na przekazywanie innym potrzebującym i pragnącym pomocy tego, czego się sam nauczyłem. Robię to z czterech powodów:

1. Z poczucia obowiązku.
2. Ponieważ sprawia mi to przyjemność.
3. Ponieważ postępując tak, spłacam dług człowiekowi, który zadał sobie trud przekazania mi posłania AA.
4. Ponieważ zawsze, gdy to robię, zyskuję trochę więcej zabezpieczenia przed ewentualną "wpadką".

W przeciwieństwie do większości z nas, nie przezwyciężyłem wcale pokusy picia podczas pierwszych dwu i pół lat abstynencji. Owa pokusa towarzyszyła mi prawie zawsze. Ale nigdy nie byłem bliski poddania się. Ogarniał mnie straszny żal, gdy moi przyjaciele pili, a ja nie mogłem. Wypracowałem w sobie przekonanie, że ja też cieszyłem się kiedyś tym samym przywilejem, ale nadużywałem go tak potwornie, że został mi zabrany. Dlatego nie wypada mi użalać się. W końcu nikt nigdy na siłę nie wlewał mi alkoholu do gardła.

Jeśli uważasz się za ateistę, agnostyka, sceptyka lub czujesz swoją intelektualną wyższość, która nie pozwala ci zaakceptować tego, co zawarte jest w tej książce bardzo ci współczuję. Jeśli nadal sądzisz, że jesteś wystarczająco silny, aby wygrać sam to twoja sprawa. Jeśli natomiast naprawdę chcesz przestać pić raz na zawsze i szczerze odczuwasz potrzebę czyjejś pomocy – wiemy, że mamy dla ciebie odpowiedź. Ona cię nie zawiedzie, jeśli tylko wykażesz połowę tej gorliwości, z jaką poprzednio sięgałeś po kolejny kieliszek.

Ojciec Niebieski nigdy cię nie opuści!

TRZECI ANONIMOWY ALKOHOLIK

Pionier, członek grupy w Akron, pierwszej grupy AA na świecie. Zachował wiarę, dlatego też on i niezliczone rzesze innych odnalazły nowe życie.

URODZIŁEM się na farmie w Carlyle County w stanie Kentucky jako jedno z pięciorga dzieci. Moi rodzice byli zamożnymi ludźmi i ich małżeństwo było szczęśliwe. Moja żona, dziewczyna z Kentucky, przybyła ze mną do Akron, gdzie ukończyłem wydział prawa w szkole prawniczej Akron Law School.

Mój przypadek jest nietypowy pod jednym względem. W dzieciństwie nie doznałem żadnych nieszczęśliwych przeżyć, które mogłyby tłumaczyć moje uzależnienie. Miałem widocznie po prostu naturalny pociąg do alkoholu. Moje małżeństwo było szczęśliwe i, jak powiedziałem, nigdy nie miałem żadnych powodów, świadomych czy podświadomych, które są często podawane jako przyczyna picia. A mimo to, jak pokazuje moja relacja, stałem się bardzo poważnym przypadkiem.

Zanim picie zwaliło mnie kompletnie z nóg, osiągnąłem całkiem sporo. Byłem przez pięć lat radnym i dyrektorem finansowym Kenmore, dzielnicy, która później została włączona do samego miasta. Ale oczywiście z tym wszystkim kolidowało moje postępujące picie. Tak więc w czasie, kiedy pojawili się dr Bob i Bill, moje siły były na wyczerpaniu.

Po raz pierwszy upiłem się, kiedy miałem osiem lat. Nie była to wina ojca czy matki, ponieważ oboje bardzo potępiali picie. Kilku najemnych robotników czyściło stajnię na farmie, a ja powoziłem saniami w tę i z powrotem. W czasie, kiedy oni załadowywali je, ja popijałem jabłecznik z beczki stojącej w stodole. W powrotnej drodze, po drugim czy trzecim załadowaniu, straciłem przytomność i musiano mnie zanieść do domu. Pamiętam, że ojciec trzymał w domu whisky do celów zdrowotnych i towarzyskich, a ja popijałem z butelki, kiedy nikogo nie było w pobliżu, a później dopełniałem wodą, aby rodzice nie dowiedzieli się, że piję.

I tak to się działo do czasu, kiedy wstąpiłem na stanowy uniwersytet i pod koniec czwartego roku stwierdziłem, że jestem pijakiem. Ranek po ranku budziłem się chory i roztrzęsiony, ale zawsze na stole obok łóżka spoczywała butelczyna z alkoholem. Wyciągałem po nią rękę, pociągałem raz, po kilku chwilach wstawałem i pociągałem jeszcze raz, goliłem się, jadłem śniadanie, do kieszeni wsuwałem piersiówkę alkoholu i szedłem na zajęcia. Między wykładami zbiegałem do umywalni, gdzie pociągałem odpowiednią porcję, aby uspokoić nerwy i szedłem na następne zajęcia. Miało to miejsce w 1917 roku.

Opuściłem uniwersytet w ostatnim semestrze ostatniego roku i wstąpiłem do wojska. Wówczas nazywałem to patriotyzmem. Później zdałem sobie sprawę, że uciekałem przed alkoholem. Pomogło to w pewnym stopniu, ponieważ bywałem w miejscach, gdzie nie mogłem zdobyć nic do picia, co przełamało moje nałogowe picie.

Później nastały czasy prohibicji i fakt, że alkohol, który można było załatwić bywał taki ohydny (a czasami trujący) oraz fakt, że ożeniłem się i miałem pracę, której musiałem pilnować, pomogły mi na mniej więcej trzy lub cztery lata, chociaż upijałem się za każdym razem, kiedy do picia było tyle alkoholu, że warto było zaczynać. Moja żona i ja należeliśmy do kilku klubów brydżowych, gdzie zaczęto wyrabiać i podawać wino. Jednakże po dwóch czy trzech próbach stwierdziłem, że mnie to nie zadowala, ponieważ nie podawali tyle, aby mi dogodzić. Odmawiałem więc picia. Wkrótce jednak problem ten przestał istnieć, ponieważ zacząłem zabierać ze sobą własną butelkę i chowałem ją w łazience lub też w żywopłocie na zewnątrz.

Z biegiem czasu moje picie stawało się coraz gorsze. Dwa albo trzy tygodnie jednym ciągiem bywałem nieobecny w biurze, miałem okropne dni i noce, kiedy leżałem na podłodze w swoim domu, budząc się, sięgając po butelkę, popijając trochę i zapadając ponownie w niepamięć.

Podczas pierwszych sześciu miesięcy 1935 r. osiem razy byłem umieszczany w szpitalu ze względu na opilstwo i pozostawałem przywiązany do łóżka przez dwa lub trzy dni, zanim zdałem sobie sprawę, gdzie jestem.

26 czerwca 1935 r. odzyskałem przytomność w szpitalu i – mówiąc oględnie – byłem zniechęcony. Za każdym z siedmiu razy, kiedy opuszczałem ten szpital w ciągu ostatnich sześciu miesięcy, wychodziłem z pełnym przekonaniem, że nie upiję się ponownie – przynajmniej przez sześć czy osiem miesięcy. Tak się jednak nie działo i nie wiedziałem, w czym rzecz, nie wiedziałem co robić.

Tego ranka przeniesiono mnie do innego pokoju i była tam moja żona. Pomyślałem sobie: "Cóż, powie mi, że to już koniec" i oczywiście nie mogłem jej winić, ale też nie miałem zamiaru się usprawiedliwiać. Oświadczyła mi, że rozmawiała z dwoma facetami o piciu. Bardzo mnie to zirytowało, dopóki nie powiedziała, że to para pijaków takich samych jak ja. Pogadać o tym z innym pijakiem to nic strasznego.

Powiedziała: "Rzucisz picie". Znaczyło to tak wiele, chociaż w to nie wierzyłem. Później powiedziała mi, że ta para pijaków, z którymi rozmawiała ma plan, przy pomocy którego, ich zdaniem, można rzucić picie a częścią tego planu jest to, że opowiadają o tym innemu pijakowi. To ma im pomóc pozostać trzeźwymi. Wszyscy inni ludzie, którzy wcześniej rozmawiali ze mną, chcieli pomóc mi, a moja duma powstrzymywała mnie przed słuchaniem ich i z mojej strony wywoływała jedynie opór. Czułem jednak, że byłbym prawdziwą szują, gdybym przez jakiś czas nie posłuchał tych facetów, jeżeli miałoby to uleczyć ich. Żona powiedziała mi również, że nie mogę im zapłacić, nawet gdybym chciał i miał pieniądze, których i tak nie miałem.

Weszli do środka i zaczęli opowiadać mi o programie, który później stał się znany jako program Anonimowych Alkoholików. Nie było tego zbyt wiele wówczas.

Podniosłem wzrok i ujrzałem dwóch wspaniałych, potężnych facetów, ponad 180 cm wzrostu, wyglądem bardzo do siebie podobnych. (Później dowiedziałem się, że ci dwaj, którzy weszli to Bill W. i dr Bob). Wkrótce zaczęliśmy porównywać niektóre zdarzenia z naszego picia i – naturalnie – po niedługim czasie zdałem sobie sprawę, że obydwaj wiedzą o czym mówią – ponieważ, kiedy jesteś pijany widzisz i odczuwasz rzeczy, których nie widzisz i nie czujesz kiedy indziej i gdybym pomyślał, że oni nie wiedzą o czym mówią, nie miałbym ochoty w ogóle z nimi rozmawiać.

Po jakimś czasie Bill powiedział: "Ty gadałeś przez długi czas, pozwól teraz, że ja pomówię przez minutę czy dwie". Tak więc, kiedy opowiedziałem jeszcze trochę, obrócił się do doktora – nie sądzę, aby wiedział, że go słyszę – i powiedział: "Wierzę, że wart jest ocalenia i popracowania nad nim". Powiedzieli do mnie: " Czy chcesz przestać pić? Twoje picie to nasz żaden interes. Nie jesteśmy tu po to, aby próbować zabrać którekolwiek z twoich praw czy przywilejów, ale mamy program, przy pomocy którego, jak sądzimy, możemy pozostać trzeźwi. Częścią tego programu jest to, że przekazujemy go komuś innemu, komuś kto potrzebuje i chce go. Teraz, jeżeli nie chcesz tego, nie będziemy zabierać twojego czasu, pójdziemy i poszukamy kogoś innego".

Następną rzeczą, której chcieli się dowiedzieć, było to, czy sądzę, że mogę przestać pić samodzielnie, bez jakiejkolwiek pomocy, czy mogę po prostu wyjść ze szpitala i nigdy więcej nie sięgnąć po alkohol. Jeżeli tak to wspaniale, to po prostu świetnie i darzyliby szacunkiem osobę, która miałaby ten rodzaj mocy, ale oni szukali człowieka, który zdaje sobie sprawę z tego, że ma problem i wie, że nie może poradzić sobie z nim samodzielnie i potrzebuje zewnętrznej pomocy. Następnie chcieli dowiedzieć się, czy wierzę w Siłę Wyższą. Z tym nie było żadnego problemu, bo właściwie nigdy nie przestałem wierzyć w Boga i mnóstwo razy próbowałem otrzymać pomoc, ale nie udawało mi się. Następnie padło pytanie, czy zechcę zwrócić się do tej Siły Wyższej i poprosić o pomoc spokojnie i bez żadnych oporów.

Zostawili mnie z tym wszystkim do przemyślenia. Leżąc na szpitalnym łóżku cofnąłem się w czasie i przyglądałem się własnemu życiu. Myślałem o tym, co alkohol mi zrobił, o szansach, które zaprzepaściłem, o danych mi talentach, jak je trwoniłem i ostatecznie doszedłem do wniosku, że gdybym nawet nie chciał przestać pić, to z pewnością powinienem chcieć, i że chcę zrobić co tylko można, by przestać.

Byłem gotów przyznać wobec samego siebie, że sięgnąłem dna, że działo się ze mną coś i nie wiedziałem jak sobie z tym poradzić. Tak więc, po przyjrzeniu się temu i zdaniu sobie sprawy, ile kosztował mnie alkohol, zwróciłem się do Siły Wyższej, którą dla mnie był Bóg, bez żadnych zahamowań i przyznałem, że jestem całkowicie bezsilny wobec alkoholu i że jestem gotów zrobić wszystko, aby pozbyć się tego problemu. Co więcej stwierdziłem, że od tej chwili jestem gotów oddać kierowanie moim życiem Bogu. Każdego dnia będę starał się poznać, jaka jest Jego wola i spróbuję ją wykonywać, zamiast przymuszać Boga do tego, aby zawsze zgadzał się, iż rzeczy, które ja wymyśliłem, były najlepsze. Powiedziałem im to, kiedy wrócili.

Jeden z tych facetów (myślę, że to był doktor) zapytał: "Więc chcesz przestać?". Odpowiedziałem: "Tak doktorze, chciałbym przestać, przynajmniej na pięć, sześć czy osiem miesięcy, dopóki sprawy się nie poukładają, kiedy zacznę odzyskiwać szacunek mojej żony i kilku innych ludzi, uporządkuję finanse i tak dalej". Obydwaj wybuchnęli serdecznym śmiechem i powiedzieli: "To znacznie lepiej, niż ci się wiodło prawda?". Oczywiście była to prawda. Dodali: " Mamy dla ciebie złą wiadomość. Była fatalna dla nas i prawdopodobnie będzie taka dla ciebie. Czy rzucasz picie na sześć dni, miesięcy, albo lat, jeżeli pójdziesz i sięgniesz po kieliszek albo dwa, skończysz w tym szpitalu, przywiązany do łóżka, tak jak to było w ciągu ostatnich sześciu miesięcy. Jesteś alkoholikiem". O ile dobrze pamiętam, wówczas po raz pierwszy zwróciłem uwagę na to słowo. Wydawało mi się, że jestem po prostu pijakiem. A oni powiedzieli: "Nie, ty jesteś chory i nie ma najmniejszej różnicy, jak długo obywasz się bez alkoholu. Po kieliszku czy dwóch skończysz tak jak teraz." W owej chwili była to doprawdy przygnębiająca wiadomość.

Następnie zwrócili się do mnie z pytaniem: " Możesz wytrzymać bez picia przez 24 godziny, prawda?" Powiedziałem: "Pewnie tak, każdy może to zrobić." Powiedzieli:" I to jest to, o czym mówimy. Po prostu 24 godziny na raz." Z pewnością zdjęło mi to ciężar z serca. Za każdym razem kiedy zacząłbym myśleć o piciu, myślałbym o długich, suchych latach przede mną, ale ten pomysł z 24 godzinami, którego mogłem się odtąd trzymać był bardzo pomocny.

(W tym miejscu wydawcy pragną uzupełnić zapiski Billa D., tego mężczyzny na łóżku, relacją Billa W., mężczyzny, który siedział przy łóżku). Mówi Bill W.:

"Latem dziewiętnaście lat temu dr Bob i ja zobaczyliśmy go (Billa D.) po raz pierwszy. Bill leżał na swoim szpitalnym łóżku i patrzył na nas w zadziwieniu. Dwa dni wcześniej dr Bob powiedział do mnie: "Jeżeli ty i ja mamy pozostać trzeźwi, to lepiej zabierzmy się do pracy." Natychmiast Bob zadzwonił do szpitala miejskiego w Akron i poprosił pielęgniarkę z izby przyjęć. Wyjaśnił, że on i pewien mężczyzna z Nowego Jorku mają lekarstwo na alkoholizm. Czy ma jakiegoś pacjenta alkoholika, na którym można je wypróbować? Ponieważ znała Boba od dawna, żartobliwie spytała: "Przypuszczam doktorze, że wypróbował je pan już na sobie?"

Tak, miała pacjenta – wspaniały przypadek. Właśnie przyjęto go na detoks. Podbił oczy dwóm pielęgniarkom, a teraz leży mocno przywiązany. Czy ten by się nadawał? Po przepisaniu lekarstw dr Bob nakazał: "Umieście go w osobnym pokoju. Zejdziemy, skoro tylko dojdzie do siebie".

Bill nie wyglądał na specjalnie zachwyconego. Wyglądając smutniej niż kiedykolwiek, powiedział zmęczonym głosem: "Tak, dla was panowie to coś wspaniałego, ale nie dla mnie. Mój przypadek jest tak okropny, że w ogóle boję się wyjść z tego szpitala. Nie musicie też sprzedawać mi religii. Byłem kiedyś ministrantem w kościele i nadal wierzę w Boga. Ale On, jak sądzę, nie bardzo wierzy we mnie."

Później odezwał się dr Bob:" Dobra, Bill, może jutro będziesz czuć się lepiej. Czy nie zechciałbyś się z nami ponownie zobaczyć?" "Pewnie, że tak" – odpowiedział Bill. – "Może zda to się psu na budę, ale was obydwu i tak chciałbym zobaczyć. Widać, że wiecie, o czym mówicie."

Kiedy zajrzeliśmy ponownie, zastaliśmy Billa z jego żoną Henriettą. Z ożywieniem wskazał na nas mówiąc:"To są właśnie panowie, o których ci opowiadałem, to są ci, którzy rozumieją."

Później Bill opowiadał o tym, jak leżał rozbudzony przez prawie całą noc. Pomimo że pogrążony był w otchłani rozpaczy, nie wiadomo skąd pojawiła się w nim nadzieja. Przez jego umysł jak błyskawica przemknęła myśl: "Jeżeli oni mogą to zrobić, mogę i ja!" Powtarzał to sobie na okrągło. W końcu z nadziei tej wybuchło przekonanie. Teraz był pewien. Później przyszła wielka radość. Ostatecznie zawładnął nim spokój, po czym zasnął.

Jeszcze zanim nasza wizyta dobiegła końca, Bill zwrócił się do swojej żony i powiedział: "Przynieś mi, kochana moja, ubranie. Wstaniemy i wyjdziemy stąd". Bill D. wyszedł z tego szpitala jako wolny człowiek, który już nigdy nie sięgnął po alkohol.

Od tego właśnie dnia datuje się pierwsze spotkanie grupy AA.

(Teraz Bill D. podejmuje swoją opowieść.)

Dwa lub trzy dni po moim pierwszym spotkaniu z doktorem i Billem ostatecznie podjąłem decyzję, aby powierzyć swoją wolę Bogu i realizować program najlepiej, jak potrafię. Ich mowa i działanie z wolna napełniły mnie odrobiną zaufania, choć nie miałem całkowitej pewności. Nie obawiałem się, że program się nie sprawdzi, ale nadal miałem wątpliwości, czy będę mógł się go trzymać. Jednakże doszedłem do wniosku, że chcę w ten program wszystko zainwestować z pomocą Boga. Kiedy tylko to zrobiłem, odczułem wielką ulgę. Wiedziałem, że mam kogoś, kto mi pomoże, na kim mogę polegać, kto mnie nie zawiedzie. Gdybym mógł trwać przy Nim i słuchać, udałoby mi się to. Przypominam sobie, że kiedy później chłopaki wrócili, powiedziałem im : "Zwróciłem się do Siły Wyższej i powiedziałem Bogu, że chcę przedkładać jego świat ponad wszystko. Zrobiłem to i mogę powiedzieć to ponownie w waszej obecności, mogę to powtórzyć również w każdym miejscu, gdziekolwiek na świecie nie wstydząc się tego". I kiedy to powiedziałem, poczułem się ufny i tak jakbym zrzucił z pleców wielki ciężar.

Przypominam sobie również, jak powiedziałem im, że będzie mi strasznie trudno, ponieważ robiłem także inne rzeczy – paliłem papierosy, grałem w pokera na pieniądze, czasami obstawiałem konie na wyścigach. Oni zapytali: "Nie sądzisz, że w tej chwili masz więcej kłopotów z piciem niż z czymkolwiek innym? Czyż nie wierzysz, że zrobisz wszystko, aby się tego pozbyć?". "Tak – odpowiedziałem z wahaniem – prawdopodobnie tak". Dodali: "Zapomnijmy o tych innych rzeczach, to znaczy o próbie pozbycia się ich wszystkich naraz, i skoncentrujmy się na piciu." Oczywiście omówiliśmy sporo wad, jakie miałem i sporządziliśmy rodzaj listy, co nie było rzeczą zbyt trudną, bo było we mnie okropnie dużo złych rzeczy, dla mnie widocznych, gdyż znałem je wszystkie. Później dodali: "Jest jeszcze jedna rzecz. Powinieneś wyjść i zanieść ten program komuś innemu, komuś, kto go potrzebuje i chce."

W owym czasie mój interes praktycznie już nie istniał. Nie miałem niczego. Przez całkiem długi czas nie byłem też naturalnie w najlepszej kondycji fizycznej. Zajęło mi około roku czy półtora zanim poczułem się fizycznie dobrze.

Było raczej ciężko, ale wkrótce odnalazłem ludzi, których przyjaźnią kiedyś się cieszyłem i stwierdziłem po niedługim czasie trzeźwości, że ci ludzie traktują mnie tak jak wówczas, kiedy nie było ze mną tak źle i nie musiałem troszczyć się o źródło utrzymania. Spędzałem większość swojego czasu, próbując odzyskać tamte przyjaźnie i zadośćuczynić swojej żonie, którą bardzo skrzywdziłem.

Byłoby trudno ocenić jak dużo AA zrobiło dla mnie. Naprawdę chciałem realizować program. Zauważyłem, że inni zdają się odczuwać ulgę, radość, coś, co jak sądziłem, ludzie powinni mieć. Próbowałem znaleźć odpowiedź dlaczego tak się dzieje. Wiedziałem, że było coś jeszcze innego, coś, czego nie doznałem i przypominam sobie pewien dzień, w tydzień lub dwa po wyjściu ze szpitala, kiedy do mojego domu przyszedł Bill i rozmawiał z moją żoną i ze mną. Jedliśmy lunch a ja słuchałem i próbowałem dojść skąd brała się ulga, którą zdawali się odczuwać. Bill spojrzał przez stół na moją żonę i powiedział do niej: "Henrietto, Bóg tak cudownie ze mną postąpił, lecząc mnie z tej okropnej choroby, że po prostu chce mi się o tym mówić i opowiadać ludziom."

Pomyślałem sobie: "Sądzę, że mam odpowiedź." Bill był bardzo, bardzo wdzięczny, że został uwolniony od tej okropnej choroby i przyznawał, że to Bóg tak uczynił i że jest za to wdzięczny, dlatego też chce o tym mówić innym ludziom. To zdanie: "Bóg tak cudownie ze mną postąpił, lecząc mnie z tej okropnej choroby, że po prostu chce mi się o tym mówić ludziom" stało się czymś w rodzaju złotej myśli dla programu AA i dla mnie.

Oczywiście z upływem czasu zacząłem odzyskiwać zdrowie i nie musiałem już ukrywać się przed ludźmi przez cały czas , to było po prostu cudowne. Nadal chodzę na mityngi, ponieważ lubię tam chodzić. Spotykam ludzi, z którymi lubię rozmawiać. Innym powodem, że chodzę tam, jest to, że nadal jestem wdzięczny za te dobre lata, które przeżyłem. Jestem tak wdzięczny programowi AA, a także ludziom go realizującym, że nadal chcę chodzić na mityngi. I w końcu, być może, najcudowniejsza myśl, jakiej nauczyłem się z programu – wiele razy czytałem ją w "A.A. Grapevine", przekazywano mi ją osobiście, słyszałem ją na mityngach – zawiera się w słowach: "Przyszedłem do AA wyłącznie po to, aby zdobyć trzeźwość, ale właśnie dzięki AA odnalazłem Boga."

Czuję, że jest to najcudowniejsza rzecz, jaką każdy może zrobić.

SĄDZIŁ, ŻE POTRAFI PIĆ JAK DŻENTELMEN

ale odkrył, że są dżentelmeni, którzy nie mogą pić.

URODZIŁEM się w Cleveland, Ohio, w 1899 r., jako ostatnie z ośmiorga dzieci. Moi rodzice ciężko pracowali, aby zarobić na życie. Ojciec był robotnikiem kolejowym i weteranem wojny secesyjnej. Pamiętam, że kiedy byłem dzieckiem, ojciec próbował egzekwować wobec nas dyscyplinę wojskową, do jakiej przywykł podczas trzy i półrocznej służby wojskowej. Konflikty między ojcem a moimi siostrami, które były nauczycielkami, stanowiły idealny klimat dla dziecka mojego pokroju wystarczająco sprytnego i bystrego, by skorzystać na każdej kłótni dorosłych. Innymi słowy, zawsze byłem bezpieczny przed dyscypliną ojca i nauczywszy się postępować w ten sposób, miałem znaczne problemy w szkole. Reguły stworzone zostały dla innych, ale nie dla mnie. Oczywiście, moim celem było zawsze podążać własną drogą i nie dać się złapać.

Moja matka miała osiemdziesiąt dziewięć lat, kiedy zmarła, a gdy umierała, mój alkoholizm był w pełnym rozkwicie. Była kobietą oddaną rodzinie i wierną mężowi, ale cieniem na jej życiu kładły się kłótnie. Miałem czterech braci i trzy siostry. Patrząc wstecz, stwierdzam, że u wszystkich braci pojawiły się problemy osobowościowe. Na siostrach, jak się wydawało, nie odcisnęło się żadne piętno. U mnie reakcją było rozwinięcie się napadów złośliwości, która powodowała to, że robiłem różne rzeczy, aby wywołać ożywienie i zwrócić na siebie uwagę. Bardzo wcześnie poznałem efekty działania alkoholu. Kiedyś nawet zgarnęła mnie policja i doprowadziła do domu. Miałem wtedy około szesnastu lat. Nie chodziłem do szkoły średniej. Uczęszczałem do szkół pięcioklasowych, głównie dlatego że byłem wyrzucany za zachowanie, w końcu jednak ukończyłem ósmą klasę.

Zawsze interesowałem się mechaniką i po zmianie około dwudziestu różnych posad, trwających od jednego dnia do dwóch tygodni, otrzymałem pracę jako uczeń ślusarza narzędziowego. Ponieważ bardzo zainteresowała mnie ta praca, zmieniłem swoje postępowanie, by móc opanować ten zawód. Ukończyłem praktykę i przeniesiono mnie do kreślarni. Miało to miejsce w Cleveland. Jako kreślarz pracowałem dla kilku dużych przedsiębiorstw i zdobyłem różnego rodzaju doświadczenia. Niedaleko od miejsca, gdzie mieszkałem, wybudowano nowe technikum i jeden z nauczycieli podsunął mi myśl, że jeżeli mam być dobrym narzędziowcem, to potrzebna jest mi odrobina znajomości rysunku technicznego. Zająłem się więc rysunkiem i czyniłem szybkie postępy. Wówczas szkoła załatwiła mi pracę w dziale kreślarskim innego przedsiębiorstwa. Po spędzeniu około dwóch lat przy desce kreślarskiej doszedłem do wniosku, że potrzebne jest mi wykształcenie techniczne. Miałem wówczas około osiemnastu lat. Nie miałem średniego wykształcenia, poszedłem więc do szkoły wieczorowej, aby je zdobyć i dokonałem tego w ciągu dwóch lat i dziewięciu miesięcy. Widocznie chciałem stłumić zaburzenia osobowości olbrzymim pędem do sukcesu. Miałem cel. Potrafiłem narzucić sobie dyscyplinę, ale po drodze trafiały się uroczystości i okazje, kiedy upijałem się. I chociaż w tym czasie nie miałem stałego wzorca picia, jednak kiedy już piłem, to w zasadzie na całego.

Później wstąpiłem do Case School i pracowałem przez cały czas, aż do ukończenia szkoły. Była to politechnika. Po ukończeniu studiów złożono mi niezłą ofertę pracy, z której skorzystałem. Jesienią ostatniego roku studiów zacząłem zajmować się w sądzie sprawami spornymi dotyczącymi własności wynalazków i patentów. Doświadczenie to zawiodło mnie do szkoły prawniczej, do której chodziłem wieczorami i którą ukończyłem w prawie trzy lata, przystępując do najważniejszych egzaminów prawniczych i zdając je. Kształcenie się w szkole prawniczej nie było podyktowane chęcią zajęcia się prawem patentowym, co stało się odtąd moim zajęciem. Poszedłem do szkoły prawniczej głównie po to, by poznać prawo kontraktowe, gdyż miało to związek z moimi własnymi doświadczeniami w sprawach spornych. Rok później, po ukończeniu kursu prawa kontraktowego, porzuciłem szkołę prawniczą i zająłem się pewnymi pracami inżynierskimi dla firmy zajmującej się prawem patentowym w imieniu klientów, którzy znajdowali się w kłopotach, a nie chcieli, by zajęły się nimi ich własne kadry inżynierskie. Praca ta zajęła mi około roku i zakończyła się sukcesem, tak więc zdecydowałem się nadal zajmować prawem patentowym. Wróciłem do szkoły prawniczej i poszczególne kursy robiłem jednocześnie, ponieważ dobiegałem trzydziestki i chciałem jak najszybciej mieć wszystko za sobą. Podczas całej tej edukacji utrzymywałem się sam, pracując jako narzędziowiec i kreślarz.

Ożeniłem się, kiedy miałem dwadzieścia osiem lat, a szkołę prawniczą rozpocząłem już po ślubie. Miałem dwoje dzieci, kiedy przyjęto mnie do palestry.

Miałem tyle zajęć, że poza kilkoma szkolnymi i grupowymi przyjęciami zachowywałem umiar w piciu między dwudziestym piątym a trzydziestym rokiem życia. Moje życie było wystarczająco wypełnione i nie wydawało mi się, abym potrzebował jakichkolwiek dodatkowych bodźców do funkcjonowania. Zanim ukończyłem szkołę prawniczą, zdobyłem już trochę doświadczenia w prawie patentowym, ponieważ nadal pracowałem w firmie tym się zajmującej, byłem również zatrudniony w Waszyngtonie, gdzie stwierdzono, że jestem zdolnym badaczem przypadków naruszenia prawa. W 1924 r. miałem już wystarczająco wielu własnych klientów, tak więc firma uczyniła mnie swoim młodszym wspólnikiem. Moja kariera jako pijaka rozpoczęła się cztery lata po tym, gdy zostałem wspólnikiem i wstąpiłem do pewnych klubów, towarzystw i tak dalej, w czasie, kiedy mieliśmy prohibicję. Miałem wówczas trzydzieści siedem lub trzydzieści osiem lat.

Przez cały czas obowiązywania prohibicji każdy alkoholik czuł, że to on robi najlepszy alkohol, nieważne jaki był paskudny. Ja stałem się specjalistą w robieniu wina z owocu czarnego bzu.

Było kilka przypadków – na przykład doszczętnie rozbity samochód – kiedy policja eskortowała mnie do domu, ale nie do więzienia, co w sumie wyrządzało mi krzywdę.

Wobec swoich osiągnięć zawodowych i finansowych byłem wówczas pełen uznania dla samego siebie. Pierwsze wyraźne oznaki tego, że jestem alkoholikiem, zaczęły się pojawiać, kiedy jechałem do Nowego Jorku w interesach i zawieruszałem się w Filadelfii lub w Bostonie na dwa lub trzy dni. Musiałem później wracać do Nowego Jorku, aby odebrać rachunki i bagaże. Okresy te stawały się coraz częstsze i postanowiłem, że kiedy stuknie mi czterdziestka, co miało wkrótce nastąpić, przerzucę się na napoje niealkoholowe. Czterdziestka przyszła i minęła, a postanowienie przesunąłem na czas, kiedy będę mieć lat czterdzieści jeden, czterdzieści dwa i tak dalej, jak to zwykle bywa. Zdałem sobie sprawę, że mam problem, chociaż moje przyznanie nie było zbyt głębokie, ponieważ moja własna duma nie pozwalała mi przyznać, że mam jakiekolwiek problemy ze sobą. Nie mogłem zrozumieć, dlaczego nie jestem w stanie pić jak dżentelmen – a to było moją główną ambicją – do czasu, kiedy wylądowałem w AA. Ten wzór pogłębiał się i stawał się coraz gorszy. Piłem na okrągło, walcząc zawzięcie, aby mieć kontrolę nad ilością wypijaną przeze mnie każdego dnia.

Moja praktyka prawnicza osiągnęła punkt, gdzie mogła wytrzymać wiele niedociągnięć i miała je. Kiedykolwiek pojawiała się sytuacja, gdy szybka rozmowa nie wyjaśniała wszystkiego od razu, po prostu wycofywałem się. Innymi słowy, wyrzucałem klienta, zanim on wyrzucił mnie. Byłem chętny, aby robić rzeczy, które chciałem wykonywać i otrzymywać rzeczy, które chciałem mieć.

Jeżeli chodzi o religię, to w młodości edukowano mnie w wierze katolickiej. Uczęszczałem do szkół zarówno katolickich, jak i publicznych. Nigdy nie odszedłem od Kościoła, ale byłem niepraktykujący i nigdy nie postała mi w głowie myśl, że przez praktykowanie tego, z czym się zapoznałem, mógłbym znaleźć odpowiedź na swój problem. Po prostu dlatego, że nie przyznałbym się, iż mam problem. Skuteczne rozwiązywanie problemów w innych sferach życia przekonało mnie, że pewnego dnia będę w stanie pić jak dżentelmen.

Kiedy miałem około czterdziestu siedmiu lat, po wypróbowaniu wszelkich sposobów samooszukiwania się, by kontrolować swoje picie, przyszedł czas, kiedy miałem przekonanie, że muszę codziennie pić dużo alkoholu i że jedynym problemem jest kontrolowanie ilości. Po dwóch czy trzech latach wysiłków, aby to czynić, osiągnąłem stan, gdy naprawdę straciłem nadzieję, że kiedykolwiek będę w stanie wypijać jedynie nieszkodliwą dawkę każdego dnia. A później w moich myślach pojawiły się spekulacje, jak długo jeszcze pożyję, jak długo pozostanę sprawny. W owym czasie jeden z synów był na studiach, drugi w klasie maturalnej szkoły średniej, a córka miała około dwunastu lat. Moja wydajność zawodowa spadła do dwudziestu pięciu procent.

Miałem dwóch partnerów. Bez słowa cierpieli na skutek mojego postępowania, powodem tego było to, że nadal udawało mi się utrzymywać bardzo rozległą praktykę. Przypuszczalnie czuli, że jest to beznadziejne, że z pewnością jestem wystarczająco inteligentny, by wiedzieć, co robię. Mylili się. Nigdy nie podnieśli tej kwestii. W rzeczywistości, kiedy patrzę wstecz, często myślałem, iż prawdopodobnie doszli do wniosku, że przemęczą się ze mną kilka lat, że dłużej nie pożyję i że przejmą to, co pozostanie z praktyki. Nie jest to czymś niezwykłym.

Jeżeli chodzi o mój dom nie dostrzegałem wówczas, chociaż widzę to dzisiaj, że sytuacja mojej żony nie była wesoła. Dzieci straciły szacunek dla mnie i prawdę mówiąc, dopiero po trzech czy czterech latach mojego trzeźwienia któreś z nich odezwało się do mnie w sposób wskazujący na to, że odzyskałem choć odrobinę poszanowania w ich oczach.

Mając lat czterdzieści dziewięć i pół po raz pierwszy otarłem się w grupę Akron. Nie znałem tej grupy przedtem, ale dowiedziałem się, że moja żona wiedziała o niej od dziewięciu miesięcy i cały czas modliła się, abym w ten czy inny sposób do niej trafił. Wiedziała, że jeżeli w owym czasie zrobiłaby jakąkolwiek uwagę na temat mojego picia, stworzyłoby to tylko barierę. Za ten wniosek, jestem jej ciągle wdzięczny. Gdyby ktoś próbował wytłumaczyć mi, czym jest Wspólnota AA, jak działa, przypuszczalnie zwlekałbym jeszcze kilka lat i wątpię, czy bym w ogóle przeżył.

Tak więc historia mojego przystąpienia do AA zaczyna się od poczynań mojej żony. Chodziła ona do fryzjerki, która zwykle opowiadała jej o szwagrze, który zdrowo popijał i o pewnym lekarzu w Akron, który sprowadził go na dobrą drogę. Moja żona nie powtarzała mi tego, ale pewnego niedzielnego popołudnia, kiedy Mary próbowała mnie rozchmurzyć, zajrzeli do nas Clarence i jego szwagierka – fryzjerka, o której już wspominałem. Zostałem im przedstawiony i Clarence przystąpił do działania w ramach Dwunastego Kroku. Byłem zaszokowany, gdy ktokolwiek mówił o sobie w taki sposób i odniosłem wrażenie, że ten facet ma lekkiego bzika. Mimo to, a nie kojarzyłem tego z żadną okazją, Clarence pojawiał się nie wiadomo skąd w ostatnim barze, w jakim zatrzymywałem się codziennie, wracając do domu. Wywoływało to oczywiście we mnie opór i zaproponowałem Clarence'owi zapłatę, jakakolwiek miałaby być, aby mnie nie nachodził, ponieważ doszedłem wcześniej do wniosku, że jest on naganiaczem dla jakiegoś towarzystwa zajmującego się alkoholizmem. Pewnego wieczoru po obiedzie wyszedłem z domu, aby wypić sobie kilka podwójnych whisky i zabawiłem trochę dłużej niż zwykle, a kiedy wszedłem do domu, na kanapie siedział Clarence razem z Billem W. Nie przypominam sobie tej specyficznej rozmowy, jaką wiedliśmy, ale jestem przekonany, że poprosiłem Billa, aby opowiedział mi coś o AA. Natomiast pamiętam inną rzecz – chciałem dowiedzieć się, czym jest to, co sprawia tak wiele cudów. Nad kominkiem wisiał obraz przedstawiający Getsemani, Bill wskazał na niego i powiedział: "To jest właśnie to", ale nie zrozumiałem, o co mu chodziło. Porozmawialiśmy również trochę o dr. Bobie i musiałem powiedzieć, że rano z Billem udam się do Akron.

Następnego ranka do mojego pokoju weszła żona i obudziła mnie mówiąc: "Na dole jest tamten mężczyzna i twierdzi, że obiecałeś pojechać do Akron". Zapytałem: "Czy ja tak powiedziałem?" Odpowiedziała: "Cóż, nie byłoby go tutaj, gdybyś tak nie powiedział". Ponieważ szczyciłem się dotrzymywaniem danego słowa, powiedziałem: "No cóż, skoro tak powiedziałem, to pojadę". W takim mniej więcej stanie ducha znajdowałem się, kiedy jechałem do Akron. Po drodze Bill kupił mi jednego czy dwa drinki, razem z nami jechała Dorothy S. i w trójkę udaliśmy się do szpitala miejskiego. Jechaliśmy moim samochodem, który później zostawiłem na podjeździe. Przy windzie Bill zostawił mnie mówiąc: "Masz pokój taki a taki" i nie ujrzałem go ponownie przez sześć miesięcy. Przyszedł młody lekarz ze szklanką pełną białawego płynu, który uśpił mnie na piętnaście godzin. Do szpitala udałem się w kwietniu 1939 r.

Uważałem, że to, co spotyka mnie w szpitalu, jest wspaniałe, ponieważ dr Bob szybko powiedział, że będzie to miało bardzo mało wspólnego z medycyną, poza próbą przywrócenia mi apetytu. Nigdy wcześniej nie byłem hospitalizowany, ponieważ nie wzywałem lekarzy, kiedy czułem się okropnie. Używałem barbituranów. Prawdę powiedziawszy, trzy ostatnie lata mojego picia to nawyk zażywania barbituranów rano po to, aby przestać się trząść, móc się ogolić i później pić alkohol, poczynając od szesnastej trzydzieści czy siedemnastej, walcząc, by nie wypić drinka w południe czy w trakcie dnia, ponieważ byłem przekonany, że jeżeli wypiję jednego drinka, będę śmierdział, jakbym wypił pół litra.

Dr Bob nie wyłożył mi całego programu. Zaskoczył mnie, kiedy powiedział, że jest alkoholikiem, ale znalazł sposób, który jak dotąd umożliwia mu życie bez sięgania po drinka, i że najważniejszą rzeczą jest znalezienie sposobu, jak nie sięgnąć po pierwszy kieliszek. Powiedział, że jest jeszcze paru innych facetów, którzy spróbowali tego z powodzeniem, i że jeżeli życzyłbym sobie spotkać się z którymkolwiek z nich, to poprosi, aby mnie odwiedzili. Jestem pewny, że każdy członek grupy Akron zajrzał do mnie, co wywarło na mnie kolosalne wrażenie, nie tyle opowieściami, którymi mnie uraczyli, ile tym, że poświęcali swój czas, aby przyjść i porozmawiać ze mną, nawet nie wiedząc, kim jestem. Nie zdawałem sobie sprawy, że istnieje coś takiego jak działalność grupowa, dopóki nie opuściłem szpitala. Wyszedłem ze szpitala w środę po południu, zjadłem obiad w Akron i pojechałem do pewnego domu, gdzie trafiłem na swój pierwszy mityng. Byłem już na kilku takich spotkaniach, zanim odkryłem, że nie wszyscy, którzy tam przychodzili, byli alkoholikami. To znaczy, byli tam po części członkowie grupy oxfordzkiej, którzy interesowali się problemem alkoholowym, i sami alkoholicy. Czułem się dobrze na tych mityngach. W rzeczywistości, nigdy nie utraciłem wiary, ponieważ przygotowały mnie niektóre rozmowy z dr. Bobem pod koniec mojego pobytu w szpitalu, rozmowy w znacznej mierze tyczące spraw duchowych. Ogromne wrażenie wywarło na mnie pewne zdarzenie z doktorem. Tego popołudnia, kiedy miałem opuścić szpital, przyszedł mnie odwiedzić i zapytał, czy chcę spróbować realizować program. Odpowiedziałem mu, że nie mam żadnego innego zamiaru. Było to pod koniec ośmiu dni, w czasie których nie wypiłem ani kropli alkoholu. Przysunął wtedy swoje krzesło tak, że jego jedno kolano dotykało do mojego i zapytał: "Czy pomodlisz się razem ze mną za twoje powodzenie?" I później wygłosił piękną modlitwę. Było to przeżycie, którego nigdy nie zapomniałem i wielokrotnie w czasie mojej pracy z nowicjuszami w AA odczuwam w pewnym stopniu poczucie winy, ponieważ nie dokonałem tego samego.

Jednym z elementów, jakie pojawiały się nieodmiennie w historiach, które mi opowiadali, było to, że skoro już zaakceptowali program, nigdy nie pojawiła się u nich chęć napicia się. Przyjąłem to sceptycznie, kiedy usłyszałem o tym po raz pierwszy, ale gdy odwiedziło mnie dwudziestu ośmiu czy trzydziestu mężczyzn i prawie wszyscy powtórzyli dokładnie to samo, zacząłem wierzyć. W moim przypadku, odczuwałem tak ogromną radość ze swojej trzeźwości i było tyle rzeczy, które mnie pochłaniały, że minął miesiąc, nim przez głowę przebiegła mi myśl o piciu. Byłem prawdziwie wyzwolony od samego początku. Nigdy już nie pojawiła się we mnie chęć napicia się.

Doktor obszernie tłumaczył, że to jest choroba, ale był całkowicie otwarty w stosunku do mnie. Stwierdził, że mam wystarczającą wiarę w Wszechmocnego, aby być otwarty. Zwrócił moją uwagę na to, że prawdopodobnie jest to choroba bardziej moralna czy duchowa niż fizyczna.

Jeździliśmy do Akron przez około sześć tygodni i złożyliśmy mnóstwo wizyt ludziom tam mieszkającym. W owym czasie było tam około dwunastu czy trzynastu członków z Cleveland, którzy byli trzeźwi od półtora roku do kilku miesięcy. Wszyscy spotykali się w Akron. W końcu zapadła decyzja o zorganizowaniu grupy w Cleveland i pod koniec maja 1939 r. w moim domu odbył się pierwszy mityng w Cleveland. W spotkaniu tym uczestniczyła grupa ludzi z Akron i wszyscy z Cleveland.

Jeżeli chodzi o sprawy zawodowe, to mniej więcej po miesiącu abstynencji zdałem sobie sprawę, że powinienem zabrać się za rozwiązywanie spółki, w której pracowałem, ponieważ czułem, że nigdy nie odzyskam szacunku swoich partnerów, obojętnie jak długo pozostanę trzeźwy. Nadal miałem wystarczająco dużą praktykę, by zarobić na dobre warunki życia, jeżeli tylko będę chciał pracować, tak więc rozwiązałem spółkę w styczniu 1940 r. Chciałem założyć własną firmę zajmującą się prawem patentowym.

Wkrótce po tym, gdy doszedłem do tego wniosku, inna dobrze znana firma zajmująca się prawem patentowym zwróciła się do mnie z prośbą, abym pomógł im w jakichś pracach badawczych, ponieważ ich specjalista od badań przeszedł zawał serca i zakazano mu stawać przed sądem. W trakcie rozmów napomknąłem, że myślę o stworzeniu nowej firmy. Usłyszawszy to, ludzie ci nakłonili mnie, abym uczynił to natychmiast i przyłączył się do nich jako starszy wspólnik, co też uczyniłem. Jesienią 1939 r. stwierdziłem, że mój umysł nie doznał szwanku, przynajmniej jeżeli chodzi o pracę badawczą, a później rozwijałem się dalej od momentu, kiedy przestałem pić, gdy miałem czterdzieści pięć lat. Moje zdrowie fizyczne doznało poważnego uszczerbku, ale zacząłem je odzyskiwać. W rzeczywistości, po sześciu miesiącach jedząc, a nie pijąc whisky, przytyłem około piętnastu kilogramów.

Zdałem sobie sprawę, że nie ma nic takiego, co mógłbym powiedzieć, aby przedstawić się w bardziej korzystnym świetle wobec swoich dzieci, że to kwestia czasu, ponieważ zrozumiałem również brak tolerancji młodych ludzi wobec ułomności "starych". Wierzę jednak, że mojej rodzinie bardzo pomogło to, że w naszym domu co tydzień odbywały się mityngi AA. Czasami siadało wtedy z nami moje najstarsze dziecko. Zaakceptowałem katolicyzm w sposób niejako dziedziczny. Moje wykształcenie było w znacznym stopniu pogańskie. Doszedłem do wniosku, że jeżeli mam trwać przy Kościele katolickim, to muszę poznać korzenie tej wiary, ponieważ wywoływały we mnie wątpliwości. Tak więc zapisałem się na zaoczne studia teologiczne i studiowałem przez rok. Podsumowując mogę powiedzieć, że AA uczyniło ze mnie, a przynajmniej taką mam nadzieję, prawdziwego katolika.

EUROPEJSKI PIJAK

Piwo i wino nie były odpowiedzią.

URODZIŁEM się w Europie, a dokładnie w Alzacji, wkrótce potem, gdy została ona przejęta przez Niemcy, i praktycznie dorastałem z "dobrym winem reńskim", znanym z pieśni i opowieści. Rodzice przemyśliwali o zrobieniu ze mnie księdza i przez kilka lat uczęszczałem do szkoły franciszkańskiej w Bazylei w Szwajcarii, ledwie sześć mil przez granicę od mojego domu. Ale, chociaż byłem dobrym katolikiem, życie klasztorne niezbyt mnie pociągało.

Bardzo wcześnie zacząłem praktykować u rymarza i zdobyłem znaczną wiedzę w zakresie tapicerstwa. Dziennie spożywałem około jednego litra wina, ale było to normalne tam, gdzie mieszkałem. Wszyscy pili wino. Prawdą jest również to, że nie było wielu pijaków. Ale pamiętam, że kiedy byłem nastolatkiem, było kilku osobników, na widok których mieszkańcy wioski kiwali głowami ze współczuciem, a czasami ze złością, kiedy zatrzymywali się, aby powiedzieć: "Ten ochlapus, Henry" albo "ten biedak, Jules, który zbyt dużo pił". Niewątpliwie byli oni alkoholikami z naszej wsi.

Służba wojskowa była obowiązkowa i odsłużyłem ją z rówieśnikami ze swojej klasy, defilując w niemieckich koszarach i biorąc udział w Powstaniu Bokserów w Chinach, gdzie po raz pierwszy znalazłem się tak daleko od domu. Z dala od domu, za granicą niejeden żołnierz, który zachowywał wstrzemięźliwość w domu, uczył się używać nowych i mocnych trunków. Tak więc, razem z kolegami, pozwalaliśmy sobie na zakosztowanie wszystkiego, co Daleki Wschód miał do zaoferowania. Nie mogę jednak powiedzieć, że skutkiem tego zacząłem pożądać mocnych trunków. Kiedy wróciłem do Niemiec, osiedliłem się, aby dokończyć swoją praktykę, popijając jak zwykle krajowe wino.

Wielu przyjaciół mojej rodziny wyemigrowało do Ameryki i w wieku lat dwudziestu czterech doszedłem do wniosku, że Stany Zjednoczone oferują mi szansę, jakiej nigdy nie miałbym w kraju ojczystym. Pojechałem bezpośrednio do rozwijającego się miasta na Środkowym Zachodzie, gdzie zamieszkałem i mieszkam praktycznie do dzisiaj. Zostałem ciepło przyjęty przez przyjaciół z moich młodych lat, którzy przybyli wcześniej. Tygodniami, po moim przyjeździe byłem podejmowany na przyjęciach i goszczony przez członków licznej już w mieście kolonii Alzatczyków oraz przez Niemców w ich salonach i klubach. Bardzo szybko doszedłem do wniosku, że wino amerykańskie jest bardzo pośledniego gatunku i przerzuciłem się na piwo.

Ponieważ lubiłem śpiewać, przyłączyłem się do niemieckiego towarzystwa śpiewaczego, które dysponowało dobrymi pomieszczeniami klubowymi. Wieczorami przesiadywałem tam, delektując się wraz z przyjaciółmi wspomnieniami ze Starego Kraju, śpiewając stare pieśni, które wszyscy znaliśmy, grając w karty – proste gry o kolejki – i pochłaniając olbrzymie ilości piwa.

W tamtych czasach mogłem wejść do dowolnej knajpki, wypić jedno lub dwa piwa, wyjść i zapomnieć o tym. Nie czułem najmniejszej potrzeby, aby siąść przy stoliku i popijając spędzić przy nim cały ranek lub popołudnie. Najwidoczniej byłem wówczas jednym z tych, którzy "mogą, ale nie muszą pić". W mojej rodzinie nigdy nie było żadnych pijaków. Pochodziłem z dobrej linii mężczyzn i kobiet, którzy przez całe swoje życie pili wino po prostu jako jeden z napojów i chociaż sporadycznie upijali się przy okazji wielkich uroczystości, następnego ranka wstawali i zajmowali się swoimi obowiązkami.

Nastała prohibicja. Żywiąc szacunek dla prawa obowiązującego w kraju, całkowicie zerwałem z piciem, nie dlatego, że uznałem jego szkodliwość, lecz dlatego, że nie mogłem dostać tego, co zwykłem pić. Pamiętacie wszyscy, że w ciągu kilku pierwszych miesięcy po wprowadzeniu zmiany, bardzo wielu ludzi, którzy wypijali po kilka piw dziennie lub szklaneczkę whisky przy jakiejś tam okazji, po prostu całkowicie zrezygnowało z napojów alkoholowych. Jednakże dla większości z nas stan ten nie trwał długo. Bardzo szybko dostrzegliśmy, że prohibicja nie odniesie sukcesu. Potrzeba było niewiele czasu, zanim powszechne stało się pędzenie alkoholu w domu i ludzie zaczęli gorączkowo poszukiwać starych receptur sporządzania wina.

Przez dwa lata prawie nie tknąłem alkoholu i zająłem się własnymi sprawami, zakładając fabrykę materaców, która dzisiaj jest poważnym przedsiębiorstwem w naszym mieście. Firma ta bardzo dobrze prosperowała, podobnie działo się z usługami tapicerskimi i wszystko wskazywało na to, że stanę się finansowo niezależny, zanim dobiegnę wieku średniego. Byłem wtedy już żonaty i spłacałem dom. Jak większość imigrantów chciałem być kimś i mieć coś, dlatego byłem bardzo szczęśliwy i zadowolony, ponieważ czułem, że moje wysiłki ukoronowane są sukcesem. Tęskniłem, oczywiście, za dawnym życiem towarzyskim, ale nie czułem żadnej specjalnej potrzeby wypicia choćby piwa.

Ci spośród moich przyjaciół, którym powiodły się domowe sposoby produkcji alkoholu, zaczęli zapraszać mnie do swoich domów. Stwierdziłem, że skoro im się udało, to i ja mogę spróbować, co też zrobiłem. Po niedługim czasie uzyskałem całkiem niezły alkohol, nie różniący się od typowego i fachowo zrobionego. Wiedziałem, że produkt, który robiłem, był dużo mocniejszy niż to, do czego przywykłem, ale nigdy nie podejrzewałem, że stałe picie go może pociągnąć za sobą ochotę, by pić coś jeszcze mocniejszego.

Niewiele trzeba było czasu, aby meliniarz stał się normalnym zjawiskiem w tym mieście, tak samo jak i w innych. Wiodło mi się dobrze w interesach i chodząc po mieście, byłem często zapraszany na drinka do knajpki prowadzącej nielegalny wyszynk. Rozgrzeszałem się za własny domowy wyrób alkoholu, znalazłem usprawiedliwienie dla meliniarzy i ich interesów. Coraz bardziej rozwijał się we mnie nawyk załatwiania części swoich interesów w nielegalnych lokalach, ale po jakimś czasie nie potrzebowałem już nawet tego pretekstu. W tych knajpkach zazwyczaj sprzedawano whisky. Piwo było zbyt nieporęczne i nie nadawało się do trzymania w kuflu pod ladą w gotowości do natychmiastowego wylania, kiedy pojawił się przedstawiciel prawa. Wypracowałem teraz zupełnie nową technikę picia. Nie minęło wiele czasu, nim zasmakowałem w wysokoprocentowym alkoholu, poznałem nudności i ból głowy, których nie doznawałem nigdy wcześniej, ale tak jak w dawnych czasach jakoś je przecierpiałem. Jednakże stopniowo męczyłem się tak bardzo, że po prostu musiałem wypić porannego klina.

Zacząłem pić ciągami. Pozbyto się mnie z interesu, który założyłem, i pozostało mi jedynie wykonywanie ogólnych usług tapicerskich w warsztacie z tyłu mojego domu. Żona często i zdrowo objeżdżała mnie, kiedy zobaczyła, że moje "ciągi" powodowały stopniową utratę wszelkich okazji zarobku, jaki mógłbym uzyskać. Zacząłem przynosić alkohol do domu. Miałem butelki pochowane w domu i troskliwie ukryte w całym warsztacie. To były typowe doświadczenia alkoholika, bo na pewno już nim się stałem do tej pory. Czasami, kiedy wytrzeźwiałem po kilkutygodniowym ciągu podejmowałem postanowienie, że przestanę pić, z ogromną determinacją niszczyłem pełne półlitrówki – wylewałem zawartość i tłukłem butelki – postanowiwszy stanowczo nigdy więcej nie tknąć choćby kropelki. Miałem zamiar wejść na dobrą drogę.

Po upływie czterech lub pięciu dni miotałem się po domu i warsztacie, gorączkowo poszukując butelek, które zniszczyłem, klnąc siebie za swoją głupotę. Moje ciągi stawały się coraz częstsze, aż osiągnąłem etap, kiedy cały swój czas chciałem poświęcić piciu, pracować najmniej jak to możliwe, a i to tylko wtedy, kiedy wymagały tego potrzeby mojej rodziny. Skoro tylko zaspokoiłem je, wszystko co zarobiłem jako tapicer szło na alkohol. Obiecywałem wykonanie roboty i nigdy jej nie kończyłem. Moi klienci stracili do mnie zaufanie tak dalece, że te nieliczne zamówienia, jakie otrzymywałem, zawdzięczałem jedynie faktowi, że byłem fachowcem i miałem opinię dobrego rzemieślnika. "Najlepszy ze wszystkich, ale kiedy jest trzeźwy" – mawiali moi klienci i jakoś znajdował się kolejny klient, który dawał mi pracę. Chociaż potępiali moje postępowanie, ale wiedzieli, że robota będzie solidnie wykonana, kiedy się jej w końcu doczekają.

Zawsze byłem dobrym katolikiem, może nie aż tak gorliwym jak powinienem, ale dosyć regularnie uczestniczyłem w mszach. Nigdy nie wątpiłem w istnienie Najwyższej Istoty, ale teraz zacząłem omijać kościół, gdzie wcześniej byłem członkiem chóru. Niestety, nie miałem żadnej ochoty porozmawiać o swoim piciu z księdzem. Prawdę mówiąc, bałem się z nim o tym porozmawiać, ponieważ lękałem się przemowy, jaką mi wygłosi. W przeciwieństwie do wielu innych katolików, którzy często ślubują nie pić przez określony czas – rok, dwa lub do końca życia – nigdy nie miałem najmniejszej ochoty złożyć ślubowania przed księdzem. Mimo to, kiedy w końcu zdałem sobie sprawę, że alkohol zapanował nade mną, chciałem przestać pić. Moja żona listownie zamówiła reklamowane środki, które miały wyleczyć z uzależnienia od alkoholu i podawała mi je w kawie. Nawet sam je zażyłem, żeby spróbować. Żadne z lekarstw tego rodzaju nic nie pomogło.

Później zdarzyło się coś, co mnie uratowało. Przyszedł mnie odwiedzić pewien alkoholik, który był lekarzem. Wcale nie gadał jak jakiś kaznodzieja. Mówił językiem, który rozumiałem. Nie chciał niczego się dowiedzieć, poza kwestią, czy stanowczo chcę przestać pić. Z całą szczerością, na jaką mogłem się zdobyć, powiedziałem, że tak. Nawet wtedy nie zagłębiał się w szczegóły, jak on i cała rzesza alkoholików, z którymi się związał, poradziła sobie ze swoją przypadłością. Zamiast tego powiedział, że kilku z nich chce ze mną porozmawiać i że zajrzą do mnie.

Do tamtego dnia ten lekarz przekazał swoją wiedzę ledwie kilku innym mężczyznom – nie więcej niż czterem czy pięciu – dzisiaj jest ponad siedemdziesiąt*. A ponieważ, jak się wkrótce przekonałem, częścią "leczenia" jest to, że tych ludzi wysyła się, aby odwiedzili i porozmawiali z tymi alkoholikami, którzy chcą przestać pić, ciągle dawał im zajęcie. Natchnął ich już swoim duchem tak, że byli gotowi i chętni udać się tam, gdzie ich posyłał o każdej porze. Będąc lekarzem dobrze wiedział, że ta misja i obowiązek wzmocnią ich, tak samo jak to pomogło mi później. Wizyty składane mi przez tych mężczyzn od razu wywarły na mnie wrażenie. Podczas gdy wcześniej wygłaszane kazania i modlitwy

* Napisane w 1939 r.

w bardzo niewielkim stopniu mnie obchodziły, tak teraz pragnąłem dowiedzieć się od tych mężczyzn jak najwięcej.

Widziałem, że są trzeźwi. Mężczyzna, który odwiedził mnie jako trzeci, był kiedyś najlepszym dostawcą zleceń, jakiego zatrudniająca go firma kiedykolwiek miała. Z samych szczytów powodzenia, w ciągu kilku lat stoczył się do pozycji, gdzie zaczął stawać się niepewnym klientem, i chociaż nadal bywał w lepszych salach barowych klubów, to nie przyjmowali go już właściciele kopalni ani sponsorzy. Jego własny interes już praktycznie nie istniał. Opowiedział mi, kiedy znalazł odpowiedź.

"Do tej pory próbowałeś jedynie ludzkich sposobów i one zawsze zawodziły" – powiedział mi. "Nie masz szansy na powodzenie, o ile nie spróbujesz ścieżki Bożej".

Nigdy wcześniej nie słyszałem, by ktoś w ten sposób mówił, że istnieje ratunek. Te kilka zdań sprawiło, że Bóg wydał mi się namacalnie istniejący. Opisał Go jako Istotę, która interesuje się mną, alkoholikiem, wyjaśnił też, że to, co mam jedynie czynić, to chcieć podążać Jego drogą i tak długo, jak będę nią kroczył będę w stanie przezwyciężyć pragnienie napicia się.

No cóż, chciałem spróbować, ale nie wiedziałem jak. Miałem jedynie niejasne pojęcie. Wyczuwałem, że oznaczało to coś więcej niż po prostu chodzenie do kościoła i życie w przykładny sposób. Jeżeli to miało być już wszystko, to miałem niejakie wątpliwości, czy jest to odpowiedź, jakiej szukałem.

Mówił dalej i powiedział mi, że odkrył, iż podstawą planu jest miłość, a w praktyce przykazanie Chrystusa: "Kochaj bliźniego swego jak siebie samego". Biorąc to jako punkt wyjścia, dowodził, że jeżeli człowiek postępuje zgodnie z tym przykazaniem, to nie może być samolubem. Rozumiałem to. Dalej powiedział, że Bóg nie może zaakceptować mnie jako uczciwego wyznawcę Jego Boskiego Prawa, o ile nie będę całkowicie uczciwy w przestrzeganiu go.

Było to idealnie logiczne. Nauczał tego mój Kościół. Zawsze to wiedziałem, ale teoretycznie. Rozmawialiśmy także o osobistych systemach moralnych. Każdy człowiek ma własne problemy tego rodzaju, ale nie rozmawialiśmy o tym zbyt dużo. Mój gość dobrze wiedział, że kiedy spróbuję podążać za głosem Boga, wtedy sam zabiorę się za badanie tych rzeczy.

Tego dnia powierzyłem swoją wolę Bogu i poprosiłem o kierowanie mną. Ale nigdy nie traktowałem tego jako jednorazowego aktu, by później zapomnieć o tym. Bardzo szybko zrozumiałem, że ten układ z Bogiem trzeba ciągle odnawiać, że muszę ciągle dotrzymywać zobowiązania. Zacząłem się modlić, aby złożyć swoje problemy w ręce Boga.

Nie ustawałem w wysiłkach przez długi czas, wiem że początkowo nieudolnie, ale bardzo uczciwie. Nie chciałem być oszustem. I zacząłem praktykować to, czego uczyłem się codziennie. Nie minęło wiele czasu, gdy mój przyjaciel lekarz wysłał mnie, abym opowiedział o swoich doświadczeniach innym alkoholikom. Ten obowiązek, razem z cotygodniowymi spotkaniami z innymi trzeźwiejącymi alkoholikami, jak również moje codzienne odnawianie kontraktu, jaki pierwotnie zawarłem z Bogiem, pozwoliły mi zachować trzeźwość, kiedy nic innego już nie pomagało.

Dzisiaj jestem trzeźwy od wielu lat. Kilka pierwszych miesięcy było trudnych. Zdarzyło się wiele rzeczy: perturbacje w interesach, drobne zmartwienia, uczucie ogólnej beznadziei nieomal doprowadziły mnie do butelki, ale czyniłem postępy. Podążając wciąż dalej, staram się codziennie wzmacniać, aby tym łatwiej znosić przeciwności. A kiedy odczuwam rozczarowanie, rozdrażnienie i wrogość wobec bliźnich, wiem, że jestem w niezgodzie z Bogiem. Poszukując, gdzie tkwi błąd, łatwo mogę go odszukać i naprawić, ponieważ udowodniłem sobie i wielu innym, którzy mnie znają, że Bóg może zachować człowieka w trzeźwości, jeżeli ten zechce Mu na to pozwolić.

DODATEK

I. Tradycja AA
II. Przeżycie duchowe
III. Lekarze o AA
IV. Nagroda Laskerów
V. Duchowni o AA
VI. Jak skontaktować się z AA

I

TRADYCJA AA

DLA tych, którzy należą teraz do Wspólnoty Anonimowych Alkoholików stanowi ona o różnicy między głębokim nieszczęściem a trzeźwością, a często o różnicy między życiem a śmiercią. AA może oczywiście oznaczać tak samo wiele dla niezliczonych alkoholików, do których jeszcze nie dotarło.

Dlatego też żadna społeczność mężczyzn i kobiet nigdy nie miała bardziej palącej potrzeby ciągłej efektywności i stałej jedności. My, alkoholicy, widzimy, że musimy działać razem i trzymać się razem, w przeciwnym wypadku większość z nas w końcu umrze samotnie.

12 Tradycji Anonimowych Alkoholików jest, jak wierzymy my, Anonimowi Alkoholicy, najlepszą odpowiedzią, jaką do tej pory dało nasze doświadczenie na te zawsze palące pytania: "Jak najlepiej może funkcjonować AA?" i "Jak najlepiej może AA pozostać całością i w ten sposób przetrwać?"

Na tej i następnej stronie 12 Tradycji AA ukazane jest w swojej tak zwanej "krótkiej formie", formie będącej w dniu dzisiejszym w powszechnym użytku. Jest to skondensowana wersja oryginalnej "długiej formy" Tradycji AA, tak jak ją po raz pierwszy wydrukowano w 1946 roku. Ponieważ "długa forma" jest bardziej zrozumiała i może mieć wartość historyczną, została ona także przedstawiona.

DWANAŚCIE TRADYCJI

1. Nasze wspólne dobro powinno być najważniejsze, wyzdrowienie każdego z nas zależy bowiem od jedności Anonimowych Alkoholików.
2. Jedynym i najwyższym autorytetem w naszej wspólnocie jest miłujący Bóg, jakkolwiek może się On wyrażać w sumieniu każdej grupy. Nasi przewodnicy są tylko zaufanymi sługami, oni nami nie rządzą.

3. Jedynym warunkiem przynależności do AA jest pragnienie zaprzestania picia.
4. Każda grupa powinna być niezależna we wszystkich sprawach, z wyjątkiem tych, które dotyczą wszystkich grup lub AA jako całości.
5. Każda grupa ma jeden wspólny cel: nieść posłanie alkoholikowi, który wciąż jeszcze cierpi.
6. Grupa AA nie powinna popierać, finansować ani użyczać nazwy AA żadnym pokrewnym ośrodkom ani jakimkolwiek przedsięwzięciom, ażeby problemy finansowe, majątkowe lub sprawy ambicjonalne nie odrywały nas od głównego celu.
7. Każda grupa AA powinna być samowystarczalna i nie powinna przyjmować dotacji z zewnątrz.
8. Działalność we wspólnocie powinna na zawsze pozostać honorowa, dopuszcza się jednak zatrudnianie niezbędnych pracowników w służbach AA.
9. Anonimowi Alkoholicy nie powinni nigdy stać się organizacją, dopuszcza się jednak tworzenie służb i komisji bezpośrednio odpowiedzialnych wobec tych, którym służą.
10. Anonimowi Alkoholicy nie zajmują stanowiska wobec problemów spoza ich wspólnoty, ażeby imię AA nigdy nie zostało uwikłane w publiczne polemiki.
11. Nasze oddziaływanie na zewnątrz opiera się na przyciąganiu, a nie na reklamowaniu; musimy zawsze zachować osobistą anonimowość wobec prasy, radia i filmu.
12. Anonimowość stanowi duchową podstawę wszystkich naszych tradycji, przypominając nam zawsze o pierwszeństwie zasad przed osobistymi ambicjami.

DWANAŚCIE TRADYCJI
Dłuższa wersja

Doświadczenie AA przekonało nas, że:

Po pierwsze: Każdy członek Wspólnoty Anonimowych Alkoholików jest tylko małą cząstką wielkiej całości. AA musi trwać nadal, bo inaczej większość z nas zginie. Toteż nasze wspólne dobro znajduje się na pierwszym miejscu. Ale dobro jednostki jest tuż za nim.

Po drugie: Jedynym i najwyższym autorytetem w naszej wspólnocie jest miłujący Bóg, jakkolwiek może się On wyrażać w sumieniu każdej grupy.

Po trzecie: Nasza wspólnota powinna obejmować wszystkich, którzy cierpią z powodu alkoholizmu. Toteż nie mamy prawa odrzucić nikogo, kto pragnie zdrowieć. Przynależność do AA nigdy nie powinna być uzależniona od posłuszeństwa czy pieniędzy. Nawet dwóch czy trzech alkoholików spotykających się w celu utrzymania trzeźwości może określić się jako grupa AA, pod warunkiem, że jako grupa nie mają żadnych innych celów ani powiązań.

Po czwarte: We wszystkich własnych sprawach grupa AA kieruje się wyłącznie nakazami swego grupowego sumienia. Gdy jednak jej plany dotyczą również dobra innych grup, powinny zostać z nimi uzgodnione. Żadna grupa, żadna intergrupa czy rada regionalna ani żaden pojedynczy członek AA nigdy nie powinni podejmować działań, które mogłyby wpłynąć na AA jako całość bez uprzedniego porozumienia się z powiernikami. W takich sprawach nasza wspólna pomyślność jest absolutnie nadrzędna.

Po piąte: Każda grupa AA powinna stanowić duchową jedność, posiadając tylko jeden zasadniczy cel: nieść posłanie alkoholikowi, który jeszcze cierpi.

Po szóste: Problemy pieniędzy, własności i władzy mogłyby z łatwością odwieść nas od naszego nadrzędnego celu duchowego. Dlatego uważamy, że wszelkie majętności, które okażą się naprawdę konieczne AA powinny być oddzielnie zarejestrowane i zarządzane, tak aby oddzielać sprawy materialne od spraw ducha. Grupa AA jako taka nigdy nie powinna prowadzić interesów. Instytucje wspomagające działalność AA, na przykład kluby czy szpitale, które wymagają sporego majątku lub administracji, powinny być zarejestrowane i zarządzane oddzielnie, by w razie potrzeby grupy mogły swobodnie z nich rezygnować. Toteż instytucje te nie powinny używać nazwy AA. Kierować nimi powinni tylko ci, którzy je finansują. W przypadku klubów wskazane jest, by kierowali nimi członkowie AA. Szpitale natomiast i inne zakłady rehabilitacyjne powinny pozostawać całkowicie poza obrębem AA i posiadać właściwy nadzór medyczny. Chociaż grupa AA może współpracować z kim zechce, współpraca ta nigdy nie może przybierać charakteru związku rzeczywistego lub domniemanego z inną organizacją lub popierania jej. Grupa AA nie może z nikim się wiązać.

Po siódme: Poszczególne grupy AA powinny być w całości finansowane z dobrowolnych datków swoich członków. Uważamy, że wszystkie grupy wkrótce powinny to osiągnąć. Uważamy również, że wszelkie publiczne starania o pieniądze, prowadzone zarówno przez grupy jak i przez kluby, szpitale czy inne instytucje spoza AA, podczas których korzystano by z imienia AA są wyjątkowo niebezpieczne. Uważamy ponadto, że przyjmowanie poważniejszych funduszy z jakiegokolwiek źródła oraz darów pociągających za sobą jakiekolwiek powiązania jest nie wskazane. Niepokoi nas także fakt, że niektóre grupy AA gromadzą w swych kasach nadmierne fundusze, ponad rozsądną rezerwę, bez jasno określonego celu, jakiemu pieniądze te posłużą w ramach AA. Doświadczenie przekonało nas wielokrotnie, że nic nie niszczy naszego duchowego dziedzictwa tak niezawodnie, jak daremne spory o własność, pieniądze i władzę.

Po ósme: Anonimowi Alkoholicy nigdy nie powinni stać się zawodowcami. Przez zawodowstwo rozumiemy pomoc udzielaną alkoholikom za opłatą lub na etacie. Możemy jednak zatrudniać alkoholików do świadczenia takich usług, do których musielibyśmy najmować niealkoholików. Tego rodzaju prace powinny być należycie wynagradzane. Nigdy natomiast nie powinno się płacić za realizację Dwunastego Kroku.

Po dziewiąte: W każdej grupie AA powinno istnieć możliwie jak najmniej organizacji. Rotacja jest najlepszym rozwiązaniem. Grupa wybiera mandatariusza, rzecznika i skarbnika – służby te są rotacyjne. Wielkomiejskie grupy łączą się w intergrupy a te z kolei tworzą regiony, które często zatrudniają sekretarkę na pełnym etacie. Powiernicy Rady Usług Ogólnych są w istocie takim Komitetem Usług Ogólnych dla całego AA. Stoją oni na straży naszych Tradycji, otrzymując od grup AA dobrowolne datki, z których utrzymują Biuro Usług Ogólnych* w Nowym Jorku. Są oni upoważnieni przez grupy do reprezentowania całego AA na zewnątrz, a także dbają o merytoryczną treść naszego głównego czasopisma "A.A. Grapevine". Wszyscy nasi reprezentanci powinni kierować się duchem służby, bo prawdziwi przywódcy w AA są jedynie zaufanymi i doświadczonymi sługami całej wspólnoty. Ich stanowiska nie dają im żadnej władzy; oni nami nie rządzą. Warunkiem ich przydatności jest powszechny szacunek.

Po dziesiąte: Żadna grupa ani żaden członek AA nie powinni nigdy wyrażać swych opinii na temat kontrowersyjnych spraw spoza wspólnoty, a w szczególności na temat polityki, ustawodawstwa alkoholowego lub sekt religijnych, w taki sposób, który mógłby sugerować, że jest to opinia AA. Grupy Anonimowych Alkoholików nie walczą z nikim, a w tego rodzaju sprawach w ogóle nie wyrażają swoich opinii.

Po jedenaste: Nasze stosunki ze społeczeństwem powinny opierać się na zasadzie osobistej anonimowości. Uważamy, że AA powinno unikać sensacyjnej reklamy. Nasze nazwiska i zdjęcia jako członków AA nie powinny być rozpowszechniane w radiu, w prasie, filmie lub telewizji. Nasze oddziaływanie na zewnątrz powinno opierać się na przyciąganiu a nie na reklamowaniu. Nigdy nie możemy sami siebie zachwalać. Uważamy, że będzie lepiej, gdy będą nas polecać nasi przyjaciele.

Po dwunaste: I wreszcie my, Anonimowi Alkoholicy, głęboko ufamy, że zasada anonimowości ma olbrzymie znaczenie duchowe. Przypomina nam o pierwszeństwie zasad AA przed osobistymi ambicjami oraz o potrzebie stosowania prawdziwej pokory w życiu. Potrzebujemy jej po to, by zesłane nam dobrodziejstwa nigdy nas nie zepsuły i byśmy nigdy nie przestali myśleć z wdzięcznością o Nim, który miłościwie panuje nad nami wszystkimi.

---

* Odpowiednikiem w Polsce jest Biuro Służby Krajowej Anonimowych Alkoholików, 00-950 Warszawa, skrytka pocztowa 243. BSK AA wydaje biuletyn „Zdrój"

II
PRZEŻYCIE DUCHOWE

OKREŚLENIA "przeżycie duchowe" i "przebudzenie duchowe" są używane w tej książce wiele razy, co po dokładnym przeczytaniu wskazuje, że przemiana osobowości wystarczająca do spowodowania ozdrowienia z alkoholizmu, przejawia się pośród nas w wielu różnych formach.

Jednak jest prawdą, iż nasze pierwsze wydanie wywołało u wielu czytelników wrażenie, że te przemiany osobowości lub przeżycia duchowe muszą być z natury swojej gwałtownymi i widowiskowymi przewrotami. Na szczęście dla każdego wniosek ten jest błędny.

W pierwszych kilku rozdziałach opisanych jest kilka gwałtownych rewolucyjnych przemian. Chociaż nie było naszym zamiarem sprawienie takiego wrażenia, niemniej wielu alkoholików doszło do wniosku, że aby ozdrowieć muszą zdobyć natychmiastową i wszechogarniającą "świadomość Boga", po której następowałaby od razu rozległa przemiana uczuciowa i światopoglądowa.

Wśród gwałtownie rosnącej liczby należących do nas tysięcy alkoholików takie gruntowne przemiany, chociaż częste, nie są w żadnym przypadku regułą. Większość z naszych przeżyć jest tym, co psycholog William James nazywa "odmianą edukacyjną" ponieważ rozwijają się one powoli na przestrzeni pewnego czasu. Przyjaciele nowicjusza są dość często świadomi różnicy na długo przed nim samym. Wreszcie zdaje on sobie sprawę, że przeszedł głęboką przemianę w swoich reakcjach wobec życia; że taka przemiana prawie nigdy nie mogłaby być wywołana przez niego samego. Z niewieloma wyjątkami nasi członkowie stwierdzają, że zaczerpnęli z wewnętrznych zasobów, których istnienia nie podejrzewali i które obecnie identyfikują ze swoim własnym pojęciem Siły Większej od nich samych.

Większość z nas uważa, że ta świadomość Siły Większej od nas samych jest istotą przeżycia duchowego. Nasi bardziej religijni członkowie nazywają je "świadomością Boga".

Z całym naciskiem pragniemy powiedzieć, że alkoholik zdolny do uczciwego stawienia czoła swoim problemom w świetle naszych doświadczeń może ozdrowieć, o ile nie zamknie swego umysłu na wszystkie pojęcia duchowe. Może być pokonany tylko przez postawę nietolerancji i wojowniczej negacji.

Stwierdzamy, że nikt nie musi mieć trudności z duchowością programu. Gotowość, uczciwość i otwartość są koniecznymi warunkami zdrowienia. Nie można ich niczym zastąpić i nie sposób się bez nich obejść.

"Jest zasada, która jest barierą dla wszelkich informacji, która jest odporna na wszelkie argumenty i która niechybnie zatrzyma człowieka w stanie wiecznej niewiedzy – tą zasadą jest wzgarda poprzedzająca dociekanie"

Herbert Spencer

III
LEKARZE O AA

OD czasu gdy dr Silkworth po raz pierwszy poparł Anonimowych Alkoholików towarzystwa medyczne i lekarze na całym świecie udzielali nam swojej aprobaty. Poniżej znajdują się wyjątki z komentarzy lekarzy obecnych na corocznym spotkaniu* Towarzystwa Medycznego Stanu Nowy Jork, gdzie wygłoszony został referat o AA.

Dr Foster Kennedy, neurolog: "Wspólnota Anonimowych Alkoholików sięga do dwóch największych źródeł siły znanych człowiekowi: religii oraz instynktu łączenia ze swymi współziomkami... «instynktu stadnego».

Myślę, że nasza profesja musi odnotować powstanie tego wspaniałego narzędzia terapeutycznego. Jeśli tego nie zrobimy, zostaniemy oskarżeni o sterylność emocjonalną i o utratę wiary, która góry przenosi i bez której medycyna może zrobić niewiele".

Dr G. Kirby Collier, psychiatra: "Czuję, że AA jest grupą samą w sobie i najlepsze rezultaty mogą być osiągnięte według ich własnych wskazań, jako skutek ich filozofii. Każda procedura terapeutyczna czy filozoficzna, która może udowodnić postęp ozdrowień od 50% do 60% musi zasługiwać na naszą uwagę."

Dr Harry M. Tiebout, psychiatra: "Jako psychiatra, dużo myślałem o stosunku mojej specjalności do AA i doszedłem do wniosku, że nasza szczególna funkcja może często polegać na przygotowywaniu pacjentowi drogi do przyjęcia jakiegokolwiek leczenia lub zewnętrznej pomocy. Teraz pojmuję pracę psychiatry, jako zadanie przełamania wewnętrznego oporu pacjenta, tak aby to co jest w jego wnętrzu mogło rozkwitnąć, tak jak pod działaniem programu AA".

---

* 1994 r.

Dr W.W. Bauer, występując w 1946 r. pod auspicjami Amerykańskiego Stowarzyszenia Medycznego w sieci NBC, powiedział w części swej wypowiedzi: "Anonimowi Alkoholicy nie są żadnymi krzyżowcami, ani też towarzystwem wstrzemięźliwości. Wiedzą, że nie wolno im nigdy pić. Pomagają innym z podobnymi problemami ... W tej atmosferze alkoholik często pokonuje swoją nadmierną koncentrację na samym sobie. Ucząc się polegania na Sile Wyższej i absorbującej pracy z innymi alkoholikami, pozostaje on trzeźwy dzień po dniu. Dni składają się na tygodnie, tygodnie na miesiące i lata."

Dr John F. Stouffer, naczelny psychiatra szpitala ogólnego w Filadelfii, przytaczając swoje doświadczenia z AA, powiedział: "Alkoholicy, których przyjmujemy do szpitala ogólnego w Filadelfii, to przeważnie ci, których nie stać na prywatne leczenie, a AA jest zdecydowanie najwspanialszą rzeczą, jaką byliśmy w stanie im zaoferować. Nawet wśród tych, którzy czasami wracają tutaj obserwujemy głęboką przemianę osobowości. Z trudem byście ich rozpoznali."

W 1949 roku Amerykańskie Towarzystwo Psychiatryczne zwróciło się z prośbą, aby jeden ze starszych członków Anonimowych Alkoholików przygotował odczyt na coroczne spotkanie towarzystwa. Tak się stało, a referat został wydrukowany w "American Journal of Psychiatry" w listopadzie 1949 r.

Referat ten został wydany pod tytułem "Trzy wystąpienia Billa W. dla towarzystw medycznych" (poprzednie tytuły: "Bill o alkoholizmie", "Alkoholizm chorobą").

IV
NAGRODA LASKERÓW

W 1951 roku przyznana została Anonimowym Alkoholikom Nagroda Laskerów. Część uzasadnienia brzmi następująco:

Amerykańskie Towarzystwo Zdrowia Publicznego przyznaje Nagrodę Laskerów za rok 1951 Wspólnocie Anonimowych Alkoholików w uznaniu jej unikalnego i wybitnie skutecznego podejścia do alkoholizmu – odwiecznej plagi zdrowia publicznego, a zarazem odwiecznego problemu społecznego. Stwierdzając, że alkoholizm jest chorobą AA pomaga zmyć przypisywane temu stanowi piętno społeczne.

Historycy mogą pewnego dnia uznać Wspólnotę Anonimowych Alkoholików za towarzystwo, które osiągnęło znacznie więcej niż wybitny sukces w leczeniu alkoholików oraz w zdjęciu z nich piętna; mogą uznać Wspólnotę Anonimowych Alkoholików za wielkie osiągnięcie w pionierskim przecieraniu nowych dróg, które wykształciło nowy instrument akcji społecznej: nowy rodzaj leczenia oparty na pokrewieństwie wspólnego cierpienia mający ogromny potencjał dla licznych innych ludzkich dolegliwości.

V
DUCHOWNI O AA

DUCHOWNI praktycznie każdego wyznania udzielili AA swego błogosławieństwa.

Edward Dowling, S.J.* , pracownik Queeen's Work, mówił: "Wspólnota Anonimowych Alkoholików jest naturalna w punkcie, gdzie natura najbardziej zbliża się do tego co nadprzyrodzone, mianowicie w upokorzeniach i co dalej idzie w pokorze. Jest coś duchowego w muzeum sztuki czy symfonii, a Kościół katolicki aprobuje to, że z nich korzystamy. Jest też coś duchowego w AA, a w wyniku udziału w nim katolików prawie zawsze źli katolicy stają się dobrymi katolikami."

Czasopismo episkopalne "Żywy Kościół" zauważa w artykule redakcyjnym: "Podstawą techniki Anonimowych Alkoholików jest prawdziwie chrześcijańska zasada, że człowiek nie może pomóc sobie sam inaczej jak tylko przez pomoc innym. Plan AA określany jest przez samych jego członków jako "ubezpieczenie samego siebie". Wynikiem tego ubezpieczenia siebie jest przywrócenie zdrowia fizycznego, psychicznego i duchowego setkom mężczyzn i kobiet którzy byliby w beznadziejnej sytuacji życiowej bez jego unikalnej ale efektywnej terapii."

Przemawiając na obiedzie wydanym przez Johna D. Rockefellera, juniora, dla przedstawienia Anonimowych Alkoholików niektórym ze swoich przyjaciół, dr Harry Emerson Fosdick zauważył:

"Uważam, że z psychologicznego punktu widzenia, podejście tego ruchu posiada przewagę na innymi, której nie da się powielić. Podejrzewam, że jeżeli będzie się z nim mądrze obchodziło – a zdaje się być w mądrych i rozsądnych rękach – przed tym przedsięwzięciem są drzwi szansy, która może przerastać możliwości naszej wyobraźni."

---

* Ojciec Ed, cudowny przyjaciel AA z wczesnego okresu, umarł wiosną 1960 roku.

VI

JAK SKONTAKTOWAĆ SIĘ Z AA

W Stanach Zjednoczonych i Kanadzie w większości małych i dużych miast istnieją grupy AA. W takich miejscach AA można zlokalizować przez lokalną książkę telefoniczną, gazetę czy posterunek policji, lub też kontaktując się z miejscowymi księżmi czy pastorami. W dużych miastach grupy często utrzymują lokalne biura, gdzie alkoholicy lub ich rodziny mogą umówić się na spotkanie czy przyjęcie do szpitala. Te tak zwane intergrupy można odnaleźć w książkach telefonicznych pod "AA" lub "Anonimowi Alkoholicy".

W Nowym Jorku w Stanach Zjednoczonych, Anonimowi Alkoholicy utrzymują swój ośrodek służb międzynarodowych. General Services Board AA (Rada Powierników) nadzoruje działanie General Service Office (Biuro Usług Ogólnych), AA World Services, Inc., i naszego miesięcznika A.A. Grapevine.

Jeżeli nie możesz znaleźć AA w swojej miejscowości, list zaadresowany do Alcoholics Anonymous, Box 459, Grand Central Station, New York, NY 10163, USA spotka się z szybką odpowiedzią z tego światowego ośrodka, kierując cię do najbliższej grupy AA. Jeżeli nie ma żadnej w pobliżu, zostaniesz zaproszony do kontynuowania korespondencji, która uczyni wiele, aby zapewnić twoją trzeźwość niezależnie od tego w jak wielkiej pozostajesz izolacji.

Jeżeli jesteś krewnym lub przyjacielem alkoholika, który nie wykazuje natychmiastowego zainteresowania AA, zalecane jest napisanie do Al-Anon Family Groups, Inc., Box 862, Midtown Station, New York, NY 10018-0862, USA.

Jest to światowy bank informacji dla grup rodzinnych Al-Anon, składających się głównie z żon, mężów i przyjaciół członków AA. Ta centrala poda lokalizację najbliższej grupy rodzinnej i będzie, jeżeli tego pragniesz, korespondować z tobą na temat twoich szczególnych problemów.

JAK SKONTAKTOWAĆ SIĘ Z AA W POLSCE

Obecnie w Polsce Anonimowi Alkoholicy spotykają się w około 1300 grupach AA.

Grupy AA utworzyły dobrowolne porozumienie służb na najbliższym terenie, zwane intergrupami AA, a te z kolei powołały 13 regionów AA w Polsce, obejmujące znaczne obszary kraju bez zaznaczenia wyraźnie granic oddziaływania i nie sugerując się podziałem administracyjnym.

Każdy region AA ma swoją strukturę służebną niezbędną dla sprawniejszej informacji wewnątrz samego AA, ułatwiającą również niesienie posłania AA cierpiącym alkoholikom.

Wszelkie działania AA na zewnątrz wynikają z 12 Tradycji AA (sugestywnych zasad), które obowiązują w całej ogólnoświatowej Wspólnocie AA.

Anonimowi Alkoholicy nie są żadną „organizacją" i nie mają żadnej władzy i systemu zarządzania, a jednoczy ich jeden główny cel: trwać w trzeźwości i pomagać innym alkoholikom w jej osiągnięciu.

W świecie jest około 100 tysięcy grup AA w 160 krajach i szacunkowo ponad trzy miliony ludzi korzysta ze sposobu wsparcia i powrotu do zdrowia w ramach sugestii zawartych w programie 12 Kroków AA, dzięki któremu alkoholicy mogą osiągnąć trwałą i spokojną trzeźwość.

Wspólnota AA kieruje się zasadą ANONIMOWOŚCI, jest ona duchową podstawą AA. To przypomina wspólnocie, aby kierowała się raczej zasadami, niż osobistymi ambicjami. AA jest społecznością ludzi równych. Dąży do tego, aby poznany był program zdrowienia, a nie osoby, które w nim uczestniczą. Anonimowość w środkach masowego przekazu jest gwarancją bezpieczeństwa dla wszystkich uczestników AA, a szczególnie dla nowo przybyłych, że ich uczestnictwo we Wspólnocie AA nie będzie ujawnione.

Anonimowi Alkoholicy spotykają się na mityngach AA. Poszczególne grupy Anonimowych Alkoholików odbywają swe mityngi przeważnie raz w tygodniu i trwają one od jednej do trzech godzin. Najczęściej spotkania te odbywają się w wynajętych salach kościołów, klubów abstynenckich, poradni uzależnień lub ośrodków zdrowia oraz innych instytucji.

Przeważnie jeden mityng w miesiącu jest mityngiem otwartym dla wszystkich zainteresowanych Wspólnotą AA, a pozostałe mają charakter zamknięty i biorą w nich udział tylko ludzie z problemem alkoholowym.

Najłatwiej jest znaleźć adres najbliższej grupy AA

- pisząc lub dzwoniąc do Biura Służby Krajowej AA w Warszawie tel. (0-22) 828-04-94, 00-950 Warszawa 1 skrytka pocztowa 243

- szukając w lokalnej prasie ogólnego telefonu zaufania lub telefonu dla ludzi z problemem alkoholowym, czy telefonu kontaktowego AA (są w niektórych miastach).

- odwiedzając najbliższą poradnię uzależnień.

Jednak należy pamiętać, że Wspólnota AA nie zajmuje się profesjonalnym leczeniem alkoholików, pomocą społeczną czy pośrednictwem pracy. Jest to nieprofesjonalny ruch samopomocowy dla wsparcia nowego sposobu życia i rozwiązywania codziennych problemów ludzi dotkniętych uzależnieniem od alkoholu.

Każdy chętny niezależnie od stanu zaawansowania choroby alkoholowej może skorzystać z kontaktu ze Wspólnotą AA, a wtedy sam zadecyduje czy jest to dobry sposób dla niego na lepsze życie. Takie spotkanie do niczego nie zobowiązuje zwłaszcza, że we wspólnocie nie prowadzi się żadnej ewidencji i list obecności na mityngach AA, a każdy zwraca się do siebie po imieniu.

Rodziny i bliscy ludzi dotkniętych chorobą alkoholową mogą uzyskać informacje w podobny sposób, ale powinni pytać się o grupy rodzinne Al-Anon, które są, podobną do AA, wspólnotą opartą na programie samopomocy osób współuzależnionych. Informację o grupach rodzinnych Al-Anon można uzyskać pisząc lub dzwoniąc: Krajowy Komitet Służb Al-Anon, Al. Marcinkowskiego 20, 61-827 Poznań, tel. (0-61) 853-16-16

A więc do DZIEŁA! Czekamy na Ciebie!

Pogody ducha!